BOEMAN

Ander werk van Unni Lindell

Honingval (literaire thriller, 2008)

UNNI LINDELL

Boeman

VERTAALD DOOR CARLA JOUSTRA

AMSTERDAM · ANTWERPEN
2009

Q is een imprint van Em. Querido's Uitgeverij BV, Amsterdam

Oorspronkelijke titel *Mørkemannen*
Oorspronkelijke uitgever H. Aschehoug & Co., Oslo
Copyright © 2008 Unni Lindell. Published by agreement
with Bengt Nordin Agency, Sweden
Copyright translation © 2009 Carla Joustra
via het Scandinavisch Vertaal- en Informatiebureau Nederland /
Em. Querido's Uitgeverij BV, Singel 262, 1016 AC Amsterdam

Omslag Wil Immink Design
Omslagbeeld © Arcangel Images / Imagestore
Foto auteur Olav Heggø

ISBN 978 90 214 3471 1 / NUR 305
www.uitgeverijQ.nl

†

Onze geliefde dochter, onze
nicht en mijn kleinkind

Hanne Elisabeth
Wismer

geboren 3 januari 1956

Astrid   **Rolf**
Oluf   **Karin**
        Oma

Hoewel ik je mis,
kan niets me nog raken
alles wat je me gaf,
herinnert me aan jou.

Herdenkingsdienst in
de kerk van Halden
vrijdag 29 september 1972
13.00 uur

Zaterdag 21 juli (09.47–10.01 uur)

De insecten zoemden in de bloembak op het balkon. De wespen waren dol op de taaie substantie rond de fluwelen bloemknoppen van de petunia's. Ze trok een paar verwelkte blaadjes weg en liet ze zes verdiepingen naar beneden dwarrelen. Op het kleine balkontafeltje stonden een blauwe mok en een bordje. Ze schoof het potje aardbeienjam opzij en legde een stukje brie op het halve bruine bolletje. De golfplaten die als afscherming van het balkon van de buren waren geplaatst kraakten. Ze keek even naar het bejaardencentrum aan de overkant. Het was doodstil, niet zoals op gewone werkdagen met draaiende motoren in de ochtendspits en een zee van kinderen die aan de klimrekken hingen en tekeergingen terwijl ze door hun moeders in de gaten werden gehouden.

Voor ze koffie inschonk, wilde ze de *Aftenposten* uit de brievenbus halen. Omdat haar persoonsnummer aangaf dat ze dichter bij de zestig was dan bij de vijftig, zat die bus bijna dagelijks vol met geadresseerde reclame waarin werd beweerd dat ze haast moest maken met het gebruik van nachtcrèmes, lotions tegen rimpels, vitamines en middelen tegen incontinentie. Er zaten ook reisbrochures in met aanbiedingen om de wereld in te trekken met gelijkgezinden, alsof ze een kudde waren. Wees lelijk en houd je mond, leken de jonge meisjes op de reclamefolders haar toe te schreeuwen.

Ze liep naar de keuken en trok haar huishoudhandschoenen aan, pakte de vuilniszak en liep het trappenhuis in. Achter haar bleef de deur op een kier staan, heen en weer zwaaiend in de tocht van het balkon. Ze voelde zich nu rustig, ze wilde al het pijnlijke aan de kant vegen, als stof. Hij was gekomen, hij had op de groene bank gezeten en had haar aangekeken, hij had zijn warme hand op haar arm gelegd en gezegd dat alles anders zou worden. Het verschrikkelijke zou voor altijd worden weggevaagd. Hij had gezegd: nu is het onze beurt, vanaf nu zijn we bij elkaar.

Ze drukte met haar gummihandschoenhand op de knop van de lift en genoot van het gelukzalige gevoel. Gisteren had ze het oude porseleinen servies in chloorwater gelegd, vandaag zou ze de ramen lappen.

Zoevend kwam de lift naar boven. In het raampje van de blauwe liftdeur ving ze een glimp op van haar eigen gezicht. In het glas weerspiegelden de diepe rimpels naast haar mond.

Plotseling hoorde ze het geluid. Het gefluit. Ze verstijfde, bleef even staan voor ze nog een keer op de knop drukte, in een reflex. Opeens zat de tekst van het liedje weer in haar hoofd. Haar hersenen konden het verband niet leggen. De pijn... Ze wilde niet...

Het heldere geluid ijlde als een zilverdraad langs de verdiepingen naar boven. Snijdend en kil. *De beer slaapt, de beer slaapt... in zijn warme hol.* Ze trok haar hand terug en liet de vuilniszak vallen. De zak scheurde en er steeg een geur van rotte bloemen, koffiedik en aardappelschillen uit op. De inhoud rolde over de vloer. Ze sloeg beide handen voor haar gezicht. De schreeuw stokte in haar keel.

(10.01 uur)

Inspecteur Marian Dahle vond een plaatsje voor haar auto in de parkeer-garage van het warenhuis. Ze was er vroeg bij. Er waren nog niet veel mensen. Ze opende het dashboardkastje en pakte er een flesje water uit, draaide het raam op een kiertje en keerde zich om naar de boxer Birka en zei dat ze snel terug zou komen. Ze pakte haar versleten leren tas, stapte uit de auto en gooide het portier dicht. Ze nam snel een slok water uit het flesje terwijl ze naar de glazen deuren liep. Ze hoorde de hond in de auto blaffen, liet het water door haar mond gaan, slikte het door en draaide de dop weer op de fles.

Binnen pakte ze een karretje en zocht ze haar weg tussen de schappen. Ze verafschuwde Ikea. Ze kon niet tegen winkelen en grote mensenmassa's, maar het was haar laatste vrije zaterdag en ze was op zoek naar een bureau voor haar kleine woonkamer. Maandag moest ze weer aan het werk op de afdeling Moordzaken van het politiebureau, waar ze al bijna drie maanden werkte. Ze had haar zomervakantie in de stad doorgebracht en met de hond door de bossen gezworven. In de stad voelde ze zich nooit geïsoleerd of een-zaam. 's Zomers waren de straten in Grünerløkka, waar ze woonde, dag en nacht levendig en de cafés hadden hun tafels en stoelen op het trottoir gezet.

Ze had geen vrienden, alleen collega's. Afspraken en intieme gesprekken maakten haar onrustig en ze wilde het liefst een ongestoord leven leiden. Drie weken geleden was ze helemaal op geweest. Aan één stuk door was ze geconfronteerd met duizend verschillende dingen, met moordenaars, idio-ten, regels, dossiers, rapporten, gezeur en gedoe. Nu kon ze zich weer ont-spannen.

Met hulp van een medewerker lukte het haar een hoekbureaublad van licht hout, stalen poten, twee ladeblokken, een draaistoel op wieltjes met een hoge rug, twee archiefladen, tussenschotten en een zwarte leren onderlegger op het karretje te leggen. Ze koos ook nog een nieuwe hondenmand voor Birka.

Een lila chaise longue-achtige hondensofa in miniatuur. Hij zag er een beetje komisch uit, maar dat was waarschijnlijk ook de bedoeling.

Ze manoeuvreerde de overvolle kar door de zaak, naar de kassa. Als ze eraan trok, gleed hij opzij. Opeens bleef ze staan. Cato Isaksen stond vijf meter voor haar. Hij stond met zijn rug naar haar toe en tilde houten en metalen tuinmeubelen uit een schap. Marian staarde naar haar chef en kreeg ineens de neiging weg te rennen, voordat hij zou zien wat voor uitwerking hij op haar had. Ze trok de zware kar achteruit en vond dekking achter een schap met keukenspullen. Tussen twee blauwe glazen schalen door keek ze naar hem. Cato Isaksen had moeite de platte pakken met meubilair op het karretje te laden. Hij had zijn zoon bij zich. Het blonde jongetje sprong in het rond en sloeg op de bakken waarin matten en bloempotten zaten. Zijn ene schoenveter hing los en zwiepte heen en weer rond zijn enkel.

Cato Isaksen zag er in deze omgeving anders uit, hij had twee verschillende kanten, dat zag ze nu. Er hing een krachtveld om hem heen. Hij laadde anderen op. Als hij sprak, keek iedereen naar hem. Hij straalde een intellectuele en seksuele energie uit. Dat laatste zou ze liever levenslust willen noemen.

Opeens was ze weer terug in de situatie van voor de zomervakantie. Marian zag in dat het gevoel dat ze Cato Isaksen moest overtreffen eigenlijk zijn oorsprong had in het tegengestelde, dat ze zich minderwaardig voelde. Ze werd enkel gedreven door de angst voor een catastrofe en de wil tot oorlogsvoering en het bestrijden van vijanden. Ze herinnerde zich ineens wat de psycholoog die haar na de rampzalige gebeurtenis op haar zestiende behandelde, had geschreven. *Een eventuele vorm van behandeling mag niet gebaseerd zijn op dingen die haar herinneren aan de destructieve familieverhoudingen die ze heeft gekend. Ze is intuïtief, sensitief en een scherpe waarnemer, en ze doorziet snel elk soort spel. Ook haar eigen.*

Ze bleef pas staan toen ze weer terug was op de afdeling met kantoormeubilair. De doordringende geur van leer, hout en karton kwam haar tegemoet. Het was leerzaam, interessant en uitdagend geweest om een plekje te krijgen in het team van Cato Isaksen, want ze was het opnemen van getuigenverklaringen zat. Ze had altijd al willen werken met mensen die op het randje leefden, die over een grens waren gegaan. Ze was goed in het leggen van puzzelstukjes, tactische puzzelstukjes. Ze had in haar jeugd geleerd om altijd op haar hoede te zijn, altijd voorbereid te zijn op wat er kon gebeuren. Ze had een negatief gedachtepatroon ontwikkeld, dat allerlei destructieve gebeurtenissen teweegbracht. De afstand tot de moordenaars en moordenaressen met wie ze werkte, was eigenlijk niet zo groot, dacht ze en ze duwde haar buik tegen het winkelkarretje. Ze was bij de politie om zelf niet over de grens te gaan.

(10.03 uur)

Het ritme van haar ademhaling veranderde. Het suisde in haar hoofd, alsof er daarbinnen een ventilator op volle kracht aan stond. In korte flitsen doken aan één stuk door beelden uit het verleden op. Ze benauwden haar: het warme kamertje, het pad door het bos, de geluiden in het vreemde huis, het verzwijgen.

De gele gummihandschoen weerspiegelde in het smalle raampje van de lift. Hij deelde het beeld in tweeën, terwijl het verschrikkelijke geluid aanhield: *Hij is niet gevaarlijk, als je maar voorzichtig bent. De beer slaapt, de beer slaapt in zijn warme hol.*

Hij kón hier niet zijn, niet in háár trappenhuis. Ze draaide zich om en zette wankelend twee stappen in de richting van de stalen balustrade, ze boog zich er zover mogelijk overheen. Het hekwerk leek helemaal naar beneden te zwaaien. Een verdieping lager viel een streep zonlicht op de richel. In de diepte zag ze de hand en de harige onderarm. Zijn brede nek en hoofd doken even in haar blikveld op. Helemaal beneden was de keldervloer een grijze, harde betonnen plaat.

Ze dook ineen toen ze de klik hoorde van de lift die boven kwam, alsof ze bijkwam uit een verdoving. In het trappenhuis stond het raam met het geribbelde glas met staaldraad op een kier. Een stroom zomerlucht sijpelde naar binnen, samen met de geluiden van de vogels buiten op de vensterbank. Het ene geluid vermengde zich met het andere. De muren, de stenen trappen en het metalen hekwerk versterkten het gefluit, maar ineens werd het stil. Ze schrok op toen ze opnieuw een klik van de lift hoorde. Hij ging weer naar beneden.

Ze vluchtte haar appartement binnen, maar liet de deur openstaan, zodat ze weg kon komen. In de keuken trok ze de ene gummihandschoen van haar hand en gooide hem op de vloer. Ze opende de deur van de koelkast en pakte de glazen kan met koud water. Ze dronk eruit, gulzig. De piepgeluiden van de vogels op de vensterbank werden luider en luider. Het water liep uit haar mondhoeken en viel op haar blouse, op haar borsten. Uit de stof steeg een milde parfumgeur op. Ze had gevochten, de ene na de andere winter was verstreken. Vol rusteloosheid en zelfverwijt. Het dubbele spoor waarop ze leefde had haar van het leven beroofd. Kon ze de film maar terugspoelen en opnieuw beginnen.

Plotseling viel haar oog op het briefje dat met een klein magneethartje op de deur van de koelkast was geplakt. 'Vergeet niet te vergeten', stond er. Ze sloot haar ogen. Het bloed klopte in haar halsslagader. Ze opende haar ogen weer en gaf zichzelf korte, stipte orders. Het is een gewone zomermorgen! Ga weer naar buiten, hij is het niet! Je laat je leiden door je fantasie en daarom zit je hier boven, avond aan avond, op het kleine balkon met je hoofd in de wolken. Te denken.

Ze liep voorzichtig terug naar het trappenhuis. Ze ging op haar hurken zitten en veegde de vuilnis weer in de zak. Ze knoopte hem dicht. De schaduwen kropen naderbij over de witte muren. Eerst donker, dan donkerder. Door de tocht sloeg ineens de deur van het appartement achter haar rug met een harde klap dicht. Daarna werd het doodstil. De stilte had een dubbele bodem, een stilte die rustte in een geluid dat zojuist de plaats delict had verlaten.

(11.55 uur)

De wanden schudden. In de kleine ruimte rook Lilly Rudeck de scherpe, doordringende geur van urine. Ze draaide zich om, ging op haar knieën op de wc-deksel zitten en keek snel door het vuile raampje hoog in de wand naar buiten. Bij het receptiegebouwtje stond een camper met draaiende motor.

Ze woonde in een deel van het douche- en washok. Het gebouw met de bruin geschilderde planken stond aan de rand van de camping, waar het bos begon. Het stond op betonnen palen. Langs de stenen platen voor de deur groeide weegbree en ander onkruid. De rij campinghutten strekte zich uit tot aan het strand. Er stonden in totaal tien hutten en het was haar taak om ze schoon te houden.

Vannacht was ze weer wakker geworden van het gefluit. Het gevoel zat als een klauw in haar buik vast. De afgelopen drie dagen had ze in de lunchpauze op het damestoilet gezeten.

De eerste nacht dat ze de schaduw ontdekte, was ze diep verzonken in een droomachtige compositie van kleding. Ze droeg een rode jurk die mooi bij haar rode schoenen paste. Ze dacht dat ze had geslapen, dat ze wakker was geworden. Maar ze wist het niet zeker. Ze verkeerde op de grens tussen slapen en waken, toen ze ineens de ogen ontdekte. Ze staarden haar aan vanachter het rooster dat het ontluchtingskanaal onder het plafond afdekte. Een smalle, ovale schaduw speelde over het vreemde gezicht.

Het deed denken aan de lamellen van luxaflex.

De leidingen in de wand maakten een suizend geluid. De gemarmerde wandplaten waren hier en daar gebarsten. In haar ene hand hield ze een flesje fris. Ze nam een slok en drukte haar mond tegen haar bruine onderarm met de kleine, blonde donshaartjes, die in het witte lamplicht duidelijk te zien waren.

Ze zag dat de motorman door het autoraampje met de nieuwe gasten stond te praten. Ewald Hjertnes kwam naar buiten om hun een plaats te wijzen. Hij liep met ontbloot bovenlichaam en haalde zijn hand door zijn grijze haar. Hij zat meestal in de receptie bij de ingang te roken en oude koffie te drinken. Het zou voor de camper niet gemakkelijk zijn om tussen de caravans en tenten door te rijden. Ze stonden erg dicht op elkaar.

Haar knieën deden pijn. De man met de baard en de gitaar liep langs. Ze dook snel weg. Het herentoilet lag naast het damestoilet. De man met de baard woonde in de tent aan de rand van het bos. 's Avonds zat hij zacht te zingen in de tentopening. Hij droeg een kruis om zijn nek en was helemaal alleen.

Maandag 23 juli (08.31 uur)

Terwijl hij naar zijn garage liep, knoopte hoofdinspecteur Cato Isaksen zijn overhemd dicht, een beetje onhandig, met één hand. De wijk Frydendal in Asker baadde in het zonlicht. Het onkruid in de geul langs de garage stond veel te hoog. Margrieten, rode klaver en geel gras vochten om een plek. In de drie weken dat hij afwezig was geweest, was alles verwilderd. Het was zijn eerste werkdag na de vakantie. De rijtjeshuizen waren nog steeds vrijwel verlaten. Bente en zijn twee oudste zonen waren in het vakantiehuisje achtergebleven, dus kon hij zonder gewetenswroeging aan het werk gaan. Ze hadden een geweldige zomer gehad, heerlijke maaltijden bereid op de barbecue en witte wijn gedronken aan de waterkant. Bente had verrukkelijke salades gemaakt, met noten, vijgen en verse kruiden.

Cato Isaksen reed de nieuwbouwwijk uit in de richting van de E18. Hij deed het raampje naar beneden en voelde de frisse lucht en uitlaatgassen in zijn gezicht. Hij bekeek zichzelf in de achteruitkijkspiegel, gaapte en wreef even in zijn ogen. Hij zag er bruin en gezond uit, maar hij had zich moeten scheren.

Vanmiddag, op weg naar huis, zou hij bij de Maxbo een aantal geïmpregneerde planken kopen. Hij moest op het terras een paar verrotte stukken vervangen en een omheining timmeren. En langs de rand zou hij bloembakken maken. Hij zou de bakken met aarde vullen en er petunia's in zetten. Rode en paarse, door elkaar. Bente zou blij zijn. Hij had nieuwe, moderne tuinmeubelen gekocht bij Ikea. Hij zou de oude, halfverrotte houten meubelen weggooien. Bente moest ze elk voorjaar opnieuw afkrabben en grasklokjesblauw verven.

Hij was weer bij Bente en hun zonen Gard en Vetle teruggekeerd na zijn affaire met Sigrid, met wie hij zijn jongste zoon Georg had gekregen. Gisteren had hij het zevenjarige jongetje naar Sigrid teruggebracht.

Hij realiseerde zich ineens dat hij blij was om zijn collega's terug te zien. Allemaal, behalve Marian Dahle. Hij kreeg een knoop in zijn maag als hij alleen al aan haar dacht. Ze was dit voorjaar aangesteld, in de periode dat hij ziek thuis zat. Hij zag haar opeens voor zich, haar platte gezicht en zwarte haar. Ze was geadopteerd uit Korea en was chaotisch en introvert. Ze had een kantoorbaan gehad op het politiebureau waar ze voornamelijk getuigenverklaringen had opgenomen. Hij voelde een steek in zijn linkerslaap. Dahle nam haar hond mee naar kantoor en afdelingschef Ingeborg Myklebust had daar voor de zomer ongewoon slap op gereageerd. Weliswaar had zijn nieuwe collega dit voorjaar in de moordzaak in Høvik laten zien dat ze haar vak verstond, maar de hond was een symptoom van haar manier van doen. Hij stopte voor rood licht. Asle Tengs, de oudste in het team, was deze zomer in Frankrijk geweest. Gisteren had hij aan de telefoon met Roger Høibakk gesproken. Randi Johansen had hem een ansichtkaart gestuurd uit Kopenhagen, waar ze met haar man en dochter naar Tivoli was geweest. Van Tony Hansen had hij niets gehoord. Het kriebelde in zijn middenrif bij de gedachte dat hij technisch rechercheur Ellen Grue weer zou zien.

De zomerlucht sloeg warm door de kier van het autoraam naar binnen. Hij gaf richting aan, sloeg linksaf en reed over het grote verkeersknooppunt bij het Centraal Station van Oslo. Hij wierp een blik op zichzelf in de achteruitkijkspiegel. 'Vijftig en gedesillusioneerd,' mompelde hij. Maar op hetzelfde moment barstte hij uit in een vrolijke lach. Ellen verstond haar vak en was erg mooi met haar donkere haar en rode lippen. Hoewel het al een paar jaar geleden was dat hij een verhouding met haar had gehad, kon hij zich nog steeds niet ontspannen als ze in dezelfde ruimte waren. Ze was getrouwd met een oudere, welvarende advocaat. Nu was ze zwanger en dat was eigenlijk een opluchting. Hij zou geen gedachte meer aan haar moeten verspillen.

Het politiebureau lag voor hem. De ochtendzon weerspiegelde in de grote glazen gevels. In de bloembedden bij de hoofdingang stonden de rozen in volle bloei. Hij voelde zich ineens gespannen, maar bedacht op hetzelfde moment dat er waarschijnlijk metershoge stapels dossiers en rapporten op hem lagen te wachten. Die hoopten zich al op als je maar een of twee dagen weg was geweest. En er zouden ook weer nieuwe richtlijnen komen. Toen hij de parkeergarage binnen reed, beleefde hij opnieuw het gevoel dat hij als kind had gehad op de eerste schooldag na de zomervakantie. Hij parkeerde de auto op zijn vaste parkeerplaats, draaide de contactsleutel om en stapte uit. Afdelingschef Ingeborg Myklebusts auto stond op de parkeerplaats naast de zijne. Raar hoe vreemd alles leek als je maar een paar weken weg was geweest. Hij hoopte echt dat hij de dag niet hoefde te beginnen met ruzie te maken over dat vermaledijde monster van Marian Dahle.

(08.57 uur)
Ze stond in de lift en liet zich door het gebouw naar beneden vallen. Het was twee dagen geleden dat ze het gefluit had gehoord. Ze klemde twee kleurige

13

vloerkleden tegen zich aan, in haar ene hand had ze een draagtas met wasmiddel en in haar andere de sleutels van de waskelder. De vloerkleden waren niet echt vies, maar toen ze ze laatst had uitgeklopt zaten ze vol zand en stof. De hele zondag had ze binnen gezeten met de voordeur en de balkondeur op slot. Ze had aan allebei gedacht, aan alles bij elkaar. Ze had zichzelf in de spiegel bekeken, met een gevoel alsof ze wervelloos was, zonder lichaam, haar gezicht verwisseld met een ander.

Ze huiverde toen de lift met een ruk tot stilstand kwam. Ze was beneden, duwde de deur met haar rug open en bleef even staan luisteren. Ze liet de geluiden op zich inwerken en kwam tot de conclusie dat het in de diepte van het flatgebouw stil was als in een graf. Meestal speelden er kinderen in het trappenhuis om de tijd te verdrijven tot hun ouders thuis zouden komen. Maar nu was het doodstil.

Ze tastte naar de lichtschakelaar. Toen ze die vond duwde ze er met haar elleboog tegenaan. De grijze keldergeur prikkelde haar neusgaten. Het licht stroomde uit twee peertjes aan het plafond. De grof afgewerkte muren waren wit geschilderd, de vloer was grijs en stoffig. Tegen een van de wanden stonden twee lege verfblikken.

Dat met dat melodietje was toeval. Ze was zo gewend aan duisternis en pijn en nu ze eindelijk weer vreugde voelde, lukte het haar niet om te ontspannen. Er waren zoveel winters voorbijgegaan.

Ze had grote stukken van haar leven gemist. Verdwenen, net zo onherroepelijk als het verlies van een steen in het hoge groene gras op het veld. Nu zou alles goed komen. Toch hing de angst als een sleep achter haar toen ze door de keldergang liep. Ze had moeite de sleutel in het sleutelgat te steken. Uiteindelijk lukte het. Binnen liet ze haar armen zakken en de vloerkleden vielen op de geverfde vloer. Ze liet de sleutel in de zak van haar schort vallen. Een streep zonlicht die door het kelderraam viel, verlichtte de stofdeeltjes die boven de matten dansten. De machines hadden bekken als grote roofdieren. Door de open ventilatieklep hoorde ze het motorgebrom van een startende auto. Ze zette de draagtas met het pak waspoeder op de formicatafel, tilde haar hand op en streelde met haar vingers de groene steen aan de ketting die ze om haar hals droeg. Door het kelderraam zag ze een streepje blauwe lucht. Ze staarde naar de kleur van de hemel en voelde plotseling een enorme leegte. En op hetzelfde moment kreeg ze een gevoel van déjà vu, fragmentarisch en koud. Zo akelig dat het geen houvast vond in haar hersenen. De zoete geur van wasmiddel hing in de lucht. Ze had 's ochtends de spiegel in de badkamer gelapt, want toen ze haar haar kamde zag ze dat hij helemaal vol spetters tandpasta zat. Het leek alsof er witte sterren over haar gezicht waren gestrooid. Ze had gezien dat ze mooi was. Ze was bang geweest de leegte van het pure licht te vinden, want in de duisternis voelde ze zich ondanks alles veilig. Het was een gewoonte, net zo vertrouwd als het bloed dat door haar aderen stroomde. Als de zwaluwen in het voorjaar kwamen en in de herfst weer vertrokken, wist ze dat alles was zoals het altijd was geweest. Dat de tijdmachine nooit zonder stroom zou komen te staan. Maar nu was alles anders geworden. Nu nam haar leven een wending.

Ze stopte de vloerkleden elk in een aparte wasmachine. Ze deed de kleppen dicht en pakte de plastic zak met waspoeder. Ze deed een afgemeten hoeveelheid poeder in de vakjes aan de zijkant en drukte op de startknop. Ze gaf de ene machine een klap op de grijsblauwe metallic ombouw en zette het pak waspoeder er bovenop.

Vlak onder het plafond, helemaal in een hoek, ontdekte ze ineens een kolonie spinnen in een dun web. Ze pakte de bezem en wilde juist in het spinnenweb prikken toen ze merkte dat er iets mis was. In een fractie van een seconde voelde ze dat het niet de afstand, maar de nabijheid van de herinnering was die haar bang maakte. Ze wist het gewoon. Het was een beweging, een ander geluid. Bij de deur, achter het gebrom van de machines.

(09.03–09.05 uur)
De donkerbruine, gevlekte boxer stond afwachtend aan het eind van de gang toen de liftdeur openging en Cato Isaksen naar buiten kwam. Hij bleef acuut staan en wierp een kwade blik op de hond. Het dier stond met de poten uit elkaar en haar kop naar beneden naar de hoofdinspecteur te kijken. Op het moment dat de hond hem herkende, explodeerde ze van vreugde, blafte een paar keer hard en helder en sprong dolgelukkig op hem af. Haar staart zwiepte als een zweep heen en weer. Bij Cato Isaksen aangekomen kronkelde het dier zich vrolijk snuivend om zijn knieën. Cato Isaksen probeerde haar resoluut aan de kant te schuiven en vloekte geërgerd.

'Hallo Cato, fijne vakantie gehad?' Afdelingschef Ingeborg Myklebust stond plotseling in de deuropening van het archief met een dossier in haar ene hand en haar mobiele telefoon in de andere. Ze zag er stralend uit met een wit topje en een witte lange broek. Ze leek jonger dan haar drieënvijftig jaar.

'Alles is nog bij het oude, zie ik.' Cato Isaksen schoof de kwispelende hond demonstratief met zijn been aan de kant. 'Ik heb het prima naar mijn zin gehad,' zei hij. 'Jij ook?'

'Ik ben de hele maand juli hier geweest. Ik ga in december naar de Maldiven. Mijn grote hoekkantoor komt trouwens vrij. Ik wilde wachten tot jij terug was, voor ik iets zou doen,' ging ze glimlachend verder en wuifde zich met het dossier wat koelte toe. 'Ik ga namelijk één etage naar boven. Ik weet niet hoe we het zullen doen, of jij het wilt gebruiken of dat het misschien beter is als een paar anderen het gaan delen. Jij moet maar beslissen, Cato. Aan alle kanten staat de zon erop, dus in deze tijd van het jaar is het haast te warm. Maar er hangen ook markiezen. Ik was wel van plan die rode gordijnen mee te nemen. Ik denk dat jij daar sowieso geen behoefte aan hebt?'

'Nee, gordijnen...'

'Je hebt vast een goede vakantie gehad, Cato, je bent verschrikkelijk bruin en ziet er geweldig uit. Je lijkt wel een filmster.'

'Een filmster.' Hij lachte. De hond was dicht tegen hem aan gekropen en rustte met haar grote kop tegen zijn dijbeen. 'Dankjewel,' ging hij verder, 'maar...'

De telefoon in Ingeborg Myklebusts hand ging.

Ze drukte op de groene knop en hield hem tegen haar oor. 'Afdelingschef Myklebust,' zei ze vrolijk en ze wendde zich van hem af.

Cato Isaksen knikte even naar haar en liep verder de gang door. Birka kwam overeind, rechtte haar rug en liep hem snel achterna.

Marian Dahle stond plotseling voor hem in de gang. Ze stak haar beide handen in haar broekzakken. 'Je bent dus terug.'

Ze was tweeëndertig, maar zag eruit alsof ze achttien was, dacht hij. Drie weken afwezigheid hadden niets veranderd. Hij wist dat ze tegelijk met hem vakantie had gehad. Hij had geen zin om te vragen hoe ze het had gehad, of ze weg was geweest of in de stad was gebleven.

'Ja, jij ook, zie ik,' zei hij. Cato Isaksen twijfelde er niet aan dat gezichtsuitdrukkingen besmettelijk waren. Hij had ergens gelezen dat spieren onmiddellijk reageerden op een glimlach of zure uitdrukking op het gezicht van je gesprekspartner. 'Met je hond is alles in orde, zie ik.'

'Ja, natuurlijk.' Marian Dahle glimlachte even. 'Het lijkt wel alsof ze je heeft gemist. Je bent bruin.'

'Ja, we hebben veel zon gehad.'

'Weet ik.'

'Liggen er veel nieuwe dossiers om door te nemen?'

'Ja, natuurlijk.'

'Dan kunnen we net zo goed direct beginnen, Marian. En je weet wat ik ga zeggen?'

'Ja, Cato Isaksen, ik weet wat je gaat zeggen. Dat Birka hier niet zijn kan, dat het hier geen dierentuin is.'

'Je hebt voor de zomer een ultimatum gekregen. Ik dacht dat je dat wel had begrepen. Na alle keren dat we het...'

'Begin nu niet gelijk weer. Je bent net terug. Ik wil niet dat we hier elke keer weer over in discussie moeten gaan. Het probleem is namelijk al opgelost.

Het kantoor van Ingeborg Myklebust komt vrij. Randi en ik hebben erover gesproken, we willen het graag samen gebruiken. Dan kan Birka...'

Cato Isaksen richtte zich op. 'Ik krijg het kantoor van Ingeborg Myklebust,' zei hij kortaf.

'Maar Cato... dan heb je geen last meer van Birka. En bovendien...'

'Die hond gaat de afdeling af.' Cato Isaksen knikte even tegen een van de administratieve medewerkers die hen passeerde. De blik van Marian Dahle bezorgde hem pijn op de borst. Het leek wel alsof hij en zij slachtoffer waren van boze toverkunst. Ze zorgde ervoor dat hij zich nu alweer een monster voelde.

(09.05 uur)

De angstknoop zat als een projectiel in haar borst. De beide wasmachines liepen niet helemaal synchroon. Twee zoemgeluiden, het leken wel twee sprinkhanen. De muren waren dik en goed geïsoleerd. Zijn schaduw viel door de deur naar binnen, groot en donker kwam hij steeds verder over de drempel, tot hij ineens de hele deuropening vulde en haar aanstaarde. In een reflex gooide ze de bezem weg. Die kwam met een klap op de vloer terecht. Alles was hetzelfde, maar ook weer niet. Ze wist waarom hij was gekomen, maar begreep niet hoe hij het had ontdekt. De samenhang drong niet tot haar door. Ze greep de doos waspoeder en hield hem beschermend voor haar borst.

Hij kwam op haar af, duwde haar hard achteruit, greep naar het pak waspoeder. Ze liet het hem pakken – ze strekte haar vingers en liet los. Hij gooide het pak op de grond. Het vloog over de drempel de keldergang in.

Automatisch hief ze haar handen op. De damp van de wasmachine trok op naar het kelderraam dat al snel besloeg. Er ontsnapte een geluid uit haar mond – een ongearticuleerd geluid van verdriet, schrik, woede en uitputting. Op de vloer lag het wasmiddel als zand uitgestrooid.

Dit gebeurt niet, schoot het door haar heen; ik kan gewoon langs hem heen lopen naar de bloembakken op mijn balkon. Ik kan tegen hem zeggen dat ik elke seconde van dat verschrikkelijke goed wil maken, dat ík het niet heb gewild. Dat het verlies van tijd, de doorwaakte nachten, het getij en alles nu voorbij zal zijn. Alles. Ik wil ook dat de voorstelling afgelopen zal zijn, dat het doek zal vallen en weer opengaat. Dat het toneel leeg zal zijn.

Hij bracht zijn gezicht vlak voor het hare en opende zijn mond. Ze zag zijn lippen, glad en vlezig. Ze rook de ijzerachtige geur uit zijn mond.

'Denk maar niet dat ik je zal bijten,' siste hij. 'Ik weet alles van beten, het zijn net vingerafdrukken. Ik herken de geur van je parfum.' Het zweet parelde langs zijn haargrens, in zijn hals en onder zijn oksels. 'Ik heb gehoord dat je bezoek hebt gehad. Je moet weten dat iemand hem heeft gezien. Ik heb je de afgelopen dagen in de gaten gehouden, heb je op de bank voor de winkel zien zitten, samen met háár. Alsof er niets is gebeurd... En zij, dat oude kreng. Ik beloof je dat zij de volgende zal zijn. Verdomme, dacht ik. Godverdomme, dacht ik. Begrijp je dat!'

Hij had een pokdalige huid. Ze keek naar de stoppels op zijn kin en schreeuwde tot haar keel pijn deed. Ineens was alles weg, de muren, het plafond en de vloer. Ze sloot haar ogen. Kneep ze stijf dicht zodat alles in haar hoofd rood en zwart werd. Hij schudde haar heen en weer en blies het haar van haar voorhoofd. 'Doe je ogen open,' brulde hij. 'Je moet me alles over hem vertellen.'

(09.06-09.09 uur)

De bedompte warmte in het kantoor viel als een zware deken over hem heen. De kindertekening die aan de muur boven het bureau hing, was half naar beneden gezakt. Door de warmte had de tape losgelaten. *Voor papa Politieman. Van Georg*, stond met scheve letters op de blauwe auto geschreven.

Cato Isaksen ademde de lucht die hij in zijn longen had uit en liet zijn schouders zakken. Op het bureau lagen drie grote stapels dossiers en documenten. Op de foto van Bente en hun zonen lag een laagje stof. Hij ging naar binnen en gooide de deur met een klap achter zich dicht, liep de kamer door, trok de bruine gordijnen opzij en zette het raam wijd open. De donkergroene bladeren van de esdoorn hingen slap in de windstille lucht. Toen hij zich omdraaide, zag hij dat ook de stoel vol papieren lag.

Inspecteur Roger Høibakk opende de deur en kwam glimlachend de kamer binnen wandelen. De gordijnen met het bruine patroon wapperden in de tocht. 'Hallo chef, goed om je weer te zien. Jij hebt vast een romantische zomer gehad, naar je uiterlijk te oordelen. Stoppelbaard en bruin verbrand. Naar je zin gehad?'

Cato Isaksen glimlachte. 'Hallo, Roger. Ik heb een fijne vakantie gehad. Jij ziet er trouwens ook niet slecht uit.'

'Dank je, ik heb niets te klagen. Het beste van alles is dat de moordenaars zich in deze warmte gedeisd houden. De moord op die zwerver langs de Akerselva ligt bij het andere team.'

'Dat is mooi, want ik ben waarschijnlijk dagen bezig om me door deze stapel dossiers heen te werken.'

'Tja, bij mij liggen er net zoveel. Zullen we een kop koffie drinken?'

'Laten we dat doen.' Cato Isaksen liep naar zijn bureau, trok de bovenste la open en pakte een rol plakband. 'Wil jij het halen, dan leg ik die dossiers aan de kant en hang de tekening van mijn zoon weer op, want die valt bijna van de muur.' Hij glimlachte en streek over zijn kin.

'Natuurlijk,' zei Roger Høibakk. 'Ik neem ook een paar broodjes mee.'

(09.09 uur)
Zijn stem brandde in haar oor. Hij siste en sloeg nog een keer met zijn gebalde vuist tegen haar schouder. 'Alles zul je me vertellen,' brulde hij. Ze vloog achteruit. Hij greep haar bij haar bovenarmen en kneep hard. Ze probeerde zich te bevrijden, maar uiteindelijk stond ze helemaal aan de andere kant van de kelderruimte. Ze voelde de rand van het formicablad in haar rug. De lichamelijke pijn overheerste de pijn die zijn haatdragende stem bij haar opriep. Zijn woorden hagelden op haar neer. Opeens klonk er kindergelach in de keldergang, vlak bij de open deur. Twee heldere kinderstemmen scheurden de stilte in tweeën. De een zei: 'Barbie kan hier in de kelder wonen. Het is hier griezelig. Dan doen we alsof ze in de stad is. En dit is een grote straat.'

Ze keek naar de deur, hield haar ogen strak op de deurpost gericht. Ze zag de schaduw van de meisjes half over de drempel vallen.

Het andere stemmetje ging verder: 'Hier ligt een plastic doos. Die is voor mij. Er heeft waspoeder in gezeten, maar hij lijkt op een auto. Dat kan Barbies auto zijn. We mogen hier niet in de kelder spelen, maar als niemand ons ziet... Als er hier niemand is, dan... maar het is hier wel een beetje griezelig.'

Hij liet haar schouder los en liep naar de deur. Twee gezichtjes keken naar binnen. Het ene meisje zei: 'O, er is iemand. Rennen! Rennen, Elianne. Een man!'

Hij draaide zich weer naar haar toe. 'Wacht maar. Je ontkomt me niet. Alles wil ik weten.' Hij liep de deur uit en de gang door, achter de kinderen aan.

De deur viel met een knal achter hem dicht. Haar hoofd voelde als een trommel. Haar gedachten tolden alle kanten op. De tranen brandden in haar ogen. Het geluid van de wasmachines ging over in een krachtig gegrom. Ze wachtte. In het waspoeder op de vloer zag ze voetafdrukken. Ze liep behoedzaam naar de deur en deed hem voorzichtig open. Ze keek de keldergang in. Hij had het licht uitgedaan.

De zekerheid drong tot haar door. Plotseling kwam een herinnering naar boven: toen ze twaalf was waren haar amandelen geknipt. Ze lag in het ziekenhuis, naakt, afgezien van een lichtblauwe, papieren nachtpon. De kamer stond vol grote machines. De zekerheid dat de dokters en verpleegsters naar haar zouden kijken als ze sliep, riep een enorme angst in haar op. De volgende dag, met de pijn van de wond nog in haar keel, was ze blootsvoets naar beneden, naar de receptie gelopen. Ze had een opgezette vogel in een vitrine gezien en zich intens triest gevoeld bij de aanblik van de dode vogel. Het stof op de vleugels, de verschoten veren. Een glazen plaat scheidde hem van de ruimte. De vogel was dood, maar zag er levend uit. Het gevoel dat ze voor de gek werd gehouden, was ze nooit vergeten.

Ze zette voorzichtig een paar stappen in de keldergang. Ze stak haar hand in de zak van haar schort en voelde de koude sleutel. Toen rende ze, ze kon de lift niet nemen. Hij mocht niet zien waar ze woonde, niet op welke verdieping... Ze zwoegde de trappen op, probeerde uit alle macht haar gedachte- en concentratiepatroon terug te vinden. Ze klampte zich aan de balustrade vast. De huid op haar bovenarmen schrijnde. Ze bleef staan en haalde adem, haastte zich verder naar boven. Ergens stond een deur open. Ze hoorde een kind schreeuwen en een radiostem las de nieuwsberichten. Ze boog haar hoofd naar de balustrade en keek er overheen. Op de tweede verdieping werd een deur geopend. Aan de rand van haar blikveld flikkerde iets, ver beneden haar, als asfalt in de hitte. De afstand deelde zich in tweeën. Alles was weer terug. De woede, het verdriet, de pijn, de eenzaamheid, de haat, de onmacht en de afschuw. En de verschrikkelijke angst die als een net in winterkleuren over haar heen viel.

(09.11 uur)
Roger Høibakk kwam terug met een blad met broodjes, twee bordjes, kopjes en een cilindervormige metalen kan koffie. 'Wil je salami of kaas? Of wil je ham?'

Cato Isaksen voelde zijn maag knorren. 'Salami,' zei hij en hij pakte een bordje aan. 'Heb je geen servetten meegenomen?' Hij haalde zijn wijsvinger over de stoffige rand van zijn bureau.

'Die heb ik in mijn zak.' Roger Høibakk pakte een stapel witte servetten en strooide ze over de tafel, zette de kopjes neer en schonk koffie in. Hij trok een stoel bij het bureau. 'Tast toe.'

Cato Isaksen pakte een broodje en wierp een blik op het dossier dat boven op de stapel lag. 'Politiedirectoraat stopt financiële ondersteuning aan analyses van biologische sporen,' las hij.

Cato Isaksen voelde een steek in zijn slaap. 'Heb je trouwens dat onzinnige plan gehoord dat Marian en Randi het kantoor van Ingeborg Myklebust willen delen? Ik was nog maar tien meter de gang ingelopen, toen Marian al begon te zeuren. Wat is dat toch met haar?'

Roger Høibakk grijnsde. 'Ja, ik heb ook gehoord dat Myklebust een etage naar boven gaat. Waarom willen vrouwen toch altijd samenklitten? Dat zou jij moeten weten, jij hebt zoveel ervaring met huwelijken, scheidingen en kinderen...' Hij keek hem plagend aan en nam een hap van zijn broodje. Met zijn mond vol eten zei hij: 'Is het goed dat ik zeg wat ik denk, chef?'

Cato Isaksen slikte. 'Kom maar op.' Hij nam een slok koffie. Flarden van straatgeluiden drongen de kamer binnen. De geur van uitlaatgassen was doordringend.

'Geef het op, Cato, geef er de brui aan. Het is een nieuw seizoen, met nieuwe mogelijkheden.'

'Geef er de brui aan, wat een uitdrukking.'

'Wat betreft Marian, bedoel ik...'

'Ik zal echt niet veel tijd aan haar besteden,' zei Cato Isaksen lijdzaam. 'Dat beloof ik je. Ze is een hormonale bom. Ze splijt het team in tweeën. Het belangrijkste is dat wíj goed blijven functioneren. Marian gaat haar gang maar. Ze blijft maar mooi in haar kantoor zitten, maar die hond moet weg.'

'Wat bedoel je, ze gaat haar gang maar?'

'Ze kan haar grote mond niet houden. Amper tien seconden nadat ik uit de lift was gestapt had ze mijn dag al verpest. Snap je? Ze zit nog niet zo lang bij ons team. Dit is heel anders dan werken op het bureau. Hier hebben we alleen serieuze zaken!'

'Maar dat weet ze, Cato. Ze is hier nu al bijna drie maanden en in juni heeft ze zich volledig ingezet, toen ze die zaak met die oude vrouw in Høvik wist op te lossen.'

'Zij? Ik heb die zaak opgelost!' Cato Isaksen hield het bordje in zijn hand. Hij veegde wat kruimels van zijn arm op de vloer en stond op.

'Jullie allebei, samen. En wij ook,' voegde Roger eraan toe. Hij leunde over de tafel en schonk nog wat koffie in. 'A propos, vrouwen...' Roger Høibakk plukte een stukje komkommer van zijn broekspijp. 'Ga nog even zitten. Ik moet je iets vertellen.'

Cato Isaksen keek hem aan en plofte weer op de stoel neer. Hij had het gevoel dat hij niet blij zou zijn met wat Roger ging vertellen. Hij keek toe hoe de ander het stukje komkommer oppakte.

'Er is iets wat we niet hebben verteld.'

'Wie wij? Jij en Marian?'

'Nee, Ellen en ik.'

Cato Isaksen zette zijn ellebogen op tafel. Hij keek door het raam naar de boom en zag het gezicht van technisch rechercheur Ellen Grue voor zich. Hij voelde nog haar zachte adem tegen zijn oor. 'Wat is er met Ellen en jou?'

Roger Høibakk glimlachte even.

'Wat is er?' herhaalde hij en hij voelde even een steek in zijn borst. 'Is er iets tussen Ellen en jou?'

Roger Høibakk werd ernstig. 'Ze is toch zwanger?'

'Dat weet ik. En?'

'Ellen komt bij mij wonen.'

In de klokkentoren aan de andere kant van de straat begon een kerkklok te luiden. Cato Isaksen verschoof de foto van Bente en zijn zonen. 'In dat kleine stinkende appartement van jou? Holy shit, Roger, waarom?'

'Het is niet zo klein. Bovendien is alles van haar ex, dus ze krijgt helemaal niets. Ik ga jou achterna, Cato. Jij weet hier toch alles van?'

'Haar ex? Wat bedoel je? Is de advocaat nu haar ex? Het kind is toch niet van jou?'

'Het is mijn kind.'

Cato Isaksen schoof zijn bord over tafel. Het geluid van de kerkklok verstomde. 'Verdomme, Roger... hebben jullie, achter mijn rug...'

'Ja, ik weet het, chef.' Roger glimlachte even. 'Natuurlijk hebben we het achter jouw rug gedaan.'

Cato Isaksen probeerde zich te vermannen. Hij moest het even laten bezinken. Eerst de confrontatie met Marian en nu dit. Konden mensen hun privéleven niet voor zichzelf houden? Verstoringen, futiliteiten. Waar hij boven moest staan. Hij was onderzoeksleider, geen kindermeisje. 'Ik kan me jou niet als vader voorstellen,' zei hij kort.

'Doe dat dan ook niet.' Roger leunde tegen de rug van zijn stoel, glimlachte even en legde zijn handen achter zijn nek. 'Als het een meisje wordt, kunnen we stapels kleren van de dochter van Randi overnemen. Maar het wordt geen meisje,' voegde hij eraan toe.

'Weet je het al? Hebben jullie een echo laten maken?'

'Nee, ik wil een zoon. Ze is 12 december uitgerekend.'

Cato Isaksen nam nog een slok koffie. Die was lauw geworden. Buiten stopte een auto. De motor liep door, accelereerde en de auto verdween in het drukke verkeer.

(11.46 uur)

De man in het zwarte leren pak zwaaide zijn been over de motor en zette de helm op zijn hoofd. Lilly ging op haar hurken zitten en sloeg haar armen als een touw om haar benen. Ze moest het volhouden. Binnenkort kreeg ze haar loon. Ze zou nieuwe kleren kopen. Afgezien van haar rok, een paar T-shirts, een lange broek en een bloemetjesjurk had ze rubberlaarzen en sandalen, gymschoenen, een regenjas, ondergoed, een ouderwets badpak en een jas. Dat was alles wat ze had. En een wollen maillot die 's avonds lekker warm was.

Het was eigenlijk een godsgeschenk dat ze een baantje had gevonden op deze camping. De eerste weken waren heerlijk geweest. Ze stond in de kiosk, maakte de campinghutten en de toiletten schoon en hoefde niet kromgebogen op een aardbeienveld te werken zoals ze de eerste twee jaar in Noorwegen had gedaan. Maar daarna was alles anders geworden. Vannacht was ze opgestaan en naar het kleine raampje gelopen. Ze had de oranje, geweven gordijnen opgetild en naar buiten gekeken. Het bos aan de andere kant van het pad voelde dreigend en opdringerig. Ineens zag ze een ree en ze dacht dat ze daardoor misschien wakker was geworden. De ree had zich omgedraaid, en was toen het bos weer ingelopen. Ze had haar armen voor haar borst gevouwen, alsof ze zich wilde beschermen. Toen ze weer in bed kroop, vermeed ze naar het luik te kijken en ze trok het dekbed tot aan haar hals omhoog. Uiteindelijk was ze toch in slaap gevallen, maar ze werd wakker met een gevoel dat er iets was wat ze zou moeten begrijpen. Ze draaide zich om toen ze driftige stemmen hoorde, ging weer op haar knieën zitten en keek uit het raam. Drie jongens, de een met zijn haar overeind als pas opgekomen gras, liepen over het weggetje naar het strand. Een meisje van een jaar of tien droeg een grote, opblaasbare krokodil op haar hoofd en maakte angstaanjagende geluiden.

Lilly volgde de groene krokodil met haar ogen. Over precies een maand zou ze negentien worden. Julie en Shira zeurden dat ze mee moest gaan om aan de waterkant te zonnebaden. Ze hadden per dag maar twee keer een half uur pauze. De zestienjarige meisjes droegen strakke, laaguitgesneden spijkerbroeken en korte topjes. Ze wisten niet dat Lilly op het damestoilet met haar rug tegen de muur zat en zich had opgesloten. Ze wisten niet dat ze bang was.

De motorman draaide aan het handvat en reed langzaam het terrein af. De stofwolk dreef zijwaarts naar de greppel met de paarse bloemen en de zoemende insecten. Lilly had een tijdje terug een kikker gered. Ze had hem van de weg gepakt en in het hoge gras gegooid, dat door gebrek aan regen helemaal geel was.

Iemand hield haar in de gaten. Ze herkende het bruine gevoel van toen ze klein was. Haar broer werkte op een bouwplaats in Oslo. Ze kon hem niet bellen. Wat zou hij kunnen doen?

Ze bracht haar hand naar haar mond en beet hard, tot haar huid knapte. Een dun straaltje bloed liep over haar knokkels in de gleuf tussen haar vingers.

(20.47 uur)
De insecten in de bloembakken. De petunia's, met hun taaie substantie rond de bloemknoppen. De zoemende wespen. De vogels in de grote eikenboom. De kantstenen rond het gazon. Ze had hem zo-even gebeld en verteld wat er was gebeurd. Ze had gezegd dat ze bang was. Hij had gezegd dat hij niets kon doen van waar hij was. Dat wist ze ook wel.

Ze moest de pan warm water op het fornuis niet vergeten. Ze moest iets eten. Ze zou er straks een kant-en-klaar maaltijd in opwarmen, stroganoff met rijst. Opeens klonk een verdieping lager geschuif van stoelpoten op het balkon en de doordringende stem van Alanis Morisette zong: *And I'am here to remind you, all the mess you left when you went away.* Het was de stilte, dacht ze. Ze stond op en keek over de balustrade. De betonnen binnenplaats was omheind door een groen, metalen hek. De lantaarns waren symmetrisch langs de zijkanten geplaatst en bij het klimrek bij de winkel stonden oude banken. Boven de snelweg, waarvan je tussen de blokken C en D een glimp kon opvangen, hingen dikke, witte wolken. Verder was de lucht blauw.

Ze had de hele middag op de bank gelegen. Ze durfde niet naar de was-kelder te gaan om de rommel op te ruimen en de gewassen kleden op te hangen. Ze was ook niet naar het bejaardencentrum geweest, zoals ze had beloofd. Ze ging weer zitten. Ze schonk zichzelf nog een glas wijn in en keek naar de bloedrode bloemen in de bloembakken.

Het leven bestond af en toe uit toevalligheden en absurde verbanden, alsof er iets achter de gebeurtenissen verborgen lag. Alsof een hogere macht de maskerade kon sturen, alsof ze een marionet was waarvan iemand de touw-tjes in handen hield. Wat er was gebeurd was niet meer of minder dan het samenkomen van boze krachten, een verstoorde chronologie.

De onrust dreef haar weer naar binnen. Ze liep naar de badkamer en keek in de spiegel met de afgebladderde plekken. Ze zag haar gezicht in het ijzige oppervlak, trok de mouwen van haar chenille jasje op en staarde naar haar bovenarmen met de rode vlekken. Ze pakte het stuk zeep uit het bakje en wreef het tussen haar handen, alsof het een gladde steen was die ze op het strand had gevonden.

Daarna liep ze weer naar het balkon. Er stonden nauwelijks auto's op het plein tussen de flatgebouwen. Van bovenaf leek het een diep, vierkant gat. Ze ging weer zitten, speelde met de ketting en de groene steen die ze om haar hals had en maakte toen het pakje sigaretten open dat op tafel lag. Ze pakte een sigaret en stak hem aan met de wegwerpaansteker.

Tussen de sproeiers zag ze het gazon. Het gras was pas gemaaid en gesproeid. Zelfs op deze hoogte rook ze de donkergroene, zoete geur. Rond een uur of één was de huismeester op zijn motor gekomen. Het geluid van de maaimachine weerklonk tussen de muren van de flats en drong het appartement binnen.

Elianne en haar vriendinnetje, het tweetal dat 's ochtends in de waskelder was geweest, waren bezig de kleden en barbiepoppen waarmee ze hadden gespeeld, bij elkaar te pakken.

Ze schonk nog meer rode wijn in en nam twee grote slokken. Ze tipte de as van haar sigaret en nam nog een slok wijn, ze voelde de angst van zich afglijden. Het gordijn in de kamer waaide plotseling in zijn volle lengte door de deur en wapperde als een rode waarschuwingsvlag heen en weer. Ze stond op en sloot de balkondeur. Ze moest straks het keukenraam sluiten, zodat het niet zo zou tochten. De beide kinderstemmen dreven naar haar toe, sterk en zwak tegelijk. De pijn in haar buik werd erger. Haar ogen stonden weer vol tranen. In een plotselinge opwelling pakte ze de pen van de tafel en schreef zijn naam op een wit vel papier dat op de andere stoel lag. Ze vouwde er een papieren vliegtuigje van, stond op en gooide het vliegtuigje weg. Het zweefde heen en weer, steeg een stukje op in de zwakke avondwind en landde ten slotte vlak bij de twee kleine meisjes. Elianne pakte het en keek op naar de wolken.

Ze keek naar haar pas gelakte teennagels. Het was absurd om dat te doen, vooral omdat de zekerheid zich een weg zocht door haar gedachten. Ze ervoer de angst als een warmte. Ze had zich voorbereid, wilde geen onverzorgd lijk zijn.

In de dennenboom naast de parkeerplaats vloog klapwiekend een grote zwerm vogels op. Ze cirkelden een paar keer rond de boom, vlogen heen en weer en verdwenen zijwaarts uit haar gezichtsveld in de witte avondlucht. De avondzon weerkaatste in een raam dat in het tegenoverliggende blok werd geopend. Een flitslicht. De deurklink maakte een klikkend geluid. Ze stond zo snel op dat ze met haar knieën tegen de rand van de tafel sloeg.

De avondzon scheen door het gebladerte en tekende gele strepen op het hoge gras. Cato Isaksen lag op zijn knieën op het terras achter het rijtjeshuis. Hij was met ontbloot bovenlijf aan het werk en had een oude spijkerbroek aan. Hij kwam overeind en wuifde een vlieg weg. Hij was nog steeds verontwaardigd en boos op Marian en Roger. Dat ze zich niet een beetje professioneler konden gedragen. De eerste werkdag was een en al chaos geweest. Door de geopende tuindeur zag hij de stapel dossiers die hij mee naar huis had genomen. Ze lagen op de eettafel, en schreeuwden erom te worden gelezen. De nieuwe, geïmpregneerde planken lagen keurig op een stapel langs het hek naar de buren. Hij wilde nog een stuk wegbreken en dan moest het maar genoeg zijn voor vanavond. Hij moest zich op iets anders concentreren, anders zou het helemaal ondraaglijk worden. Hij nam een slok uit de mok met koffie en rook de doordringende geur van het houtwerk dat hij had gesloopt. In de buurt was iemand bezig tuinafval te verbranden. In het bloembed onder het raam van de huiskamer waren Bentes rozen verdroogd tot lichtbruine, stekelige stelen. Droge bladeren van de vorige herfst lagen als een band langs de muur. Het gazon zag er onverzorgd uit, overal groeide klaver en weegbree.

Een belegde baguette die hij onderweg naar huis had gekocht, lag op de blauwe tuintafel naast een fles lauw mineraalwater. Hij zette de mok weg en ging weer op zijn hurken zitten. Hij kreeg pijn in zijn rug als hij in zo'n houding zat. Ineens kwam de gedachte in hem op hoe gemakkelijk het zou zijn om onder een dergelijk terras een lijk te begraven. Hij bukte zich en trok een tweeduims spijker weg. Als hij de bloembakken rond het terras een meter hoog zou maken, zou hij halverwege een bodem kunnen timmeren en ze daarna met aarde vullen. De planten zouden dan extra goed gedijen.

Hij had tegen Georg gezegd dat het misschien wel tijd werd om de zandbak weg te halen. Hij was bijna helemaal overwoekerd. Georg ging nu naar school en kwam slechts om het andere weekend op bezoek. Hij woonde met Sigrid, zijn stiefvader Hamza en zijn nieuwe zusje in de stad.

'Dat Roger verdomme Ellen zwanger heeft gemaakt,' zei hij plotseling hardop en hij smeet zijn hamer weg. Het volgende moment bedacht hij dat het goed was. Hij zou hoe dan ook op die manier niets meer met Ellen te maken hebben. En met Sigrid ook niet. Het was genoeg geweest. Hij zou nu bij Bente blijven. Hij wist precies wanneer de dingen anders waren geworden. Toen Bente, nadat hij haar had verlaten, er weer bovenop was gekomen. Toen haar verdrietige gezicht weer mooi werd. Op een dag zei ze: 'Ik weet dat ik het ga redden. We zullen het overleven, de jongens en ik.' En toen had ze geglimlacht. Ze hadden precies op de plek gestaan waar hij nu op zijn knieen lag. Alles was zo vertrouwd: het geluid van de bal die het zoontje van de buren tegen de zijmuur van het huis gooide, het lawaai van de straat, de kleur van de hemel, het geluid van de radio van de buren.

Op de eettafel ging zijn mobiele telefoon. Hij kwam overeind en liep naar de tuindeur, trok de gordijnen opzij en wierp een blik op de klok. Het was even na negenen.

*

'De vakantie zit er op, chef.' Roger Høibakk sprak snel en gejaagd. 'In Stovner is een vrouw van de zesde verdieping van een flat gevallen. Ene Britt Else Buberg, zevenenvijftig jaar.'

Cato Isaksen liep op blote voeten de keuken in. 'Maar dat is toch geen zaak voor ons?' Hij draaide de kraan open en waste zijn handen terwijl hij de telefoon tussen zijn wang en zijn schouder hield geklemd. 'Het klinkt eerder als een ongeluk of zelfmoord. Ik ben met het terras bezig.' Met zijn knie duwde hij het aanrechtkastje dicht. Door het raam zag hij de kat van de buren boven op het hek balanceren. Zijn oog viel op de lege bloempotten op de vensterbank.

'Ze werd geduwd, een getuige heeft het gezien. De melding is binnengekomen om 21.03 uur. Toen was ze net gevallen. Er is groot alarm geslagen. Wij gaan er direct naar toe.'

Cato Isaksen greep een wit T-shirt dat over een van de keukenstoelen hing. 'Oké, ik ben al onderweg. Ik moet alleen andere kleren aantrekken. Wat is het adres?'

'Stovner Senter 16. Voorbij Tøyen, neem daarna de Østre Akervei naar Stovner, rij door tot je het centrum ziet en dan ben je er.'

*

De afgekoelde avondlucht stroomde hem tegemoet toen hij uit zijn civiele politiewagen stapte. In de omgeving stonden meer politieauto's geparkeerd. De hoge flatgebouwen vormden een barricade tegen de lucht. De ramen van een van de gebouwen kleurden geeloranje in de avondzon. Een groepje mensen had zich verzameld achter de afzetlinten die de politie had gespannen rond de plaats waar het lijk lag. De rood-witte linten stonden strak gespannen tussen de pinnen die in het gazon waren gestoken. Mensen stonden op hun balkons te kijken naar de politiemensen en de dode vrouw op de grond. Cato Isaksen liep snel de parkeerplaats over naar de groep nieuwsgierige mensen. Vijf meter van de plek waar de vrouw lag zag hij een verschoten gestikte deken, een geel plastic emmertje en een hoopje poppenkleren liggen.

Technisch rechercheur Ellen Grue keek op toen hij eraan kwam. Ze zat in haar papierachtige overall op haar hurken naast de dode. De zomerzon had haar huid een honingkleurige gloed gegeven en haar mond was natuurlijk rood. Hij voelde een brok in zijn keel. Hij knikte even naar haar en de beide andere technici.

De vrouw lag in een verwrongen houding. Ze droeg een wijnrood chenille huispak, bestaande uit een jasje en een capribroek. Haar teennagels waren goed verzorgd en rood gelakt. Haar ene arm lag onder haar lichaam en het donkere haar met kleine krulletjes bedekte gedeeltelijk het gezicht met de open mond die hen als een donker gat aangaapte. Het bloed rond het hoofd had het gras in een grote cirkel rood gekleurd. De ogen waren wijd opengesperd.

Ellen Grue keek hem aan. 'Het lijkt alsof ze blauwe plekken op haar bovenarmen heeft. Ik heb alleen voorzichtig haar jasje aan één kant naar beneden getrokken. Kijk.'

'Ja, ik zie het.'

'Ik krijg hier kramp van in mijn benen.' Ellen Grue kwam overeind. 'Asle en Roger zijn het trappenhuis binnengegaan van de flat waar ze woonde,' zei ze. 'Maar ik geloof niet dat ze al in haar appartement zijn. Ze hebben de huismeester nog niet te pakken gekregen.'

'Heb ik al gehoord. Ik heb onderweg met Asle gesproken. Hij is samen met iemand anders alles aan het uitzoeken,' zei Cato Isaksen en hij keek snel even naar haar buik. Onder de overall was duidelijk een kleine bolling zichtbaar.

'Niemand overleeft een val van de zesde verdieping,' zei ze en ze wees omhoog naar het balkon. 'Daar, die bloembakken met die rode bloemen.'

Cato Isaksen trok een paar blauwe plastic sloffen over zijn schoenen. In een flits zag hij haar en Roger voor zich, hoe ze hem naar beneden trok en haar handen om zijn nek sloeg.

'De zesde is erg hoog,' zei hij droog en hij keek weer naar de dode vrouw.

'Uit de mond van de dode komt overigens een alcoholgeur.' Ellen Grue streek vermoeid met haar hand over haar gezicht. 'We zijn nog een uurtje bezig, maar dan ga ik met de lijkauto mee naar het Gerechtelijk Laboratorium.'

William Pettersen zat op zijn motor en boog voorover. De Yamaha bracht hem in korte tijd waar hij zijn wilde. De motor was net een razende wesp, het leek alsof hij op een kruitvat zat. Hij hield van het geluid van de beide uitlaten, voelde de druk van de wind tegen zijn lichaam toen hij de snelheid opvoerde. Hij gaf nog meer gas, schoot als een pijl een rij auto's voorbij en voegde weer in achter een grijze Audi Q7.

Zijn zwarte leren pak spande om zijn buik. Zijn pens was te dik geworden. Deze herfst ging hij op dieet, hij zou wat minder bier drinken. Maar nu nog niet, nu was het zomer.

Hij was vanmorgen van de camping naar de stad gereden. Hij had het gras gemaaid tussen de flatgebouwen, de bloembedden water gegeven, de paden geveegd en bij de bank voor de winkel had hij een stel lege flessen, chipszakken en uitgeknepen tubes opgeruimd. Daarna had hij onkruid gewied bij het klimrek en geconstateerd dat de muur voor de Rimi-supermarkt weer beklad was. Die rotjongens! Hij had ook een oude man geholpen met het wisselen van zekeringen en hij had zijn hawaïhemden gewassen. Ze waren alweer droog en lagen opgerold in een van de motorfietstassen. Er was genoeg te doen. Als hij weer op de camping was, zou hij een blikje bier openmaken, het yahtzee spel pakken en kijken hoe de golven het aquarellandschap uitwisten.

Zijn caravan stond al jaren op de camping bij Son. Hij kwam daar al van jongs af aan en ging in de vakanties nooit ergens anders heen. Hij reed af en toe op en neer naar Oslo. Zo hoefde hij ook geen vervanger aan te nemen. Zijn werk als huismeester was een manier van leven, veel meer dan een baan. De gedachte dat een vreemde in zijn gangen rond zou lopen, zijn gazons zou maaien, zijn rozen water zou geven, zijn paden zou vegen of zijn lampen zou vervangen, kon hij niet verdragen. Hij had maar één keer van een vervanger gebruik gemaakt, toen hij met een acute blindedarmontsteking met de ambulance werd afgevoerd. Dat was in de winter geweest, en er moest sneeuw worden geruimd en er moest gestrooid. Toen hij terugkwam, had het hem dagen gekost om alles weer op de rails te krijgen.

Af en toe nam een vertwijfeld gevoel van onmacht bezit van hem; hij leefde alleen maar voor drie flatgebouwen. Was het niet pathetisch om daar zo in op te gaan? De uitdaging was om er een levensstijl van te maken; het geklaag van chagrijnige mensen te negeren en iedereen duidelijk te maken dat hij degene was die het voor het zeggen had. Nu hadden ze het over nieuwe balustrades gehad. Het was niet te geloven, alsof de oude niet goed genoeg waren. Staal en glas, zeiden ze. Designrommel, had hij geantwoord. Hij kon de gedachte aan stellages, werkvolk en maandenlang rommel en lawaai niet verdragen. Mensen stelden zich zo aan, zelfs in Stovner.

Af en toe wilde hij dat hij een eigen tuin had. Een klein zomerhuisje. Het was maar een gedachte, maar zo'n zomertuin kon vol veldbloemen en grassen staan. Die vroegen niet veel verzorging.

Mensen konden zo zeuren. Ze hadden de muziek te hard staan of sjouwden zand mee het trappenhuis in. Sommigen ruimden ook de uitwerpselen van hun honden niet op. Hij was een keer door een cocker spaniel gebeten. Vandaag had dat kleine keffertje van de vijfde verdieping drie vaste planten bij trappenhuis A losgekrabd. En dat niet alleen, hij had ze in zijn bek genomen en heen en weer geslingerd zodat de aarde alle kanten op vloog. Toen hij het gazon wilde maaien weigerden die twee meisjes van de zesde en zevende verdieping hun speelkleed aan de kant te leggen. Hij had ze het liefst een aframmeling willen gegeven. Uiteindelijk had hij woedend het gras om het kleed heen gemaaid. Daarna had hij de sproeier bij het rozenperk aangezet en had hij langs de helling naar het souterrain schors in het perk gestrooid. Toen was hij op zijn motor gestapt en had hij gemaakt dat hij weg kwam.

Een vrouw van een jaar of dertig, op blote voeten, wenkte Cato Isaksen. 'Het is mijn bovenbuurvrouw,' riep ze en ze haalde een hand door haar gitzwarte haar. Bij haar ene oor liep er een lila streep door. 'Ze heet Britt Else Buberg. Ze moet van het balkon gevallen zijn,' ging ze met trillende stem verder en ze wees omhoog naar een van de balkons terwijl ze ondertussen haar hond tegen zich aan drukte. 'Daar, op de zesde.'

'Dat hadden we al begrepen.' Cato Isaksen pakte een klein opschrijfblokje uit zijn zak. 'Hebt u haar vandaag, of vanavond, nog gezien of met haar gesproken?'

'Nee, vandaag niet. Ik heb haar al een paar dagen niet gezien. Ze ging nogal eens tekeer als ik muziek aan had, dan zei ze dat de muziek te hard stond en dat soort dingen. En dat mijn hondje op het balkon stond te blaffen. Ik ben nu even met de hond uit geweest.'

'Kunt u iets over haar vertellen?'

'Ik weet niet zoveel. Ze was nogal eenzaam, volgens mij.' De vrouw haalde haar schouders op. 'Ze was nogal poetserig,' voegde ze eraan toe.

Asle Tengs kwam over het gazon aan lopen. Hij haalde even een hand door zijn grijze haar. Cato Isaksen knikte tegen de vrouw met de hond en liep zijn collega tegemoet. 'Wie heeft gezien dat ze werd geduwd?'

'Een vrouw in de flat aan de overkant. Ze zegt dat een man haar zo ongeveer over de balustrade heeft getild. De hondenpatrouille is al bezig, ze zoeken de omgeving af naar een man met een donkere trui en een pet. Buberg woonde op de zesde verdieping, we gaan ervan uit dat dat het appartement is dat de getuige heeft aangewezen,' zei Asle Tengs. 'We hebben een buurtonderzoek ingesteld. Twee auto's rijden rond en zoeken de directe omgeving af.'

Cato Isaksen draaide zich om en vroeg twee nieuwsgierige jongens van een jaar of vijftien of ze met hun fietsen achteruit wilden gaan.

Randi Johansen kwam samen met Tony in een civiele politieauto aan rijden. Ze parkeerden half op het gazon.

'We zijn nog niet in haar appartement geweest,' zei Asle Tengs terwijl hij hun aankeek. Cato Isaksen ergerde zich eraan dat Tony Hansen nog steeds een ring in zijn oor droeg. Hij wendde zich tot Randi Johansen en vroeg zacht waar Marian was.

31

Randi bond haar blonde haar in een paardenstaart. 'Ze is naar een hondentraining.'

'Naar een wat?'

'Een cursus met Birka. Haar mobiel staat uit. Ze is in Fredrikstad.'

Cato Isaksen keek naar Tony Hansen. 'Tony, ga naar de auto en check Buberg. Britt Else, volgens de buren. We nemen aan dat zij het is.'

'Misschien volgt ze zelf een dressuurcursus.' Asle Tengs lachte zacht.

Cato Isaksen trok de plastic sloffen uit en slikte een opmerking in. 'En trek meteen de huismeester even na,' riep hij Tony Hansen na.

Randi Johansen liep naar het verlaten speelkleed. Ze ging op haar hurken zitten en keek naar de poppenkleertjes. Kleine jurkjes met kanten randjes, kleurige borduursels, stiksels en smockwerk.

Tony Hansen kwam terug met een kleine laptop in zijn handen. 'Britt Else Buberg is geboren op 7 oktober 1951,' zei hij. 'Ze heeft de Zweedse nationaliteit en leeft van een uitkering. Ik heb nog geen familieleden gevonden, maar ik zoek verder.' Hij keek Asle Tengs aan. 'Hoe heet de huismeester?'

'William Pettersen,' zei Asle Tengs. Hij draaide hun zijn rug toe en liep terug naar de ingang van het trappenhuis.

Hij gaf richting aan en remde af toen hij bij de afrit naar Son kwam. Op sommige plaatsen zaten scheuren in het wegdek. Aan de linkerkant van de weg lag een korenveld en aan de rechterkant schitterde het intense geel van het koolzaad. Hij gaf weer gas en reed langs het rode huis met de grote schoorsteen. Omdat het zomer was, kwam er natuurlijk geen rook uit de pijp.

Hij dacht aan de beide kleine meisjes. Het speet hem dat hij op hen gescholden had. Het waren een paar schijnheilige kleine monsters, maar het waren ook gewoon kinderen die de hele zomer doorbrachten in de asfaltjungle, dacht hij en hij remde af bij het benzinestation vlak voor de oprit naar de camping. Hij stopte achter een oude Golf met roestvlekken op de achterklep, stapte van zijn motor af en sloeg het vizier van zijn helm naar boven. Hij deed de helm af en streek over zijn kale kop. Nu pas voelde hij de drukkende warmte. Hij trok de ritssluiting van het strakke leren pak een stuk naar beneden. Het pak spande over zijn ronde buik.

Uit een draagbare stereo-installatie denderde rapmuziek. 's Avonds was de plaats achter het benzinestation een geliefde plek bij jongeren die daar met hun brommers en fietsen bij elkaar kwamen. Daarna gingen ze naar het strand om zich te bezatten. William Pettersen keek naar de twee jonge meisjes die met gesloten ogen met hun rug tegen de blauwe containerbarak stonden geleund. Alsof ze in de avondzon nog bruin konden worden. Hij pakte zijn portefeuille uit de zak van het nauwe leren pak.

Door het raam van het benzinestation zag hij dat de donkere man een softijsje gaf aan een jonge vrouw in een gele jurk.

Hij liep naar binnen. Het rook er naar patat en hamburgers. De vliegen bromden in de grote etalages. De warmte hing trillend onder het plafond. Hij ging in de rij staan en wachtte. Toen hij aan de beurt was, kocht hij een beker koffie, een donut en een ijsje.

Hij liep weer naar buiten, naar zijn motor. Hij leunde er tegenaan, met zijn achterwerk half op het zadel. Zo at hij zijn donut en dronk hij zijn koffie. Hij scheurde het papier van het ijsje, vouwde het op, liep naar de afvalbak en gooide het erin.

In het westen stond de zon op het punt achter de heuvel te verdwijnen. Hij was vanochtend tegen twaalf uur naar de stad gereden. Nu was hij bijna weer terug bij de caravan. De wolken die langs de hemel dreven leken grote, chroomkleurige luchtschepen. Net voordat de zon achter de heuvelkam verdween, scheurden de wolken uit elkaar en een schitterend avondlicht verscheen in een lange flits.

Ewald Hjertnes rook de geur van zoute zee en verrot wier die op hem af kwam. Hij droeg een blauw trainingsjasje met 'Rødvassa' op de borst en een pet met reclame voor verf. In zijn mondhoek bungelde een sigaret en in zijn rechterhand hield hij een krik.

Over het water kwam met de koele avondlucht de vochtigheid aan drijven. Hij rook de zoete geur van rode klaver. De camping lag maar een paar honderd meter van de hoofdweg, toch hoorde je niets van het verkeer dat daar voorbij raasde. Daar was hij trots op. Het geluid werd tegengehouden door het dichte bos, maar ook door de vorm van het landschap. Hoewel de meeste gezinnen met kinderen op het punt stonden naar bed te gaan, liep er nog een stel schreeuwende jongeren rond, werd er met strandballen gegooid en liepen mensen blootsvoets over het met stenen bedekte pad tussen het strand, de douches en de toiletten. Er kwam een auto aan rijden. Het was de Jezusachtige man met de gitaar die in het kleine tentje aan de bosrand bivakkeerde. Ewald Hjertnes stapte opzij en knikte. Het grind knerpte onder de wielen toen de auto langzaam voorbijreed.

Hij volgde het pad naar het water en gooide de peuk van zijn sigaret tussen de struiken, voordat hij de krik in zijn andere hand pakte.

Voor de campinghutten genoten zomers geklede mensen van de avond. Ze zaten op opzichtig gekleurde kleden met bier en barbecuevlees op kleine, witte plastic bordjes. Het rook lekker. Hij had honger. Ergens lag een vermoeide hond uit te rusten. Drie kinderen schreeuwden en joelden bij de schommels. Hun moeder probeerde hen uit te leggen dat het tijd was om naar bed te gaan. Ewald moest even aan William denken. Hij haatte het geschreeuw en gebral. Misschien was de functie van huismeester niet ideaal voor hem. Hij zou zijn eigen huisje moeten hebben.

Zelf zat hij de hele winter in zijn appartement in Stovner te wachten. Alleen deze maanden, van mei tot augustus, was hij op Rødvassa. Als hij met Pasen hier voor de eerst weer kwam, was het alsof zijn leven opnieuw begon. Hij parkeerde altijd met vrome aandacht de Lada voor het hek en stak de sleutel in het vochtige hangslot van de ketting die dwars over de weg hing. Alles zag er in het voorjaar zo treurig uit. De muizen hadden zich te goed gedaan aan het houtwerk en de kussens in het huisje. Het gele gras en de rotte bladeren staken door de sneeuw heen. Vaak tot in april lag er een laag sneeuw en ijs op de caravans. Ze stonden hier de hele winter met houten platen en zeil voor de ramen. Het gras op de gazons was vaak helemaal dood en begin mei zaaide hij het altijd opnieuw in. Op andere plekken moest hij het verdorde gras vaak met de zeis te lijf gaan. De gasten kwamen pas in juni en dan wees hij voor het opzetten van de tenten eerst de mooiste plekken aan. Rond de caravans met seizoenplaatsen was hij altijd extra zorgvuldig met het onderhoud. Het was belangrijk goed voor de vaste gasten te zorgen. Sommigen kwamen hier al dertig jaar. De zomer was zijn jaargetijde. Half augustus deed hij de camping weer dicht. Dan was hij ook moe. Hij had 's zomers veel te doen.

Hij glimlachte tegen een gezette vrouw. Ze was een van de vaste gasten. Ze was bezig de beide grote badhanddoeken binnen te halen die over de kunststof stoelen voor de ingang van de tent hingen. Ewald Hjertnes stak even zijn hand op en liep verder tussen de tenten door naar het water en de caravans.

'Hoe was het in Moss?' riep ze hem achterna.

'Ik ben net terug,' zei hij. 'Mijn broer was niet thuis.'

'Jemig.' Ze keek naar de krik die hij in zijn handen had. 'Ga je iemand in elkaar slaan?'

'Pettersens caravan staat scheef,' zei hij. 'Hij kan elk moment terugkomen. Je weet hoe precies hij is met dat soort dingen.' Op dat moment zag hij hem al. William Pettersen stond in zijn leren pak te wachten aan het eind van het pad, waar het zandstrand begon.

'Ik zag hem het balkon op stormen.' Cato Isaksen keek met een scheef oog naar de vrouw die naast hem stond. Ze had geblondeerd haar en een melodieuze, donkere stem. Haar armen waren dikker dan zijn dijbenen.

'Ik krijg het beeld niet uit mijn hoofd.' De vrouw wees naar de gevel, naar nummer zestien. 'Het zonlicht weerkaatste net in dat raam.' Ze wees. 'Het licht schoot langs de muur omhoog tot vlak bij haar balkon. Mijn ogen volgden het licht haast vanzelf. Och, mijn hemel, toen zag ik dat hij haar zo ongeveer over de rand tilde.'

'Ik wil graag dat u vanavond nog naar het politiebureau komt voor een officieel verhoor. Het is heel belangrijk. Ik hoop dat het geen probleem is?'

De vrouw knikte en praatte door: 'Ik zie de val nog voor me, telkens weer. Als een film die steeds opnieuw begint. Mijn man zegt dat dit soort dingen af en toe gebeuren, in dergelijke hoge flatgebouwen. Maar ze is niet gesprongen. Ik wil hier zo niet langer wonen. Ik heb een klein kind. Hij mag niet opgroeien tussen mensen die van balkons vallen of worden gegooid. Twee meisjes zaten op een kleed te spelen vlak voor ze viel. Ze had er wel bovenop kunnen vallen.'

De getuige droeg een onelegante tuniek van een stof met grote ruiten. Haar echtgenoot was mager en slungelig en had halflang, vet haar. 'Laat de politieman toch niet steeds op het balkon staan,' zei hij en hij nodigde Cato Isaksen uit in de woonkamer waar een buitenproportioneel grote leren bank stond. Op het tafeltje ernaast stond een enorme lamp. De rechercheur realiseerde zich dat hij medelijden voelde met deze mensen en hun leven. Dat gevoel vermengde zich met schaamte. Op de vloer lag een kleed met een groot patroon, op de tafel een knipselboek. Iemand had poëzieplaatjes met zilverstrooisel op de zwarte pagina's geplakt. Een mand met schoon wasgoed stond midden in de kamer. Hij bleef een tijdje op de drempel van de balkondeur staan, voor hij op het uiterste randje van de zwarte, leren bank plaatsnam. Hij zag zijn eigen gezicht in de glimmende voet van de lamp en constateerde dat de bezorgde rimpel op zijn voorhoofd terug was. 'Dus ze hadden ruzie, voor ze viel?'

'Ik heb het ook al aan een andere politieman verteld,' ging de vrouw gejaagd verder en ze plofte naast hem neer. 'Die man kwam het balkon op en zij sprong overeind en toen begonnen ze ruzie te maken. Ik kon natuurlijk niet verstaan wat ze zeiden, maar hij was boos en zij was... tja, hysterisch. Het leek alsof zij hem eerst probeerde te duwen. Maar ze was niet sterk genoeg. Hij tilde haar over de balustrade en liet los. De man deed de deur weer dicht. En daarna kwam hij niet naar beneden. Als het een ongeluk was geweest, was hij toch naar beneden gekomen?'

'Kunt u hem beschrijven?'

'Hij liep direct het appartement weer in. Maar hij droeg een zwarte of een donkerblauwe muts en een donkere jas of trui.'

'En zijn leeftijd?'

'Misschien vijfendertig, veertig, vijftig. Ik weet het niet. Die arme vrouw. De beelden blijven maar door mijn hoofd malen. Kan ik iets te drinken krijgen?' Ze keek naar haar echtgenoot die nog steeds midden in de kamer stond.

De magere man haalde een glas water en gaf haar dat aan. Hij vroeg niet of Cato Isaksen iets wilde hebben.

De getuige dronk het water met een paar grote slokken op. 'Het ging zo snel. Ze leek wel een pop toen ze viel. Ze schreeuwde niet. Maar toen ze op de grond terechtkwam, klonk er een dof geluid. Het was verschrikkelijk. Ik gilde en hield mijn handen voor mijn gezicht. Ik besefte later pas dat ik had gegild, want mijn keel deed helemaal zeer. Mijn man kwam aan rennen en vroeg wat er aan de hand was. Ik kon geen woord uitbrengen en alleen maar wijzen. Hij begreep wat er was gebeurd, liep naar binnen, pakte de telefoon en belde het alarmnummer. Daarna probeerde hij me gerust te stellen. Maar ik was helemaal van de kaart. Het was verschrikkelijk.'

Cato Isaksens telefoon piepte. Hij keek er snel op en las het sms'je. Het was van Roger Høibakk. *We moeten de deur inslaan. Krijgen huismeester niet te pakken.*

'Ze viel heel langzaam,' zei de vrouw zacht. 'Het was zo griezelig. Het leek wel alsof ze al dood was voor ze viel, maar dat kan toch niet?'

'Dat zal de autopsie uitwijzen,' zei Cato Isaksen en hij stond op.

'Het zou kunnen dat er iets in de waskelder is gebeurd,' zei Roger Høibakk en hij hield de deur van het trappenhuis voor hem open. Cato Isaksen liep naar binnen. De technische recherche was druk aan het werk. Een jonge agent liep met de witte klos in zijn handen en spande het rood-witte lint tussen de lift en de metalen balustrade. Men was druk bezig met het stofzuigen van de traptreden en het veiligstellen van andere sporen op de stenen trappen.

'Het lijkt alsof er iets beneden in de waskelder is gebeurd,' herhaalde Roger Høibakk en hij deed een stap achteruit.

'Hoezo?' Cato Isaksen keek naar de rij oude, groene brievenbussen. Zijn ogen vlogen snel over de namen en bleven hangen bij Britt Else Buberg. Haar brievenbus hing op de tweede rij, in het midden.

'De hele vloer ligt vol waspoeder. De deur stond wijd open. In de machines zitten schone vloerkleden en er ligt een bezem op de vloer, alsof iemand zich heeft willen verdedigen. Er kunnen natuurlijk kinderen hebben gespeeld en het hoeft niets met de zaak te maken te hebben. Maar de technische recherche stelt de sporen voor de zekerheid veilig.'

Randi Johansen kwam uit de kelder. 'De huismeester heet William Pettersen,' zei ze. 'Zijn appartement ligt in het souterrain, maar hij is niet thuis.'

'Hij was hier vlak voordat de vrouw viel,' zei Roger Høibakk. 'Veel mensen hebben hem gezien.'

'Oké, trek dat na.' Cato Isaksen veegde een hand over zijn bezwete voorhoofd.

'Zijn appartement ligt naast de waskelder,' ging Randi verder, 'maar de kelderboxen hebben een andere ingang. We hebben met een paar buren gesproken die thuis waren. Ik heb de namen genoteerd van de mensen die nog op vakantie zijn. Dat is een echtpaar op de vierde verdieping, Agnes en Roar Lunde. En ene Ewald Hjertnes op de begane grond. Plus Sally Wahlstrøm en Alf Toregg op de zevende en dan nog vier gezinnen.'

'Oké.' Cato Isaksen trok nieuwe plastic sloffen aan en bleef dicht langs de muur lopen toen hij naar boven ging. Randi Johansen liep achter hem aan.

Verschillende bewoners staken hun hoofd om de deur en keken nieuwsgierig naar de rechercheurs. De politie had de lift afgesloten en maande de mensen terug in hun woningen te gaan.

'Check het strafregister van alle bewoners in het trappenhuis,' zei hij. 'En controleer of er in de omgeving vreemde kooplui of verkopers van loten aan de deur zijn geweest.'

Tony Hansen kwam naar beneden. 'Ik heb bij de Rijksdienst nagevraagd, chef. Buberg had geen rijbewijs. De honden hebben een spoor gevolgd, maar dat spoor hield op bij de bushalte. De bushalte staat trouwens naast de garages, dus de desbetreffende persoon kan net zo goed in een auto zijn weggereden. Ik zal de vertrektijden van de bussen controleren en zorgen dat de verschillende buschauffeurs worden verhoord.'

Cato Isaksen mompelde een antwoord en liep verder de trappen op. Zijn mobiel ging. Het was Sigrid die zei dat zijn jongste zoon met hem wilde praten.

'Ik heb een probleem, Sigrid,' zei hij. 'We hebben een nieuwe zaak. Ja, nu net.' Cato Isaksen constateerde geërgerd dat hij werd afgeleid door de echo tussen de muren van het trappenhuis.

'Oké,' zei ze, 'maar hij wil maar één ding zeggen.'

Cato Isaksen draaide zich lijdzaam om naar Randi toen hij de stem van Georg in zijn oor hoorde: 'Je mag mijn zandbak niet weghalen, papa. Dat is alles.'

'Maar je bent toch al heel groot, Georg.'

'Ik ben nog niet zó groot, papa.'

Cato Isaksen glimlachte even. 'Oké,' zei hij. 'Dan haal ik hem niet weg.' Hij beëindigde het gesprek en wendde zich weer tot Randi.

'Er is niemand in het appartement, chef.' Asle Tengs stond hen in de deuropening op te wachten. Het zwarte kijkgaatje trok Cato Isaksens aandacht.

'We zijn binnengedrongen,' ging Asle Tengs verder. 'De deur heeft een knipslot. We vinden geen duidelijke sporen, maar de balkondeur was van binnen gesloten en op het fornuis stond een pan water te koken, dus de vrouw is zeker niet vrijwillig haar dood tegemoet gesprongen, om het maar zo te zeggen.'

Een verdieping lager sloeg iemand een deur dicht. De klap echode door het trappenhuis.

Britt Else Bubergs appartement was klein, maar keurig opgeruimd. Een klein tochtportaal met grijs linoleum op de vloer, een keuken met een kleine eettafel, een kamer met een groene bank, een tafel met een geborduurd kleed, rode gordijnen en een bruine boekenkast met prullaria. Het behang in de kamer was lichtblauw overgeschilderd. Het viel Cato Isaksen op dat de kamer een nest leek. Hij wist niet waarom hij op dat idee kwam. Aan de wand hingen geborduurde schilderijtjes met natuurafbeeldingen van damherten en kleine huisjes, en een schilderijtje met een rozenboeket in een dikke gouden lijst. 'Geen familiefoto's,' zei hij tegen Randi die hem op de voet was gevolgd.

De balkondeur was aan de binnenkant afgesloten. Cato Isaksen liep erheen, maar raakte de deur niet aan. Hij keek naar buiten. Op het kleine, vierkante balkon lag in een hoek een omgevallen kunststof stoel. De tafel was half omvergeduwd en leunde tegen de balustrade. Een groene wijnfles, wat aarde uit de bloembak, een paar geknakte bloemen, een pakje sigaretten, twee sigarettenpeuken en een gebroken rodewijnglas lagen op de betonnen vloer. 'Hier is duidelijk gevochten,' zei Cato Isaksen tegen Randi. De technische rechercheurs liepen heen en weer van de ene naar de andere kamer.

In de kleine badkamer stonden de planchetten vol met parfumflesjes, crèmes en flessen shampoo.

Hij liep naar de keuken. De damp die was opgestegen van de pan op het fornuis was vlekkerig opgedroogd op de tegels boven het aanrecht. Op het aanrechtblad lag een ongeopende kant-en-klaar maaltijd. Cato Isaksen bukte zich om ernaar te kijken. Boeuff Stroganoff. Ineens kreeg hij honger. De droge baguette die hij onderweg in de auto had gegeten, was niet echt bijzonder geweest. Op de groene koelkastdeur hingen allerlei briefjes die werden vastgehouden door magneetjes in de vorm van bloemen en kleine dieren. 'Vergeet niet te vergeten' stond op een van de briefjes.

Een klein, handgeschreven lijstje met data van rommelmarkten en veilingen was met tape op de gelakte deur geplakt.

Cato Isaksen liep naar het raam en keek naar de parkeerplaats. Een witte auto reed juist achteruit.

Het kleine meisje had een papieren vliegtuigje in de ene hand en een lege waspoederdoos in de andere. Ze stond in de deuropening naar hem te kijken. Haar gezicht was vies en haar blonde haar zat vol aarde. Cato Isaksen glimlachte naar haar. 'Hallo,' zei hij. 'Hoe heet jij?'

'Elianne. Ik ben vijf jaar,' antwoordde ze.

Ze liep op blote voeten en droeg een morsig mintgroen zomerjurkje met lieveheersbeestjes langs de rand. Plotseling trok haar moeder de deur wijd open.

'Au, mam. Je knijpt in mijn nek. Dat doet pijn.'

Een magere vrouw met bruin haar staarde naar Cato Isaksen. Ze droeg een spijkerrok en een gebloemde blouse. 'Ik begrijp er helemaal niets van,' zei ze bits en ze schoof met haar blote voet een paar rode kinderschoenen weg van de met zand bestrooide linoleumvloer.

'Echt niet,' herhaalde ze. 'We wonen naast elkaar, maar ik geloof niet dat ze een potentiële zelfmoordenaar was. Dat idee is nooit in me opgekomen. Ze was een hele rustige vrouw. Als ik had geweten dat ze zo eenzaam was, had ik haar natuurlijk uitgenodigd voor een kop koffie of zoiets. Elianne en haar vriendinnetje van de zevende verdieping zaten vlak voordat ze viel nog buiten te spelen. Tien minuten eerder. Stel je voor dat mevrouw Buberg op de meisjes was gevallen!'

Cato Isaksen knikte vol begrip en keek het rommelige appartement in. 'U zegt mevrouw Buberg. U noemde elkaar niet bij de voornaam?'

'Nee. Misschien wel een beetje vreemd, maar ze was wat gereserveerd. Maar ze was lief voor mijn dochter.'

'Had ze zelf geen kinderen?'

'Dat weet ik niet. Eigenlijk kreeg ze nooit bezoek, ze was nogal eenzaam. De balustrade is best wel hoog, hè?'

'We denken dat ze werd geduwd.'

'Wat? Meent u dat? Wat afschuwelijk. En u hebt geen idee door wie?'

'Zijn er hier de afgelopen tijd verkopers van loten of andere kooplui aan de deur geweest?'

'Nee, niet tijdens de bouwvak.'

'Wanneer hebt u haar voor het laatst gezien?'

'Zaterdag belde ze hier in alle vroegte aan.'

'Zaterdag?'

'Ja, omdat de voordeur achter haar was dichtgevallen.'

'Twee dagen geleden?'

'Ja, twee dagen geleden.'

Het meisje in de groene jurk liet Cato Isaksen de waspoederdoos zien. 'Dit is Barbies auto. En dit is haar vliegtuig.'

'Elianne, ga naar de badkamer en ga je alvast wassen. Ik kom zo,' zei haar moeder en ze gaf haar een duwtje. Het meisje liep het appartement in en verdween uit het zicht.

De vrouw ging verder: 'Ik ben voor haar naar de huismeester gegaan, want ze was heel erg overstuur. Hij heeft mij de moedersleutel gegeven, of hoe zo'n ding ook heet.'

'Masterkey,' verbeterde Cato Isaksen. 'Waarom was ze zo overstuur?'

'Tja, niets bijzonders, denk ik. Maar ze was aan het schoonmaken en wilde naar de brievenbus. En toen begon het door te tochten. Ze had de vuilniszak laten vallen en alles lag op de vloer.'

Cato Isaksen knikte.

'Ze wachtte terwijl ik naar Pettersen ging.' De vrouw draaide zich om en keek het appartement in toen een kind begon te huilen. 'Elianne, kun jij haar even troosten?' riep ze.

Cato Isaksen fronste zijn voorhoofd. 'Waarom ging Britt Else Buberg de sleutel zelf niet halen?'

'Tja, dat weet ik niet. Ze leek heel erg in de war.'

In het appartement zette een kind het op een schreeuwen.

Cato Isaksen glimlachte even. 'Heeft ze wel eens voor u op de kinderen gepast?'

'Nee, nooit. Waarom?' vroeg de vrouw gejaagd. 'Ze heeft zaterdag de deur open gemaakt en ik ben weer met de sleutel naar Pettersen gegaan.'

'Weet u waar de huismeester nu is?'

'Ik heb hem alleen vanmiddag even gezien. Als gewoonlijk blafte hij de kinderen weer af. Elianne kwam boven zeuren. Ik heb gezegd dat ze zich er niets van aan moeten trekken.'

'Weet u waar hij kan zijn?' Cato Isaksen draaide zich half om naar de politiemensen die de trappen op en neer liepen.

'Nee, hij heeft me een keer verteld dat hij een caravan heeft. Meer weet ik niet.'

Hij wendde zich weer tot haar. 'En u hebt niet gezien dat Britt Else Buberg vandaag bezoek heeft gehad, of dat iemand bij haar heeft aangebeld?'

'Een week geleden heeft ze bezoek gehad van een man. Ik heb haar samen met hem zien lopen. Ik heb het alleen vanaf het balkon gezien, dus ik heb geen idee wie het was.'

'Hoe zag die man eruit? Hoe oud denkt u dat hij was?'

'Dat weet ik niet. Het is te hoog vanaf de zesde verdieping, maar ze gingen zitten op de bank voor de winkel. Volgens mij had hij grijs haar. En toen kwam die oude vrouw.'

'Welke oude vrouw?'

'Ze zijn vaak met z'n tweeën. Ze heet Astrid. Dat heeft mevrouw Buberg eens gezegd. Ze zitten vaak samen op de bank. Ze woont in het bejaarden-centrum boven de winkel.'

Tussen de halfvergane wortels krioelden kleine insecten. Van de omgevallen boomstronk sloeg hem een doordringende geur van aarde tegemoet. Hij wist hoe hij naar voren moest buigen om haar te kunnen zien, zonder dat ze hem in het oog kreeg. Een moment herkende hij de absolute angst, die al het duistere opriep.

Hij zat op een steen. Om hem heen stonden graspollen en margrieten. En uitgebloeide paardenbloemen. Alleen de gekartelde bladeren waren nog over. De dennenbomen rezen als een muur voor hem op. Zijn ogen kenden elk stukje van het landschap. De aardbeiplantjes, die op de plek stonden waar de steen verdween in de grond, droegen nog kleine, ingedroogde vruchten. Het was warm, hoewel het al bijna half elf was.

Hij bereidde zich voor, hij moest terug naar de diepe leegte. Het had met de man in de lift te maken. Alles was weer naar boven gekomen. Eerst dacht hij dat het gewoon fantasie was, onzin en gezwets. Maar hij was naar Stovner gereden om het te controleren. En na een dag spioneren had hij ontdekt dat het klopte. De waanzin had hem verward, het mysterie had hem bang gemaakt. Hij vond geen troost in wat hij had ontdekt, eerder pijn. Zijn toekomst was ineens op een dwaalspoor geraakt. Voor zijn innerlijke oog groeide de agressie als een zwarte bloem. Hoe moest hij die bloem doden?

De cirkel rond de dood. Hij had in het appartement gestaan, een etensbord gebroken, wit met blauwe stippen langs de rand. Hij had in elke hand een stuk gehad en had gekeken naar de delen, alsof de scherpe kanten hem terug konden brengen naar de werkelijkheid. Die methode hielp hem om het punt terug te vinden waar de pijn oploste. Het was alsof hij van de ene dimensie in de andere viel. Hij neutraliseerde alles. Dacht als vroeger. De methode was gevaarlijk. Het was jaren geleden. Hij moest plannen, de woede zo lang mogelijk onder controle houden. Het was een deel van alles. Hij verplaatste zijn blik langs de onregelmatige boomstam en staarde naar het meisjeslichaam dat zichtbaar werd toen ze haar armen optilde en de jurk over haar hoofd trok.

Lilly Rudeck keek om zich heen toen ze haar jurk over haar hoofd trok. In het bos stonden de dennenbomen zwart en kaarsrecht naast elkaar. De toppen leken donkere speren tegen de avondgrijze hemel. De kronen van de bomen ruisten zacht. Het allerlaatste zonlicht lag in een donkerrode driehoek aan de horizon, achter de heuvel met de droge helling, waar het pad vanaf de weg liep.

Een oude Volvo reed over het pad. De chauffeur trapte het gaspedaal in en een wolk uitlaatgassen kwam uit de knalpot.

Ze legde haar jurk op de stoffige tafel die aan de houten banken was vastgetimmerd. Ze waadde door het blad van de wilde aardbeien naar de waterkant. In haar ouderwetse turkooizen zwempak liep ze over de stenen. Sommige hadden scherpe randen. Ze stak haar armen opzij om haar evenwicht te bewaren, één hand bracht ze naar haar neus. Hij rook naar ontsmettingsmiddel en zeep. Ze had vandaag urenlang de toiletten en douches geboend. Ewald Hjertnes had klachten gehad over de hygiëne en zij draaide voor het werk op, terwijl Julie en Shira al giechelend in de kiosk worstjes en ijs stonden te verkopen.

Het koude water deed pijn aan haar benen. Ze zag de smalle, grijze ogen van Ewald Hjertnes voor zich. Julie en Shira hadden verteld dat hier lang geleden, jaren en jaren geleden, een jong meisje was vermoord. Haar jurk zou gevonden zijn tussen de varens.

Het water danste en kolkte in ringen rond de bruine stenen aan de oever. Ver weg hoorde ze het geruis van de snelweg. De vrachtwagens die terugschakelden als ze de helling opreden.

*

Zijn uitkijkpunt was minder dan honderd meter van haar verwijderd. Hij stelde zijn blik scherp. Hij dacht aan wat er was gebeurd in de kelder. Het leek al lang geleden, maar het was nog maar een paar uur. In zijn hoofd speelde alles zich opnieuw af. De stoom, het geluid van de machines, haar geur. De onrust had alles in hem weer naar boven gehaald. Hij was weer terug in de foto.

En nu was het Lilly. Ze kwam altijd rond deze tijd. Zo rond een uur of elf, als alle anderen hun kleren hadden aangedaan en zich hadden teruggetrokken in de tenten en caravans. Dan deed zij haar kleren uit en ging ze zwemmen bij de picknickplaats, vlak bij de oprit naar de camping. Lilly zwom nooit samen met die twee andere giechelmeisjes, nooit overdag en nooit aan het strand. Ze sloop hierheen, naar deze eenzame plek langs de weg. Haar haar had ze in een warrige knot boven op haar hoofd vastgestoken. Haar ogen zeiden: kom-me-dan-maar-halen-halve-gare. Als hij naar haar keek, werd hij duister, op de gevaarlijke manier. Het bloed explodeerde in zijn onderlijf. De woede en de haat. Het verdriet en de tranen. Alles bij elkaar.

Haar badpak was laag uitgesneden, zoals vroeger de gewoonte was. Hij herinnerde zich dat zijn moeder in de jaren zestig een dergelijk badpak had gedragen. Hij staarde naar haar dijbenen. Helemaal bovenaan, langs de rand van haar badpak, waren ze slap en kwabberig. 'Dus je krijgt genoeg te eten, vet varken dat je bent!' fluisterde hij tussen zijn op elkaar geklemde tanden.

Ze liet zich voorover vallen en zwom verder. Hij zag dat ze een paar keer met haar hoofd trok, het alle kanten op draaide om te kijken of ze in de gaten werd gehouden. Ze leek wel een kip in een kippenren. Dit was de beste tijd, dacht hij. Ondanks alles voelde het goed. Hij laadde zich op, maakte plannen, want alles zou exploderen.

Hij hield zijn hoofd een beetje scheef om beter te kunnen luisteren. Hij streek met zijn hand over de onderkant van zijn gezicht met de moedervlek. Hij zag dat ze door een dun laagje bloemenzaad zwom dat langs de wal op het water dreef. Hij staarde naar haar. Plotseling dook ze onder en maakte een paar stevige slagen voor ze weer boven water kwam. Ze haalde een hand over haar ogen, draaide om en staarde naar het punt waar hij zat. Hij schoot naar beneden, zocht beschutting achter een struik. Hij werd warm en koud tegelijk. Het water klotste tegen de stenen aan de oever.

Het lijk werd op een draagbaar gelegd en in de lijkauto geschoven. Het was even over half elf. Het gras was nat van de avonddauw. Ellen Grue liep naar Cato Isaksen toe terwijl ze haar handen schoonmaakte met een antibacterieel middel. 'Voor middernacht krijg je mijn rapport,' zei ze en ze trok de blauwe wegwerpoverall uit. Ze haalde de wikkel van een reep chocola en stopte een stuk in haar mond. 'Ik bel je vanuit het Gerechtelijk Laboratorium,' herhaalde ze en ze maakte een prop van het doorzichtige chocoladepapiertje.

'Mooi. Ik zal proberen of ik een oude vrouw te spreken kan krijgen. Ik weet dat het laat is, maar het is belangrijk, dus ik ga kijken of ze wakker is.'

Ellen Grue raakte hem even aan met haar hand. Ze rolde de overall op en drukte hem tegen zich aan. 'Oude mensen worden meestal heel vroeg in bed gestopt, heb ik gehoord. En het is al over half elf.' Ze glimlachte even. 'Tot later,' zei ze en ze veegde een stukje chocola van haar arm.

Cato Isaksen keek haar na toen ze in de civiele politieauto stapte en langzaam achter de lijkauto aan het terrein verliet.

*

Cato Isaksen wendde zich tot een opdringerige journalist. 'Kalm aan, we weten nog niets. De vrouw heeft zich waarschijnlijk van het leven beroofd,' loog hij. 'En het is nu hoe dan ook te laat om nog iets in de krant van morgen te plaatsen.'

'Maar waarom zijn er dan zoveel politiemensen op de been?' De journalist maakte geen aanstalten zich terug te trekken.

'Zuiver routine.' Cato Isaksen glimlachte even en draaide hem zijn rug toe. De journalist bleef nog even staan, maar trok zich toen terug tussen de groep nieuwsgierigen.

Het bejaardencentrum lag boven de Rimi-supermarkt. Het schilderwerk in het trappenhuis was afgebladderd en twee kinderwagens en een rollator stonden achter elkaar op de betonnen vloer die vol zand lag. Een versleten mat was een stuk van de deur geschoven. Cato Isaksen liep de lift in en drukte op de knop met het nauwelijks leesbare cijfer 1 naast het plaatje van het bejaardencentrum. Hij had een hekel aan instituties.

Hij kwam binnen in een ruimte die leek op een verlaten receptie. Van de grijze linoleumvloer steeg een misselijkmakende geur op van boenwas en groene zeep. Twee deuren gaven toegang tot de rest van het huis. 'Dagcentrum' stond op de ene, 'Verpleegafdeling' op de andere deur. Hij opende de laatste en kwam in een gang met grote ramen naar een leeg dagverblijf aan de ene kant en deuren aan de andere. Er hing een muffe, bedompte lucht. De muren waren wit geschilderd. Een gedrongen verpleegster met kort, blond haar kwam door een van de deuren. Het licht weerkaatste in de metalen plaat die op de vloer was bevestigd zodat rolstoelen eroverheen konden rijden. De verpleegster keek hem vragend aan en vroeg of ze hem ergens mee van dienst kon zijn.

'Ik ben op zoek naar een van de bewoners. Ik weet dat het laat is, maar het is belangrijk. Ik ken haar achternaam niet, ik weet alleen dat ze Astrid heet,' zei Cato Isaksen en hij richtte zijn blik op een grijze vlek op de witte muur.

'Bedoelt u Astrid Wismer van kamer zes?' De vrouw keek hem vragend aan. 'Het is leuk dat ze bezoek krijgt, maar het is wel verschrikkelijk laat. Ik denk dat ze al slaapt.'

'Ik ben van de politie.' Cato Isaksen liet haar zijn legitimatie zien. 'Ik moet helaas vanavond nog met haar spreken. Dus als ze slaapt, wil ik u vragen haar wakker te maken.'

'Waar gaat het dan over? O, heeft het iets met... er is iemand van een balkon gevallen, hè? We hebben natuurlijk de ambulance en de politiewagens buiten gezien. Wacht even, dan ga ik even kijken.'

Cato Isaksen bleef staan wachten bij de open deur van een badkamer. De muren waren lichtgroen geschilderd. Op de rand van de wastafel lag een vies stukje zeep. De tl-buis aan het plafond brandde.

De verpleegster kwam terug. Haar hakken klikten op de vloer. 'Ze is wakker. Maar wat heeft Astrid Wismer met die val te maken?'

'Een buurvrouw van het slachtoffer heeft verteld dat ze soms wat tijd met haar doorbracht, met de vrouw die...'

De verpleegster keek verschrikt. 'Dan is het dus... die donkere vrouw, die...'

'We nemen aan dat ze Britt Else Buberg heet en zevenenvijftig jaar is. Maar officieel is ze nog niet geïdentificeerd, dus... Maar een buurvrouw vertelde dat ze af en toe samen is met...'

'Ze heeft zelfmoord gepleegd, hè?'

'Nee. We hebben aanwijzingen dat ze werd geduwd.' Cato Isaksen keek de verpleegster ernstig aan. Haar gezichtsuitdrukking veranderde en ze wreef haar handen hard over het witte schort. 'Daar is kamer zes,' zei ze. 'Mag ik erbij zijn?'

Er stonden twee bedden in de witte kamer. Cato Isaksen aarzelde even, voor hij naar binnen ging. De ene vrouw sliep. Alleen een klein, grijs hoofd stak boven het grote dekbed uit en het beddengoed bewoog zachtjes op het ritme van haar ademhaling.

In het andere bed lag de vrouw die Astrid Wismer zou moeten zijn. Ze lag op het dekbed, in een witte nachtpon met aan de onderrand het logo van het verpleeghuis.

De lamp op het nachtkastje wierp een gele cirkel op het dekbed. Haar hoofd lag op een enorm kussen. Naast haar lag een tijdschrift.

'Astrid,' zei de verpleegster. 'Er is een politieman die met je wil praten.'

De vrouw kwam half overeind. Ze keek verrast naar Cato Isaksen.

'Kom liever even in de stoel zitten, Astrid,' zei de verpleegster en ze hielp de oude vrouw haar melkwitte benen over de rand van het bed te zwaaien.

Cato Isaksen keek naar haar benen. Ze zaten vol lichtblauwe strepen, als draperieën. De oude vrouw liet zich moeizaam in de leunstoel zakken.

Hij liep naar haar toe, stak zijn hand uit en rook de zoete geur van ouderdom. 'Dag mevrouw Wismer,' zei hij. 'Het spijt mij dat ik u zo laat nog moet storen, maar het is erg belangrijk. Ik ben van de politie.' Hij hield zijn legitimatie voor haar op en keek ondertussen de kamer rond.

Naast het bed van Astrid Wismer stond een kastje, een ouderwetse toilettafel met een ovale spiegel. De kast stond vol parfumflesjes, er lagen tubes en een stapel tijdschriften. Aan de wand boven de kast hingen een paar familiefoto's. Een dikke baby met een wit zijden lint in het haar en twee trouwfoto's uit de jaren vijftig of zestig. Op een andere foto herkende hij Astrid Wismer als jong, donkerharig meisje, waarschijnlijk samen met haar ouders en broers. Onderaan hingen naast elkaar drie kleine geborduurde rozenschilderijtjes in bruine lijstjes.

De verpleegster deed een paar passen achteruit. De vrouw in het bed tegen de andere wand kreunde plotseling zacht.

'O hemel, ik zie er niet uit,' glimlachte Astrid Wismer en ze streek haar grijze haar naar achteren.

Het viel Cato Isaksen op dat ze mooi was. Ze had bruine ogen en voor haar leeftijd mooie tanden. 'Het is hier net alsof je in een kooi zit,' verzuchtte ze. Cato Isaksen hoorde aan haar uitspraak dat ze uit West-Noorwegen kwam.

'Het is zomer,' ging ze verder, 'maar wij komen nergens. Het is verschrikkelijk. In wezen is het afschuwelijk.'

'Ik begrijp het,' zei de rechercheur glimlachend. Zijn eigen moeder was een paar jaar geleden gestorven in het bejaardencentrum van Frogner. Hij wist alles van zomermaanden die binnen werden doorgebracht.

'Ik moet u helaas vragen of u een vrouw kent met de naam Britt Else Buberg.'

Astrid Wismer knikte beduusd. 'Ja, ja. We brengen veel tijd samen door. Ze woont hiernaast. Op nummer zestien.'

'Was ze een vaste bezoeker?'

'Was? Wat bedoelt u? Ze komt elke dag.'

'Kwam ze elk dag hier?'

De vrouw leek plotseling bang. 'Ja, maar vandaag is ze niet geweest. Wat is er?'

De verpleegster met de mollige handen nam het over. 'Ze was toch een vriendin van je, Astrid?'

'Ja, een goede vriendin,' zei Astrid Wismer langzaam. 'Een heel goede vriendin.'

Cato Isaksen keek haar aan. 'De vrouw van wie wij denken dat het Britt Else Buberg is zat vanavond met een glas rode wijn en een sigaret op haar balkon op de zesde verdieping. Toen is ze plotseling van het balkon gevallen. Of ze werd geduwd.'

'Nee,' barstte Astrid Wismer uit en ze sloeg haar magere handen voor haar mond. 'Ze rookte niet. Ze rookte niet,' herhaalde ze keer op keer.

Cato Isaksen bracht zijn gewicht op zijn andere been over. 'We onderzoeken de sigarettenpeuken om te kijken of zij degene is die de sigaretten heeft gerookt. Ze kan ook bezoek hebben gehad.'

'Ja, maar...'

'Weet u wie haar een week geleden heeft bezocht?'

'Nee,' zei Astrid Wismer met heldere stem.

'Haar buurvrouw heeft gezien dat u met z'n drieën op de bank voor de winkel zat.'

'Met z'n drieën? Wat bedoelt u?'

'Britt Else Buberg, u en een man. Met grijs haar, zei ze. Kan dat kloppen?'

'Nee,' zei Astrid Wismer fel. 'Er zitten zoveel mensen op die bank. Is ze zwaar gewond?'

Cato Isaksen keek haar aan. Voor hij antwoord kon geven, ging ze verder: 'We kwamen aan de praat op de bank voor de winkel. Dat is al een paar jaar geleden. Ze is veel jonger dan ik. Maar we kunnen goed met elkaar overweg. Ik ben weduwe en ik heb nog maar een paar vriendinnen over. Eigenlijk maar één, en het wordt op den duur een beetje saai om hier alle dagen te zitten.'

'Heeft ze wel eens gezegd dat ze bang voor iemand was?' Cato Isaksen hield haar blik vast. 'Heeft ze u over iemand verteld? Het is belangrijk dat we dergelijke informatie nú krijgen, voordat er te veel tijd overheen gaat.'

'Bang voor iemand? Nee. Wat bedoelt u eigenlijk, agent?'

De verpleegster ging op haar hurken voor de stoel zitten en pakte haar hand stevig vast. Ze keek op naar Cato Isaksen: 'Kan dit niet tot morgen wachten? Volgens mij is ze moe.' Ze draaide zich om. Cato Isaksen pakte het lege waterglas dat op het nachtkastje stond en stopte het in zijn zak. 'Ik begrijp het,' zei hij, 'maar we hebben het wel over moord. Het is belangrijk dat we informatie...'

'Moord? Welke moord? Waar hebt u het over?'

De verpleegster kwam overeind, maar hield Astrid Wismers magere hand vast. Ze streek wat haren uit het gezicht van de oude vrouw.

Cato Isaksen staarde naar Astrid Wismer. Het leek alsof ze een elektrische schok had gehad. Haar handen waren tot vuisten gebald. Haar mond werd een smalle streep. Ze haalde diep adem en keek naar de toilettafel, in de ovale spiegel. Toen begon ze hysterisch te lachen.

Ellen Grue parkeerde in de parkeergarage van het Rijkshospitaal en stapte uit. Ze was moe. Het was 23.01 uur. Ze registreerde zich bij de receptie en liep de lichte gang door. Er heerste avondrust. Een patiënt in een lichtblauwe badstof jas zat op een stoel en volgde haar met zijn ogen. Hoog boven het glazen dak had de zomerhemel een diepgrijze kleur gekregen.

Ze nam de lift naar het Gerechtelijk Laboratorium in het souterrain en liep naar de garderobe. Ze kleedde zich snel uit, pakte een groene katoenen broek van een van de schappen en trok hem aan. Daarna nam ze een jasje van dezelfde stof uit de kast en ten slotte een paar zachte schoenen. Ze bukte zich en stak haar voeten erin.

Toen liep ze naar de sectiezaal. De zoetige geur van dood zat in de muren. De tl-lampen aan het plafond waren aan. Professor Wangen wachtte op haar. Hij was een sportieve, grijsharige man van een jaar of vijftig. Glimlachend keek ze de joviale patholoog aan. 'Val van de zesde verdieping,' zei ze. Door zijn bruine gelaatskleur leek zijn grijze haar nog lichter. Hij was de aardigste van de professoren op het instituut. 'Ja, dat had ik al begrepen,' zei hij. 'Zo gauw ze met de voorbereidingen klaar zijn wordt het lijk hier gebracht.' Hij schoof een metalen stoel op wieltjes naar haar toe. 'Als je zwanger bent, mag je zitten tijdens het werk.'

'Dankjewel.' Ellen Grue glimlachte, ze pakte een gele jas van een haak aan de muur en trok hem aan.

'Ze heeft veel botbreuken en ze is waarschijnlijk gestorven aan de wond aan haar hoofd en enorme inwendige bloedingen. We nemen aan dat ze Britt Else Buberg heet. Ze is zevenenvijftig jaar. We zullen zo snel mogelijk iemand laten komen die haar kan identificeren, maar we gaan ervan uit dat het deze persoon is.'

Ze trok een plastic muts over haar haar en een paar gummihandschoenen aan haar handen. De matglazen ramen die uitkeken op de achterkant van het ziekenhuis, lieten het grijze avondlicht in de zaal naar binnen vallen.

'Gaat het goed?' vroeg professor Wangen.

'Ik wil het kind toch houden,' zei ze. 'Hoewel ik heb gezegd... een paar weken geleden. Je weet... dat ik dat niet wilde.'

'Ik had het al begrepen. Dat is fijn. We hebben hier ook levende mensen in de stad nodig.'

'Ik blijf werken tot het bittere eind.' Ze pakte een paar plastic sloffen van een plank en nam plaats op de glimmende stoel.

'En wanneer is dat?'

'Half december,' glimlachte ze en ze trok de plastic sloffen over haar schoenen. 'Dat komt dan mooi uit, dan kun je gelijk kerstvakantie nemen.' Op dat moment werd de dode vrouw door twee assistenten op een brancard binnengereden. Ze tilden het lichaam op de hoge, glimmende snijtafel.

Professor Wangen liep naar de tafel toe en trok het laken weg. De vrouw droeg nog steeds het chenille pak en een halsketting met een groene steen. De roodgelakte teennagels trokken onmiddellijk de aandacht. Het gezicht was rood van het opgedroogde bloed.

Professor Wangen keek haar aan. 'Een mooie vrouw,' zei hij. 'We moeten haar kleren veiligstellen. Jij wilt ze vast onderzoeken.'

'Ja, ze werd geduwd. Of we hebben in elk geval de tip gekregen dat ze van de zesde verdieping werd geduwd. Ik wil in de eerste plaats weten of er ook nog andere verwondingen zijn dan die ten gevolge van de val. Er zitten een paar blauwe plekken op haar armen. Er is iets in de waskelder gebeurd, maar dat hoeft niets met haar te maken te hebben.'

'Ik begrijp het. Ik heb begrepen dat ze niet op het asfalt is gevallen?'

'Nee, op het gras.'

'Er is trouwens een nieuw autopsie-apparaat in aantocht. Heb je er al iets over gehoord?'

Ellen Grue knikte. 'Een scan, heb ik gehoord.'

'Virtuele autopsie,' zei hij. 'Het is gewoon fantastisch. Je schuift het lichaam in het apparaat en je kunt digitaal onderzoek verrichten. Als dat apparaat er is, wordt alles gemakkelijker. Ik zie dat onze dame haar haar heeft geverfd, maar welke vrouw doet dat tegenwoordig niet.'

Ellen Grue voelde haar maag rommelen. Ze had honger.

'Ik wil alleen een paar foto's maken, dan draaien we haar om. We werken vannacht door en zullen kijken of ze op de een of andere manier is misbruikt. Je wilt het voorlopige rapport vast direct meenemen?'

Ze knikte.

Professor Wangen glimlachte. 'Ik zal zo snel mogelijk een voorlopig sectierapport schrijven.' Hij gaf een van de assistenten opdracht het chenille jasje uit te trekken.

'Iemand heeft haar stevig bij haar bovenarmen gegrepen. Kijk eens naar die bloeduitstortingen. Bovendien heeft ze blauwe plekken en puntbloedingen op haar keel. Die zijn niet vers.'

'Ze zijn dus niet van vandaag?'

'Ja, dat zou wel kunnen. Maar ze zijn ontstaan voordat ze viel. Ze kan ze gisteren of de dag daarvoor hebben opgelopen, maar ook eerder vandaag. Ik kan het tijdstip nu niet precies vaststellen, maar ik zal mijn best doen.'

'Ze is geen grote vroùw, dus het moet niet moeilijk zijn geweest voor een man om haar van het balkon te gooien. Ze heeft een rij bloeduitstortingen net boven haar onderrug,' ging hij verder. 'Alsof ze tegen een rand is geduwd.'

Ellen Grue keek hem aan. 'Ik zal Cato straks bellen om te horen of er iemand kan komen om haar te identificeren.'

'Gaat het goed met Isaksen?'

'Hij is in supervorm, vrolijk en uitgerust na zijn vakantie,' zei ze ironisch. 'Ik zal hem de groeten doen.'

'Doe dat,' zei professor Wangen en hij keek even op. 'Ik heb gehoord dat het Roger Høibakk is.' Hij knikte even naar haar buik. 'Dat soort geruchten verspreidt zich als een lopend vuurtje.' Ellen Grue kreeg het plotseling koud.

Marian Dahle kwam gejaagd Cato Isaksens kantoor binnen. Ze stopte haar blauwe T-shirt in haar broek en veegde een haarlok van haar wang. 'Ik ben zo snel ik kon gekomen. Ik had mijn mobiel uitgezet. Het stoort de honden.'

Cato Isaksen keek boos. 'Je bent helemaal naar Fredrikstad geweest?'

'Ja, ik kon toch niet weten dat er iets zou gebeuren.' Ze merkte dat ze haar gevoelens met moeite onder controle kon houden. Plotseling stonden de tranen in haar ogen. Het was de manier waarop hij tegen haar sprak. Ze draaide zich om en keek uit het raam. De avond had een nietszeggende kleur, als water.

'Een cursus voor politiehonden? Laat me niet lachen. Een boxer...'

Marian Dahle snoof een keer en droogde haar tranen. Ze draaide zich weer naar hem om en verplaatste haar gewicht van haar ene naar haar andere been. 'Voor de lol, ik wilde gewoon proberen... Natuurlijk wordt ze geen politiehond. Ben je gek. Geen enkele boxer wordt een politie...'

'Marian...'

Ze onderbrak hem geïrriteerd: 'Ik ben op de hoogte van de zaak. Ik heb bijna de hele weg naar huis aan de telefoon gehangen.' Ze zag de weerspiegeling van haar gezicht in het raam. Ze was zo wit als een doek.

'Ik hoop dat je wel handsfree belt,' zei hij kortaf.

'Jazeker.' Ze keek hem aan. 'Roger, Tony en Asle zijn bezig alle bewoners van de drie flatgebouwen in Stovner te verhoren. Randi is net samen met een pas afgezwaaide agent begonnen aan het officiële verhoor van de vrouwelijke getuige. Ze zitten in de verhoorkamer. Ik heb hier een lijstje van de mensen die afwezig zijn en in hetzelfde trappenhuis wonen als het slachtoffer. Randi heeft me de namen gegeven. We hebben William Pettersen, Agnes en Roar Lunde en Ewald Hjertnes nog niet kunnen bereiken. En het echtpaar Sally Wahlstrøm en Alf Toregg en...'

Hij onderbrak haar. 'Dat weet ik allemaal, Marian. Het belangrijkste is nu dat we de huismeester te pakken krijgen. Neem jij dit glas mee. Doe het in een plastic zak en geef het aan Ellen. Ze moet de vingerafdrukken identificeren van een oude vrouw in het bejaardencentrum, gewoon, om ze in het appartement van Buberg te kunnen controleren.'

Zijn mobiel ging. Hij pakte hem en draaide zich om naar het raam. De bomen buiten kleurden in de duisternis grijs. Het was Ellen Grue. Haar stem klonk helder in zijn oor. 'Ik ben onderweg van het Gerechtelijk Labora-torium. Wie kan de dode identificeren? We moeten wel zeker weten dat het Britt Else Buberg is. Er moet morgen iemand komen.'

Cato Isaksen zag het spiegelbeeld van Marian Dahle in het grijze raam.

'Ja, we zullen iemand moeten vinden. En Ellen...'

'Ze moet toch familie hebben?'

Cato Isaksen pakte een papiertje op dat op de grond was gevallen. 'Het is ons nog niet gelukt om dat uit te zoeken.' Hij keek naar Marian Dahle. 'Zorg voor dat glas met die vingerafdrukken,' zei hij en hij gaf haar een teken zijn kantoor te verlaten.

'Ik haal een plastic zak,' zei ze knorrig en ze liep de deur uit.

Uit de doucheruimte kwam een zwakke geur van shampoo, conditioner en zeep. De houten wanden hadden de hele dag zon verzameld. De kamer was klein, afgesloten en haast zonder zuurstof. In de stilte rustte de afwezigheid van het geluid van het gevaar. Ze dreef heen en weer in de duisternis. Het oor, het oog en het kaakbeen achter het luik, had ze zich dat alleen maar ingebeeld?

Lilly Rudeck bukte zich en keek door het sleutelgat. Ze had haar halfversleten nachtpon aan. Er zaten drie deuren in het kleine gangetje. Eén ging naar haar kamer, één naar de doucheruimte. De toiletten waren in een apart gebouw dichter bij de receptie ondergebracht. Maar de derde deur, waar ging die heen?

Ze had een geluid gehoord, maar kon niemand onderscheiden achter het luik bij het plafond. Midden in de nacht ging er toch niemand douchen? Er moest een heel klein kamertje achter haar kamer zijn. Misschien kon ze de derde deur openbreken? Kon ze ontdekken wie zich daarachter verstopte. Wie was het?

Ewald Hjertnes, of de motorman? Of de man in de camper? Of die man met die baard en een kruis om zijn hals, die altijd voor zijn tent gitaar zat te spelen?

Het schijnsel achter de gordijnen maakte niet langer elk draad in de grofgeweven stof zichtbaar. De vogels in de boom buiten waren stil. Ze durfde niet met het raam open te slapen. Ze durfde helemaal niet te slapen.

Ze rukte de gordijnen open, opende het raam op een kier, rook de geur van aarde en gras. Ze liet de lucht een poosje naar binnen stromen. Toen sloot ze het raam weer en kroop in bed. Buiten hoorde ze iemand langslopen en kwam weer overeind. Ze keek door een spleet tussen de gordijnen. Het was de donkere man die bij het benzinestation werkte.

Wat deed hij hier? Ze nam een slok uit het waterglas dat op het nachtkastje stond, naast een vaas met verwelkte bloemen. Er zat een barst in de vaas. Er steeg een vieze stank op uit het water met de verrotte stelen.

Ze ging op het dekbed liggen, op haar buik, vouwde haar handen en legde haar hoofd tussen haar armen. De angst had haar weer in zijn greep. Ze had het niet meer naar haar zin in deze baan. De dingen waren veranderd. De aardbeienvelden waren uiteindelijk veel beter dan dit, zelfs al moest ze daar haar kamer delen met drie andere meisjes.

Misschien was het alleen maar een schaduw achter het luik? Misschien stond er iets. Misschien kwamen de lamellen door een luchtstroom in beweging. Misschien kwam het door het ontluchtingssysteem dat het leek alsof er een gezicht achter zat.

Ze draaide zich weer op haar rug en kroop snel onder het dekbed. Ze hoorde haar eigen ademhaling, ze luisterde.

Ze draaide zich om in bed, raakte verstrikt in het beddengoed. Ze voelde het zweet onder haar oksels en perste haar gezicht in het kussen. Ze viel in slaap. En droomde.

Een man stond bij haar bed en boog zich over haar heen. Ze wist wie het was. Ze had hem gezien zonder te zien. Het beeld van de man aan de bosrand, als hij zijn jas dichtdeed en de andere kant op liep, deed haar hart even stilstaan. De droom was een proloog. Waarom draaide hij zich om toen ze hem op het pad tegenkwam? Ze keek op naar de lucht. Het zou gaan regenen. Ze dacht aan het verhaal dat Julie en Shira hadden verteld, over het jonge meisje dat was vermoord. Lilly Rudeck hoorde zichzelf sterven.

Het was nacht. De wind ruiste zachtjes door de bomen in het park naast het politiebureau. Achter de ramen op de vierde verdieping brandde licht. Roger Høibakk en Randi Johansen verhoorden de getuige in de verhoorkamer. Cato Isaksen en Marian Dahle haastten zich door de gang. Zij hield een pizza-doos in haar handen.

Ze gingen Cato Isaksens kamer binnen. 'De dode vrouw heeft nauwelijks familie,' zei ze. Ze sloeg de kartonnen deksel open en zette de doos op het bureau. 'Neem maar,' zei ze. 'De anderen hebben hun pizza in de verhoor-kamer gekregen. Ik heb ook met de politie in Zweden gesproken, en het be-volkingsregister daar gecontroleerd.'

Ze gingen elk aan een kant van het bureau zitten en pakten een stuk pizza. De kaas trok draden tussen de stukken. Ze lachten.

'Er moet toch iemand zijn?' Cato Isaksen pakte een servet, trok het stuk vetvrij papier dat aan de onderkant was blijven plakken los en nam een hap.

'Niet iedereen heeft iemand, Cato.' Marian Dahle verfrommelde het stuk-je papier dat ze in haar hand had en propte het in haar zak. 'In feite heeft ze helemaal geen levende familie. Alleen een of andere oude stiefvader of pleeg-vader in Zweden. Ze is nooit getrouwd geweest, heeft geen kinderen. Haar ouders zijn dood, ze heeft geen broers of zussen.'

Cato Isaksen slikte het laatste stukje pizza door en legde zijn mobiele tele-foon op het bureau. 'Verkreukel dat papiertje met de namen van de buren nu niet. Ik zag dat je ze op had geschreven. Buberg woonde ten slotte al meer dan dertig jaar in Noorwegen.'

Marian Dahle haalde het papiertje weer uit haar zak en streek het glad. 'Ik heb ook geen familie, Cato. In elk geval niemand met wie ik iets te maken wil hebben.' Ze slikte en ging verder: 'Dan moeten we dus vrienden of beken-den zien te vinden die haar kunnen identificeren. Of die pleegvader of wat hij dan ook is. Maar hij woont helemaal in Zweden en nu is het in elk geval te laat om te bellen. Het is midden in de nacht.'

Cato Isaksen fronste zijn voorhoofd. 'Ja, het is zeker nacht,' zei hij. 'Het lijkt er dus op dat die oude vrouw in het bejaardencentrum... de enige is... die...'

'Arme stakker,' zei Marian en ze veegde haar handen af aan een servet.

'Zij moet morgen de identificatie maar doen,' zei Cato Isaksen en hij gaap-te.

'Is het goed als ik het laatste stukje pizza neem?' Marian keek hem aan.

Cato Isaksen schoof de platte pizzadoos naar haar toe. 'Neem maar.'

Roger Høibakk en Randi Johansen kwamen de kamer binnen. 'Het getuigenverhoor is klaar,' zei Randi en ze plofte neer op een stoel. 'De getuige kan moeilijk zeggen hoe oud de man was, omdat hij een pet op had. Hij droeg donkere kleding en was nogal lang,' zei ze.

'Niemand van de buren kende het slachtoffer goed,' zei Roger Høibakk en hij gooide zijn notitieblok op tafel. Ik heb met de meesten gesproken. Ze hadden niets te vertellen, alleen dat ze aardig en stil was. En schoon,' voegde hij eraan toe.

'En niemand heeft op het tijdstip van de moord een vreemde persoon in het trappenhuis gezien,' ging Cato Isaksen verder. 'En ook niet buiten. Alleen haar naaste buurvrouw, de moeder van het kleine meisje, heeft gezien dat ze met een vreemde man op de bank voor de winkel had gezeten.'

'Ik heb een bericht ingesproken op de mobiele telefoon van de huismeester,' zei Marian Dahle. 'En ik heb ook met twee van de anderen op de lijst gesproken. Morgen bel ik nog iemand die een camping beheert in Son, maar hij is vermoedelijk al in geen weken thuis geweest.'

Cato Isaksen keek haar aan. 'De huismeester moeten we zo snel mogelijk spreken. Concentreer je op hem.' Hij schreef iets op een klein opschrijfblok. 'Ik moet een beker koffie uit de automaat hebben,' zei hij. 'Nog meer liefhebbers?'

Marian Dahle en Randi Johansen schudden het hoofd.

Cato Isaksen liep de kamer uit.

Marian Dahle zuchtte. 'Ik hou het straks voor gezien, ik moet naar de garage, naar Birka.'

Roger Høibakk glimlachte. 'Zit woefwoef weer in de garage?'

'Ja, Birka zit weer in de auto, want Cato is terug. En dan moet iedereen hem weer op z'n wenken bedienen en jaknikken.' Marian Dahle stopte het papiertje met de namen van de buren weer in haar zak.

Roger Høibakk grijnsde. Cato Isaksen kwam weer binnen. 'De naaste buurvrouw vertelde trouwens dat Buberg zichzelf zaterdagochtend had buitengesloten,' zei hij. 'Ze was erg nerveus geweest.' Hij nam een slok uit de koffiebeker en plofte neer achter zijn bureau. 'Ze vertelde ook dat zij de sleutel bij de huismeester moest halen zodat Buberg weer naar binnen kon.' Hij keek naar Roger Høibakk die bij het raam stond.

'Kun jij dat natrekken?'

Hij knikte. Hij wendde zich tot Marian Dahle en zei: 'Wil je zo lief zijn en me geen jaknikker meer noemen?'

'Ik ben niet lief,' zei Marian vermoeid.

'Astrid Wismer is verschillende keren bij Buberg thuis geweest,' ging Cato

Isaksen verder en hij nam nog een slok koffie.

'En dan is er nog die rommel in de waskelder,' vervolgde Randi en ze wreef met haar wijsvinger over de rand van de vergadertafel. 'De formica werkbank stond achteruit geschoven en over de hele vloer lag waspoeder. De technische recherche is daar nog bezig. Ze stellen sporen veilig, zowel in het trappenhuis als in het appartement en de waskelder. Er kunnen vingerafdrukken op de deuren van de wasmachines zitten. En dat geldt ook voor een bezem die op de vloer was gegooid. In beide wasmachines zat een schoongewassen vloerkleed. We hebben ze gefotografeerd. Het lijkt alsof die oude vrouw de enige was die haar kende. Jij hebt toch met haar gesproken, Cato? Kun je haar morgen de foto's van de vloerkleden laten zien?'

'Ja, ik ga morgen terug naar het bejaardencentrum.'

'Ik moet naar huis,' zei Randi. 'Tot morgen.' Ze stond op.

'Oké,' zei Marian Dahle, 'nog één ding, voordat Randi en ik gaan.' Ze keek Roger Høibakk en Cato Isaksen om beurten aan. 'Het kantoor van Ingeborg Myklebust,' zei ze.

'Wat is daarmee? Dat neemt Cato over.'

'Dat klopt,' zei Cato Isaksen.

'Wat moet jij alleen met al die ruimte? We zijn een team, Cato. Randi en ik willen dat kantoor graag delen. Ik vind nog steeds dat...'

Ze keek naar Randi om wat ondersteuning te krijgen. Randi zei: 'Het zou echt fijn zijn als Marian en ik in dezelfde kamer zouden zitten, Cato, omdat...'

'Ik zie echt geen reden voor verandering. Jullie zitten nu toch goed? Het is niet groot, maar verder prima.'

Marian Dahle schoof haar stoel een stuk bij de tafel vandaan, bukte zich en pakte een appel van de schaal. 'Oké, dan zal ik je vertellen waarom, Cato. Randi en ik zijn van plan om een soort informatiebank op te zetten. Je weet zelf hoe de situatie is, we hebben het er al vaker over gehad. Zaken hebben vaak met elkaar te maken. Het is zo ingewikkeld dat de dossiers helemaal beneden in het archief liggen. Bovendien is er dan ook plaats voor Birka, dan heb jij geen last van haar.'

Cato Isaksen keek haar met open mond aan. 'Je verbeeldt je toch niet dat jij het systeem kunt veranderen? Het politiedirectoraat heeft bepaald dat de dossiers zullen worden gearchiveerd en opgeborgen in het Rijksarchief.'

'We zijn ook niets onwettigs van plan. Maar het gebeurt zo vaak dat we gewoon de tijd niet hebben om dingen goed te controleren. Daar hebben we over gesproken. Randi en ik vinden het fijn om ervaringen uit te wisselen, we kunnen goed samenwerken.'

Hij dwong zichzelf haar aan te kijken. 'Marian, neem me niet kwalijk. Dit is te gek voor woorden. Je bedoelt toch niet dat Randi en jij jullie eigen rijksarchief willen beginnen in het hoekkantoor van Myklebust, met een hond in een hok?'

Roger Høibakk barstte uit in een spontane lach.

Randi Johansen glimlachte even. 'We hebben hier al een tijdje over nagedacht, Cato. Het gaat er vooral om een soort samenvatting van de zaken te maken, een soort databank.'

'Dit is geen gezelligheidsvereniging. We hebben hier databases genoeg.'

'Nee, dat hebben we juist niet,' zei Marian Dahle koppig en ze nam driftig een hap van de appel. 'Je hoeft de zaak niet te dramatiseren en ook niet te doen alsof wij een stelletje oude wijven zijn die een naaikransje of zoiets willen beginnen.'

Cato Isaksen verhief zijn stem. 'We slaan op allerlei plaatsen informatie op die we tevoorschijn kunnen halen als er nieuwe zaken opduiken.'

Roger Høibakk was na zijn lachuitbarsting stil gevallen. Nu zei hij: 'Kunnen we het hier morgen over hebben?' Randi Johansen keek naar de vloer, toen liep ze naar de deur en verliet de kamer.

Marian Dahle had een duistere uitdrukking op haar gezicht. Ze keek geërgerd naar Roger Høibakk.

'Kom Marian, ik geef je een knuffel. Niet boos zijn.' Hij spreidde zijn armen en Marian Dahle liep naar hem toe. 'Oké, lieve Roger,' zei ze en ze glimlachte kil. 'Maar geen zoen. En dan ga ik ervan uit dat je ons steunt. Dan zijn we met z'n drieën, tegen Cato.'

'Je krijgt zeker geen zoen,' zei Roger Høibakk. 'En ik steun jullie niet, Marian.' Hij keek even naar Cato Isaksen. 'Ik kan mijn chef absoluut niet afvallen.'

De zonnestralen verwarmden de oranje tenten. Tot in de receptie was de geur van wasdoek te ruiken. Ewald Hjertnes liep erheen en verplaatste een van de scheerlijnen van de tent van een stel jongeren dat de vorige avond was aangekomen, zodat mensen die naar het strand liepen, er niet over zouden struikelen. Hij was al sinds zeven uur op. Nu was het negen uur. Hij voelde een dreigende onrust. De politie had vanochtend gebeld. Een vrouwelijke agent had verteld wat er de vorige avond met Britt Else Buberg was gebeurd. Hij had geantwoord dat het verschrikkelijk was en hij merkte dat zijn hersenen begonnen te koken. De druk op zijn voorhoofd was niet om uit te houden en de pijn zo fel dat hij naar een van de campingstoelen wankelde om te gaan zitten. Vanuit een van de openstaande deuren van een camper klonk muziek; het muziekprogramma was elke ochtend vanaf negen uur op de radio te beluisteren. Hij draaide zijn rug naar de tent toe en hief zijn gezicht op naar de zon. De vrouwelijke agent had allerlei vragen gesteld, onder andere waar hij gisteravond was geweest. Hij had gezegd dat hij niets met Britt Else Buberg te maken had, en dat hij al weken op Rødvassa was. Hij was een week geleden even naar huis geweest, had hij verteld. En dat klopte ook, want hij had wat warme kleding gehaald. Hij kon horen dat de agente hem geloofde.

Als hij aan de vrouw dacht die van de zesde verdieping was gevallen, voelde hij een paniekerige onrust. Hij zag haar voor zich, kon zich voorstellen hoe de val er van beneden af uit had gezien. Langzaam, haar krullende haar opgetild door de luchtstroom en met de avondzon als decor op het gebouw aan de overkant.

Hij had moeite zijn gedachten te ordenen. Het beeld van de man die hij in de lift had gezien, zat hem dwars. Eén plus één was geen twee. Blauw en geel werd geen groen. Wit en zwart geen grijs. Het werd rood.

Een week geleden was hij even naar huis geweest om een broek, een dikke jas en een paar andere warme kledingstukken te halen. Het was al bijna augustus, de avonden begonnen donker en koud te worden. Hij had ook de gestreepte stretcher van het balkon meegenomen en wat kleine dingen die hij in een koeltas met een gescheurde, turkooizen overtrek had gestopt. In het appartement rook het naar opgesloten zon en warm stof uit de zware gordijnen. Hij had de dode vliegen van de vensterbank geveegd en hij had even overwogen om te luchten, maar dat had geen zin. Hij zou nog bijna drie weken op Rødvassa blijven. De stretcher was nauwelijks te hanteren. Toen de lift kwam, had hij zich met alle spullen naar binnen gewurmd. Er stond een man in de lift. Als in een vertraagde film draaide de man zich om. Ewald keek hem aan. Het knopje van de zesde verdieping lichtte op. Hij staarde naar de man en de man staarde terug. Ewald had zijn trekken herkend en had plotseling moeten denken aan een film die hij had gezien over het carnaval in Venetië: mensen met een cape en masker op een boogbrug. Het ritme van zijn hart veranderde. Hij had zich gebukt en wat aan de stretcher gemorreld. Hij had een stapje achteruit gedaan. Toen hun blikken elkaar kruisten, hadden hun gezichtsuitdrukkingen een ongedefinieerde rol gespeeld. De kalmte die hij door de jaren heen had opgebouwd, rustte een moment in het felle neonlicht en danste toen als bruine vlekken voor zijn ogen. Het spiegelglas was met roze verf beklad. Hij had zijn blik van de man afgewend, naar een punt waar de kleur verdween. Het was net alsof de scène zich ergens anders afspeelde. De illusie van wie nu wie was, verruilde ineens van plaats. Langzaam, als in een film die achterstevoren werd afgespeeld. Hij keek naar zijn haar, zijn handen, naar de staalgrijze ogen, de hals, het bovenlichaam met het blauwe overhemd. Toen de lift stopte op de zesde verdieping, had hij zijn schouder hard tegen de rand van de deur geduwd, zodat de man ruimte had om eruit te gaan. De pijn in zijn schouder was haast aangenaam geweest, nu kon hij zich tenminste op iets anders concentreren. De man drong langs hem heen toen hij de lift verliet. Terwijl de lift naar beneden ging, schroefde het metaalachtige geluid zich in zijn bewustzijn vast.

Afdelingschef Ingeborg Myklebust had een zorgelijke rimpel op haar voorhoofd. Ze droeg een blauwe, lange broek en een witte blouse met grijze stippen. 'De reden dat jullie dus niet geloven dat die vrouw van de zesde verdieping is gevallen, is dat de balkondeur van binnenuit op slot was gedraaid en er een pan kokend water op het fornuis stond. En dat er geen braaksporen bij de voordeur te vinden zijn.'

Cato Isaksen kwam haastig binnen. 'Zijn jullie al begonnen?' De zon scheen naar binnen en het was al behoorlijk warm in de vergaderruimte, hoewel het nog maar half tien was. Onder de tafel lag de boxer Birka te hijgen. De anderen verborgen haar zo goed mogelijk achter hun benen.

Hij vermeed het Marian Dahle aan te kijken en pakte twee van de kranten die op de ovale tafel lagen. De val van het balkon stond zowel in VG als in *Dagbladet* op de voorpagina. WAARSCHIJNLIJK GEDUWD was de kop in VG, met een grote foto van de getuige ernaast. VAL VAN DE ZESDE luidde *Dagbladets* kop, naast een korrelige foto van het flatbouw. 'Ze hebben het dus toch nog in de krant van vandaag kunnen plaatsen. Hebben jullie de huismeester al te pakken gekregen?'

'Nee, hij heeft zijn mobiel uitstaan.' Marian Dahle strekte haar benen naar voren en kriebelde Birka op haar rug.

'Raar dat hij niet reageert. Hij zou toch bereikbaar moeten zijn. Maar ik heb wel de man van de eerste verdieping gesproken. Hij kon me niets vertellen. Hij beheert een of andere camping.'

Randi Johansen glimlachte voorzichtig tegen Cato Isaksen, stond op en opende het raam. 'Ik heb eigenlijk wel weer genoeg van de zomer. Wat mij betreft mag het snel weer koud worden.' De met uitlaatgassen doordrenkte lucht stroomde de kamer binnen. 'Ik heb met de buschauffeur gesproken die gisteravond dienst had. Volgens hem waren er twee passagiers ingestapt bij het centrum van Stovner. Een man met grijs haar en een man met een pet en een badtas.'

'Ga zitten.' Ingeborg Myklebust wees naar de stoel naast Tony Hansen. Cato Isaksen trok de stoel achteruit en nam plaats.

'De omgeving is tot diep in de nacht met honden afgezocht, maar de sporen liepen dood in de kelder,' zei Randi Johansen.

Ingeborg Myklebust deed de bovenste knoop van haar blouse open. 'In de kelder?'

'Ja, je kunt door de kelder lopen en dan door een deur aan de achterkant naar buiten. Het lijkt erop dat onze badguy daar gebruik van heeft gemaakt. Hij moet een sleutel hebben gehad, want anders kun je niet in de kelder komen.'

Afdelingschef Ingeborg Myklebust keek Marian Dahle aan. 'Marian, jij kunt zo goed met oude mensen omgaan... Die oude vrouw in de Høvik-zaak heb je op een unieke manier aangepakt, dat moet ik je nageven. En die Astrid Wismer is de enige die Buberg kan identificeren. Kun jij met Cato meegaan om haar op te halen? Ze moet daarna direct naar het Gerechtelijk Laboratorium.'

Cato Isaksen keek zijn afdelingschef verstoord aan. 'Dat lukt mij ook uitstekend alleen,' zei hij. 'Ellen is er trouwens ook.'

Roger Høibakk onderbrak hem. 'Waarschijnlijk is de dader een bekende van haar geweest, iemand die bij haar op bezoek was.' Hij trommelde met zijn vingers op het tafelblad. 'Misschien hebben ze ruzie gekregen. Er kan iets zijn gebeurd.'

'De sigarettenpeuken op de balkonvloer,' zei Randi.

'De balkondeur was afgesloten.'

'Over een paar dagen krijgen we de uitslag van het DNA-onderzoek.'

'Op het wijnglas staan alleen Bubergs vingerafdrukken,' zei Roger Høibakk. 'Ik heb met Ellen gesproken. De deurklink was helemaal schoon.'

'Ik heb weer contact gehad met het bevolkingsregister in Zweden, gewoon om alles nog een keer te controleren.' Marian Dahle boog zich snel voorover en duwde Birka verder onder de tafel. 'Buberg heeft geen familieleden die nog in leven zijn. Alleen die gepensioneerde pleegvader. Ze is meer dan dertig jaar geleden naar Noorwegen verhuisd. Daarvoor verbleef ze in een of ander staatsinstituut in de buurt van Kristinehamn.'

'Staatsinstituut?' Cato Isaksen leunde over de tafel.

'Ja, een ziekenhuis, Västerborre.'

'Wat voor soort ziekenhuis? Een psychiatrische inrichting?'

'Nee, een gewoon somatisch ziekenhuis.'

'Heb je gecheckt waarom ze daar verbleef?'

'Ik heb via de mail een heel klein beetje informatie gekregen van het ziekenhuis. Het had iets te maken met verhoogde bloedwaarden en dat soort dingen. Ik heb Ellen gebeld. Ze is bij Wangen. Hij zei dat het een soort infectie zou kunnen zijn. Het kon iets ernstigs zijn, maar ook niets bijzonders.'

'Ze is dus genezen?'

'Ik heb trouwens ook de naam gevonden van een van de artsen van dat ziekenhuis, Marian,' onderbrak Randi haar.

'Mooi. Heb je hem gesproken?' Marian Dahle streek met haar hand over het tafelblad. Op datzelfde ogenblik kreeg ze een sms'je. 'Deze móét ik even beantwoorden,' zei ze en ze stond op. 'Het gaat over de hondencursus in Fredrikstad.'

'Ik heb geprobeerd contact met hem op te nemen,' ging Randi verder en ze keek Cato Isaksen aan. 'Hij is oud en werkt daar natuurlijk niet meer. Hij nam de telefoon op toen ik de eerste keer belde, maar ontkende dat hij er iets mee te maken had. Hij zei dat er honderden Oluf Carlssons in Zweden waren.'

Marian ging weer zitten. 'Ik heb alle mogelijke overheidsdiensten gebeld,' vervolgde ze. 'Ze zijn niet erg behulpzaam. De politie in Kristinehamn zei dat het gemakkelijker zou zijn als we zouden komen.'

Cato Isaksen zuchtte nadrukkelijk. 'Komen? Waar zou dat goed voor zijn? Ze moeten ons toch informatie per e-mail kunnen sturen. Of telefonisch door kunnen geven?'

'Ze hebben niet de capaciteit. Zeker niet op dit moment, nu er zoveel binnen- en buitenlandse vakantiegangers zijn. Ze zijn daar ook onderbezet. En dit gaat over documenten die niet direct toegankelijk zijn. Iemand van de politie moet dan bij verschillende instanties informatie verzamelen. Hij moet al die rapporten verzamelen, scannen en hierheen sturen.' Marian Dahle zuchtte. 'Dat zouden Randi en ik dus ook willen doen, als we een groter kantoor krijgen. Dan konden we...'

'Dan konden jullie wat?' Cato Isaksen keek naar vlug naar Ingeborg Myklebust. Ze glimlachte voorzichtig naar hem.

'Archiveren...'

'Archiveren? Waarom? Dit heeft toch helemaal niets met zaken uit het verleden te maken. Vergeet dat hoekkantoor maar, en begin er niet steeds weer over.' Cato Isaksen keek even op zijn horloge en stond op. 'Ik ga Astrid Wismer ophalen. Ze is op de hoogte gebracht en heeft erin toegestemd de dode te identificeren. Jullie kunnen verdergaan met de bespreking en de planning hoe de taken verdeeld zullen worden. We zullen later verdergaan.'

Ingeborg Myklebust pakte haar papieren bij elkaar en stond op. 'Vergeet Marian niet. Ik heb een bespreking met Martin Egge, de chef van de landelijke recherche. Het departement werkt aan een nieuw plan van handeling. Ze willen ons standpunt horen. We zien elkaar later vandaag, Cato. Hou me op de hoogte. Tot ziens.' Ze maakte een gebaar met haar hand, draaide zich om en liep de deur uit. Door de glazen wand wierp Cato Isaksen nog een laatste blik op haar rug toen ze door de gang verdween.

'Tja, dan gaan wij maar eens naar het bejaardencentrum.' Hij stond snel op en keek Marian Dahle boos aan. 'Gaan jullie verder met waar je mee bezig bent. Marian, ik zie je over vijf minuten in de parkeergarage. En ik weet trouwens dat het beest onder de tafel zit.' De anderen lachten. Cato Isaksen had een droge mond. Hij had te veel pizza gegeten en slecht geslapen. 'Het dier kan natuurlijk niet mee naar het Gerechtelijk Laboratorium. Ik wacht in de auto.'

Ewald Hjertnes controleerde de thermometer. De gasten waren bezig op te staan. Sommigen liepen naar de wasruimtes, anderen zetten koffie en maakten een ontbijt. Twee grote meeuwen stegen luid schreeuwend op van het dak van het receptiegebouwtje. Het geluid spleet de hemel in tweeën. Hij had hoofdpijn. Hoe warmer en droger het was, hoe meer gasten er naar de camping kwamen en het viel niet mee om financieel rond te komen. Maar hij hield er niet van om over geld te praten, met niemand.

Hij had zijn koffie mee naar buiten genomen en wroette met de punt van zijn schoen in het grind. Iemand was met slippende banden weggereden. Hij groette vrolijk naar een echtpaar dat langs wandelde.

'Heerlijk weer,' knikte hij en hij dwong zichzelf tot een glimlach. De gummiachtige geur van verwarmd tentdoek drong in zijn neus.

Hij moest William over de dode buurvrouw vertellen. De politie zou natuurlijk ook zelf contact opnemen met William. Hij had vast al met ze gesproken. Als hij tenminste zijn mobiel had aangezet. Hij sliep meestal lang uit, omdat hij nooit zijn vakantie aan één stuk opnam. Sinds hun tienerjaren hadden William en hij eenzame, onbeduidende geheimen gedeeld. Ze waren net broers, ze hadden in Moss bij elkaar in de klas gezeten. Nu konden ze met een kop koffie urenlang bij elkaar zitten zonder iets te zeggen. Of elkaar liefdevol, ironisch te plagen. 'Hé, kale,' kon Ewald zeggen. 'Kijk naar jezelf,' kon William antwoorden, 'jij was ook ooit mooi en donker. Wat voor kleur heeft jouw bezemsteel nu?'

Waar bleef Lilly? Ze zou de receptie schoonmaken. Ewald Hjertnes liep voor het kleine gebouwtje heen en weer en hoestte in zijn hand. Hij mocht graag kijken hoe ze zich bewoog. Ze was snel en flink, niet zo dom en afwezig als de beide andere meisjes die hij had aangenomen. Het Poolse meisje deed alles wat haar werd gevraagd. En ze deed het goed.

Ze deed hem denken aan zijn moeder. Hij glimlachte even toen hij aan de gelijkenis dacht. Hij was natuurlijk veel te oud voor haar, zevenenvijftig jaar. Hij had haar niet veel te bieden. Hooguit een betere levensstandaard. Maar daar maakte hij vast geen indruk mee.

De agente had gezegd dat ze ervan overtuigd waren dat Britt Else Buberg was geduwd. Door een man. Hij had haar nooit gemogen. Ze zei nooit iets, ze knikte alleen maar even en liep dan door. Ze ging gewoon verder met haar eigen dingen, alsof hij niet bestond. Van nature was ze heel rustig. Uit de hoogte misschien, afwezig. Hij kon zich haar niet goed voor de geest halen. Het leek alsof ze al uit zijn geheugen was gewist. Alsof ze nooit had bestaan.

Plotseling hoorde hij achter zich driftig gegil van kinderen. Het geluid sneed als een zaagblad door hem heen. Toen werd het weer stil. Hij had de hele dag de radio op het tafeltje buiten staan en luisterde telkens opnieuw naar de weersverwachting en de voorspellingen op lange termijn. Als het bewolkt was of regende, nam hij de radio mee naar binnen.

In het kamertje achter de receptie had hij een klein slaaphok, achter de voorraad winkelartikelen. Het was geen gek plekje, alleen maar een slaap-bank en een krukje met een wekker. 's Nachts hoorde hij de muizen langs de wanden ritselen.

Onverwacht kwam William Pettersen in een korte broek en sandalen over het pad aan gewandeld. Ewald Hjertnes keek naar hem en voelde een onaan-gename pijn in zijn middenrif.

'Er zit een kras op mijn caravan,' zei hij. 'Kinderen, die verdomde kinde-ren. Is je broer er al? Hij zou een paar nieuwe motorlaarzen voor me mee-brengen.'

'Madam Buberg is dood,' zei Ewald Hjertnes zacht. 'Mijn broer is gister-avond gekomen.'

'Wie, zei je?' William Pettersen keek hem aan. 'Hoezo, dood?'

'Buberg, die donkere, op de zesde.'

'Vertel, man.'

'Van het balkon gevallen.'

'Godallemachtig. Dat had ik nooit van haar gedacht.' William Pettersen wendde zich af. Ewald Hjertnes rook zijn geur. Niet vies, maar sterk. Hij keek naar de gleuf aan het eind van zijn ruggengraat die verdween in zijn shorts. Hij zag de donkere spleet tussen zijn billen. De rug was een en al spieren en pezen.

'De politie heeft geprobeerd contact met je op te nemen,' zei hij en hij keek naar een muisje dat langs de wand scharrelde. Het verdween in het onkruid dat tussen het grind op het pad groeide.

Marian Dahle staarde door de voorruit. Cato Isaksen stopte voor een stel kinderen dat de straat overstak. Hij zette de ruitenwissers aan en spoelde het stof weg dat op de voorruit zat. 'Het is trouwens definitief rond dat ik het hoekkantoor neem,' zei hij en hij sloeg op de kruising bij de stoplichten rechtsaf. 'Roger neemt mijn oude kantoor over,' ging hij verder, 'en jullie blijven zitten waar je zit.'

Marian Dahle zei geen stom woord. Ze sloeg haar armen over elkaar, draaide haar hoofd weg en staarde uit het zijraampje.

Cato Isaksen voelde de woede vanuit zijn buik door zijn borst naar boven kruipen. Er was iets met haar hele manier van doen.

Er viel een pijnlijke stilte in de auto. Waarschijnlijk had híj daar meer last van dan zij, dacht Marian. Pas toen ze in de lift van het bejaardencentrum stonden, zei Cato Isaksen: 'Het is gewoon afschuwelijk dat Astrid Wismer haar moet identificeren.'

Marian gaf nog steeds geen antwoord, ze staarde alleen naar haar eigen gezicht dat weerspiegelde in de metalen wand. Het felle licht gaf haar een groenige uitstraling. Ze leek wel ziek. Ze wilde niet naar deze verschrikkelijke plek. Ze wist wie hier woonde. De lift bracht hen twee verdiepingen omhoog en stopte. De liftdeuren gingen open en ze stapten uit. Een verpleegster liep zo snel langs dat haar rubberen schoenzolen een zingend geluid maakten. Cato Isaksen opende de deur van de verpleegafdeling. Marian liep voor hem uit. De lucht was bedompt en warm. Er hing een prikkelende chloorlucht.

Cato Isaksen knikte even met zijn hoofd. 'Achter die ramen is het dagverblijf. Astrid Wismer zit daarginds. Op die bruine bank.' In de kamer zaten vijf oude vrouwen en twee mannen. Ze zagen er allemaal min of meer hetzelfde uit.

'Oké,' zei ze. 'Ik wacht hier. Haal jij haar maar.'

'Ze ziet er behoorlijk uitgeblust uit. De arme stakker,' zei Cato Isaksen en hij merkte dat Marian Dahle plotseling intens naar iemand staarde en zich vervolgens omdraaide. Ze pakte een doosje keelpastilles uit haar broekzak.

Hij keek haar aan. 'Wat is er, Marian?'

Ze gaf geen antwoord.

'Kun jij ondertussen een praatje maken met het personeel om te horen of zij iets weten over Buberg? Dan haal ik Astrid Wismer.'

'Ik kan niet tegen zulke bejaardencentra.' Ze stopte een keelpastille in haar mond. 'Buberg had een arbeidsongeschiktheidsuitkering uit Zweden,' zei ze gejaagd. 'Ik denk dat ze ergens voor op de vlucht was. Södergatan 12, Kristinehamn. Dat was haar laatste adres, voordat ze in 1973 naar Noorwegen kwam.'

'Waarom dreun je dat nu allemaal op?'

'Ik zeg het gewoon. Ga nu Astrid Wismer maar halen. Dan ga ik vast naar beneden en wacht buiten.'

'Je kunt niet boos blijven vanwege dat kantoor, Marian.'

'Dat is het niet. Maar ik kan niet tegen zulke bejaardencentra. De geur van instellingen is niets voor mij.'

'Je hebt nu tweeënhalve maand op de afdeling Moordzaken gewerkt. Ingeborg en ik bepalen welke opdrachten jij uitvoert.'

'Ik werk er al drie maanden. Ik ben hier omdat Myklebust het me gevraagd heeft. Ik geef gehoor aan opdrachten. Ik wacht beneden,' zei ze. Ze draaide zich op haar hielen om en liep met grote, resolute stappen de gang uit. Haar gitzwarte haar was in een dunne paardenstaart gebonden.

Cato Isaksen bleef haar een paar tellen staan nakijken, tot ze door de deur verdween. Toen liep hij snel achter haar aan. 'Marian, luister!' Ze bleef staan. Hij staarde naar haar brede rug.

Ze draaide zich weer naar hem om. 'Ik ben hier opgegroeid.'

'Hier?'

'Ja.'

'In dat trappenhuis daarginds.' Ze maakte een beweging met haar hoofd in de richting van een glazen deur die naar een traliebalkon leidde. De wind blies een stuk papier en twee plastic bekertjes over het beton.

'Kijk tussen de tralies door. Dan zes ramen naar boven en drie opzij. Daar heb ik gewoond.'

'*So what*? Je kunt zo niet doorgaan, Marian, het is ziek en egoïstisch.'

'Ik ben niet egoïstisch,' zei ze luid en ze ging verder: 'Ik ben eerlijk. Stelen en liegen is oneerlijk. Geen grenzen stellen en informatie achterhouden is ook oneerlijk. Je daagt mij uit. Je probeert me de hele tijd te pakken. Ik vraag of ik niet hierboven hoef te zijn.' Ze probeerde uit alle macht te voorkomen dat haar mond begon te trillen. 'Ik wacht beneden.'

Cato Isaksen keek haar vermoeid aan. 'Je vertraagt het onderzoek. Er is gewoon altijd wat met jou. Ik moet de afdelingschef hiervan op de hoogte stellen.'

'*All right*, dan zal ik het letter voor letter voor je spellen.' Ze trok de deur open en liep de gang weer in. 'Zeg niet dat je bent vergeten wat ik je heb verteld over mijn moeder.'

Hij liep haar snel achterna. 'Wat heeft je moeder hier in vredesnaam mee te maken?'

'Daar zit ze, in die rolstoel, bij de salontafel.'

Cato Isaksen staarde door het raam naar een magere vrouw die voorovergebogen in een rolstoel zat. 'Zij?'

'Ja, zij.'

Marian had hem over haar jeugd verteld, vlak voor de vakantie toen ze midden in de ontknoping zaten van de moordzaak in Høvik. Haar ontboezemingen waren als een donderslag bij heldere hemel gekomen.

Hij draaide zich weer naar haar toe. 'Hoe lang is het geleden dat je haar hebt gezien?'

Marian Dahle keek hem aan. De herinneringen staken haar, als naalden in stof. 'Zestien jaar,' zei ze en ze staarde langs hem heen door de gang met de tl-buizen en het bruine linoleum op de vloer.

Cato Isaksen had nog nooit zo'n pure, onverzoenlijke woede in twee ogen gezien. In plaats van zich terug te trekken, boog hij naar voren en legde zijn hand op haar arm.

'Nee, Cato.' Ze wrong zich uit zijn greep en liep resoluut terug naar de deur. Zonder zich om te draaien, zei ze: 'Haal jij Wismer maar op.'

*

Cato Isaksen liep vastbesloten op Astrid Wismer af, maar veranderde plotseling van richting. De ineengezonken vrouw in de rolstoel reageerde niet totdat Cato zijn hand op haar schouder legde. Ze was broodmager en droeg een nylon jurk met grote ruiten. 'Hallo, mevrouw Dahle,' zei hij vriendelijk en hij rook de straffe zweetlucht die uit haar sijpelde. 'Ik wil u alleen maar even gedag zeggen,' zei hij. 'Hoe gaat het met u?'

'Tja...' zuchtte ze; happend naar adem keek ze op. Cato Isaksen ging op zijn hurken voor haar zitten. De vrouw keek hem niet aan, maar staarde naar een punt over zijn schouder. Hij draaide zich om. Marian was weg. Had haar moeder haar gezien?

Marian had verteld dat ze op haar derde was geadopteerd uit Korea. Hij hoorde haar stem nog duidelijk in zijn hoofd, precies zoals ze het voor de zomervakantie tegen hem had gezegd: *Iedereen gaat ervan uit dat geadopteerde kinderen in een geborgen gezin terechtkomen. Dat was bij mij niet het geval. Mijn moeder was bijna veertig toen ik kwam, mijn vader tweeënveertig. Het was een diep triest stel. Ik kwam in een flat in Stovner te wonen, bij een moeder die psychisch ziek was. Mijn vader wist dat, maar hij zal wel gedacht hebben dat een kind misschien zou helpen.*

De vrouw in de rolstoel werd doodstil. Ze had vale ogen en een waterige blik. Het leek alsof er een vlies over haar ogen zat. Hij nam haar handen in zijn grote knuisten. Ze liet hem zijn gang gaan. Staarde nog steeds over zijn schouder.

Het geluid van Marians stem ging in zijn hoofd verder: *Haar huis rook naar waanzin. Misschien scheiden waanzinnige mensen een aparte geur af. Net zoals sommige honden kunnen ruiken welke mensen kanker hebben, kan ik schizofrenie ruiken.*

'Wie bent u?' vroeg ze ineens onvriendelijk.

'Ik heet Cato Isaksen. Ik werk samen met uw dochter.'

'U kent mij niet.' Ze deed plotseling uit de hoogte.

'Nee.'

'Waarom praat u dan met mij?'

'Tja, wat zal ik zeggen. U bent waarschijnlijk niet gewend bezoek te krijgen.' Hij stond op. 'Misschien wilt u geen bezoek hebben?'

'Nee, dat wil ik niet.'

Een roodharige verpleegster met een gezicht en armen vol sproeten kwam naar hem toe.

'Dan wens ik u nog een prettige dag,' zei Cato Isaksen tegen de vrouw in de rolstoel. Hij wendde zich tot de verpleegster en vertelde dat hij Astrid Wismer kwam halen.

'Kent u mevrouw Dahle?' vroeg de roodharige verpleegster in een onvervalst Stavanger dialect.

'Nee,' zei hij.

'Astrid zit al klaar. Het is verschrikkelijk...'

'Het spijt me,' zei Cato Isaksen. 'Er is niemand anders die haar kan identificeren. Misschien wilt u meekomen?'

'We zijn onderbezet,' zei de verpleegster.

Astrid Wismer droeg een zwarte jurk en had groene glazen parels in haar oren. Ze zag er slecht uit, haar gezicht vertrokken en haar haar onverzorgd.

'Hallo,' knikte Cato Isaksen.

'Het heeft geen zin om met mevrouw Dahle te praten,' zei Astrid Wismer kortaf. 'Ze kende Britt Else niet.' Ze streek met haar hand over het witte kleed dat op de tafel voor haar lag.

'Dat weet ik,' zei Cato Isaksen. 'Ze is de adoptiemoeder van een collega. Ik moet u helaas nog een vraag stellen.' Hij pakte de foto van de vloerkleden uit zijn zak en ging op zijn hurken voor haar zitten. 'Weet u of dit de vloerkleden zijn van Britt Else Buberg?' Hij gaf haar de foto.

'Ja,' zei ze. 'Er lagen zulke kleden bij haar op de vloer. Eén in de keuken en één... Maar wat heeft dit ermee te maken?'

'Misschien niets,' zei Cato Isaksen en hij pakte de foto weer terug. Hij kwam overeind. 'Maakte ze vaak haar huis schoon?'

'Iedereen is weer anders. Sommige mensen eten veel en worden groot en dik, sommige lezen en andere poetsen. Zij maakte schoon. Neem me mijn uitbarsting van gisteren maar niet kwalijk. Soms begin ik te lachen als ik bang ben.'

Astrid Wismer kwam moeizaam overeind van de bank. Cato Isaksen stak zijn hand uit om haar te helpen. 'Iedereen reageert anders in zo'n situatie,' zei hij.

'Ik moet mijn mantel hebben. Het is wel warm, maar ik kan niet zonder mantel naar buiten.'

'Hoe lang hebt u Britt Else Buberg gekend? Ligt uw mantel in uw kamer?'

'Hij komt er al aan.' Ze wees naar de roodharige verpleegster die hem kwam brengen. 'Dankjewel,' zei ze. 'Ik heb vannacht om vier uur een slaap-pil genomen.'

'Hoe lang hebt u haar gekend?' herhaalde Cato Isaksen, hij gaf haar een arm en ze liepen langzaam door de gang.

'Tja, dat weet ik niet zo goed meer,' zei Astrid Wismer. 'Een paar jaar.'

'Buberg was toch Zweedse?'

De oude vrouw wuifde hem weg. 'Ze heeft het grootste deel van haar leven hier gewoond. Voor mij was ze Noorse.'

'Heeft ze u iets over Zweden verteld?'

'Nee.'

'Waarom verhuisde ze naar Noorwegen?'

'Misschien omdat je hier gemakkelijker werk kunt vinden?'

'Wat voor werk? Had ze een baan?'

'Weet u, dat weet ik eigenlijk niet. Ik geloof het wel, maar dat was in elk geval voordat ik haar leerde kennen. Ze was arbeidsongeschikt.'

'Weet u waarom?'

'Er zijn vandaag de dag zoveel mensen arbeidsongeschikt.' De oude vrouw maakte ineens een weerbarstige indruk.

Cato Isaksen drukte op het knopje van de lift. 'Wat vindt u van wat er is gebeurd?'

'Wat moet ik ervan denken? Het is toch te laat. Ze is dood.'

Ze stapten in het felle licht van de lift. Astrid Wismer keek hem aan. 'Het is geen probleem voor mij om haar te identificeren. Ik doe het graag.' Cato Isaksen huiverde. De blik van de oude vrouw was ijskoud.

'De huismeester heeft gebeld,' zei Roger Høibakk door de telefoon. Cato Isaksen reed langs een auto die half op het trottoir stond geparkeerd.

'William Pettersen is onderweg naar de stad. Hij komt van een of andere camping,' ging Roger Høibakk verder.

'O, mooi. Marian en ik zijn straks terug, we rijden nu langs de gevangenis. De identificatie ging goed. Wismer constateerde dat het Buberg was. Er was toch ook iets met een andere camping?'

'Het is dezelfde camping. De huismeester belde zelf. Hij had bericht gehad van een van de buren uit de portiek, ene Ewald Hjertnes. Marian heeft vanochtend met hem gesproken. Pettersen heeft een caravan op de camping van Hjertnes, vlak bij Son.'

'Juist.' Cato Isaksen keek even naar Marian Dahle. 'We hebben de huismeester te pakken gekregen,' zei hij.

Ze knikte.

'Het ging goed, in het Gerechtelijk Laboratorium,' herhaalde hij. 'Marian kan goed overweg met oude vrouwen.'

'Mooi,' zei Roger Høibakk.

Marian Dahle keek hem aan. 'Waarom zei je dat? Was dat als compliment bedoeld?'

Cato Isaksen beëindigde het gesprek met Roger Høibakk en keerde zich naar haar toe. 'We moeten ons in de eerste plaats richten op de zaak, Marian. Niet zo boos zijn.'

'Ik ben niet boos, Cato. Ik ben witheet. Jij bent een egoïst. Een...'

'Hou op!' zei hij.

Marian Dahle drukte op een knopje zodat het raampje een klein stukje openging. Cato Isaksen reed de parkeergarage onder het politiebureau binnen, parkeerde naast de auto van Ingeborg Myklebust en deed zijn veiligheidsgordel af.

Marian Dahle zei: 'We zouden een nieuw systeem moeten ontwikkelen. Randi en ik hebben ruimte nodig... Zowel in de moord in Alnabru als in die verdwijningszaak in Høvik ging het om dezelfde dader,' ging ze verder. 'Om nog maar te zwijgen over de moorden in Ekeberg en Sørumsand. We hebben de profielen niet aan elkaar gekoppeld omdat er elf jaar tussen beide zaken zat. Daarom duurde het zo lang voordat we de oplossing hadden. Niemand nam achteraf de verantwoordelijkheid, juist omdat het zo moeilijk was om informatie boven tafel te krijgen. Er zat te veel tijd tussen de verschillende gebeurtenissen. Iedereen dacht dat iemand anders het verband wel had gecontroleerd. Stel je voor dat de pers die fout had ontdekt? Ik ben de hele vakantie bezig geweest om informatie bij te werken uit tien jaar oude zaken, en ik heb ook nog een paar dingen ontdekt waarvan ik vind dat we er nog eens opnieuw naar moeten kijken. Onopgeloste zaken. We zouden nog veel verder terug moeten gaan.'

Cato Isaksen onderbrak haar. 'In je vakantie? Ben je thuis gebleven?'

'Nee,' zei ze snel en ze keek naar de inrit van de parkeergarage. Er kwam een politieauto aan rijden. 'Maar ik wil...'

'Nu niet. Marian.' Hij opende het portier en stapte uit. Marian Dahle volgde zijn voorbeeld. Ze bleef even tegen de auto leunen en voelde de kou van de autolak door haar kleren. 'Ik loop snel naar mijn auto om te kijken hoe het met Birka gaat,' zei ze.

'Ik heb trouwens met haar gesproken,' zei Cato Isaksen. Een auto reed met gierende banden de parkeergarage uit.

Ze draaide zich snel om. 'Met wie?'

'Met je moeder.'

'Wat heb je gedaan? Het is niet waar!'

'Toch wel.'

'Waarom heb je dat verdomme gedaan?'

'Ze leek niet helemaal helder.'

'En wat heb jij daarmee te maken?'

'Jij bent degene die steeds weer over haar begint, Marian. Over je jeugd, je moeder en al het andere. Waarom doe je dat?'

'Dat doe ik niet.'

'Dat doe je wel. Ik begin er schoon genoeg van te krijgen.'

Ze zakte iets in elkaar, draaide zich om en liep snel naar de witte bestelwagen. 'Zeg niet dat je haar charmant en sympathiek vond. Zeg dat niet! Het is mij aangeraden om uit haar buurt te blijven. Ik ben blij dat ik dat heb gedaan en dat ik niet ook stapelgek ben geworden.'

Hij liep haar achterna. 'Wie heeft je dat aangeraden?'

'Een coach.' Ze bukte zich en keek in de auto, praatte door de kier van het raam. 'Flinke meid, mooi blijven liggen. Ik kom over vijf minuten.' Birka kwam kwispelstaartend overeind.

Cato Isaksen stond vlak achter haar. 'Een coach?'

'Ja, zo noem ik hem.' Ze ging weer rechtop staan.

'Wie?'

'Ik heb geen zin om er nog over te praten. Hij werkt in Bryn.'

'In Bryn? Bedoel je bij de landelijke recherche?'

Ze liepen naar de lift. 'Ik ben zo boos, ik ga er bijna van over mijn nek. Je hebt het recht niet mijn moeder lastig te vallen.'

Cato Isaksen moest lachen. 'Je moeder lastigvallen, laat me niet lachen. We hebben straks een bespreking bij mij, in mijn nieuwe hoekkantoor, over een uur,' zei hij.

'Nee. Ik moet over een uur met een gedetineerde naar de rechtbank,' zei ze. 'Ik moet getuigen.'

William Pettersen streek over zijn brede voorhoofd. Het voelde niet goed. Ineens schoot hem een strofe uit een liedje te binnen. Hij hield niet van zingen. In de verhoorkamer kon hij zich nergens verstoppen. De wanden waren wit. Hij droeg zijn zwarte, leren pak. Het was warm. Het geheel herinnerde hem aan schoollessen met krijtstof en de geur van natte truien. 'Ik zou wel graag mijn pak een stuk uittrekken, gewoon tot mijn middel,' zei hij. 'Ik heb een Yamaha R1. Ik kom rechtstreeks uit Son. Daarom heb ik deze kleren nog aan.' Door zijn hoofd flitsten korte, onduidelijke beelden. Ze hadden iets te maken met wat Ewald had verteld.

Roger Høibakk keek hem aan. 'Het is voor u het vervelendst,' glimlachte hij en hij schonk mineraalwater in de drie glazen die op tafel stonden. 'Ik heet Roger Høibakk en dit is Randi Johansen.' Hij knikte naar zijn collega die op een stoel bij het raam zat. 'Wij zullen u een verhoor afnemen en uw alibi checken. U hebt voor zover wij weten toegang tot alle appartementen. Het is gewoon een routinekwestie.' Hij gaf een glas aan Randi. Ze pakte het aan en trok de mouwen van haar witte jasje een stukje omhoog.

William Pettersen staarde langs hen heen naar de wand.

Roger Høibakk richtte zich weer tot hem. 'Dan beginnen we. Klopt het dat u werkt als huismeester en woont op Stovner Senter 16?'

William Pettersen knikte.

'Hoe lang woont u daar al?'

'Vijftien jaar. Al die tijd werk ik daar al als huismeester. Maar het heet tegenwoordig geen huismeester meer. Nu heet het conciërge.'

'Daar kan ik me iets bij voorstellen.' Roger Høibakk glimlachte.

'En u bent zevenenvijftig jaar en uw naam is William Pettersen?'

'Dat klopt.' William Pettersen keek de beide politiemensen onverschillig aan. Hij veegde nog een keer met zijn hand over zijn bezwete voorhoofd en zijn kale schedel. De verhoorkamer deed hem denken aan een klaslokaal. Hij had het op school nooit leuk gevonden.

'U hebt er toch niets op tegen als we na afloop uw vingerafdrukken nemen?'

'Nee, allicht niet. Maar waar is dat goed voor?'

'We moeten een aantal afdrukken in het appartement van Buberg, die niets met de zaak te maken hebben, uitsluiten. Bent u ooit bij haar binnen geweest?'

'Niet dat ik me kan herinneren. Je zag haar bijna nooit. Ze heeft me een paar keer om hulp gevraagd, dat is alles. Verder groetten we elkaar, zoals gebruikelijk is.'

'Wat voor hulp vroeg ze?'

'Een keer was het hangslot van haar kelderbox vastgeroest. Ik moest hem met een tang doorknippen. De tweede keer... was er iets met haar koelkast.' Hij haalde diep adem en wrong zijn handen op zijn schoot.

'Dus u bent wel bij haar binnen geweest?' Roger Høibakk keek Randi even aan.

'Eén keer, nu ik erover nadenk.'

'Bent u gisteren in Stovner geweest?'

'Ja, ik ben om een uur of twaalf van Rødvassa vertrokken en was tegen één uur in Stovner. Ik heb het gras gemaaid en gesproeid. Daarna her en der nog wat geveegd, en dat soort dingen. Ik was om een uur of tien terug op Rødvassa. Het is zomervakantie. Ik moet er af en toe even tussenuit. Ik ben toch geen verdachte?'

'Natuurlijk niet,' zei Roger Høibakk. 'Dit is puur routine. U begrijpt vast wel dat we dat moeten doen. Kun u exact aangeven hoe laat u uit Stovner bent vertrokken?'

'Eigenlijk niet. Ik heb niet op de klok gekeken.'

Randi Johansen stond op. Ze vond dat de antwoorden van de huismeester erg plichtmatig klonken. 'De politie kreeg de melding dat de vrouw was gevallen om 21.03 uur,' zei ze, terwijl ze een draadje van haar witte jasje plukte.

'Ik meen me te herinneren dat ik om tien voor negen ben weggereden. Het duurt vijftig minuten om naar Son te rijden. Ik denk dat ik ongeveer bij de afrit naar Kolbotn was op het moment dat ze werd geduwd. Controleer maar bij de tolpoort, daar worden alle auto's geregistreerd. Op de Mosseveien.'

'Dat gaan we natuurlijk controleren,' zei Roger Høibakk. 'Maar motoren hoeven toch niet te betalen?'

'Nee, maar misschien worden ze wel geregistreerd. Ik ben gestopt bij het benzinestation bij de afrit naar Rødvassa. Ik heb daar iets te eten gekocht.'

'Hoe laat was het toen?' Randi Johansen nam weer plaats op de stoel bij het raam.

'Toen ik daar aankwam, ging de zon net achter de heuvel onder. Het zal ongeveer tien over half tien zijn geweest. Zoiets.'

Roger Høibakk nam het weer over. 'Heeft iemand u gezien?'

'Die donkere man die me heeft geholpen. Hij heeft me gezien. Ewald Hjertnes kwam ongeveer tien minuten later op de camping aan. Hij was naar Moss geweest.'

'En hij woont ook in Stovner?'

'Ja, hij woont op de eerste verdieping. Ik heb een appartement in het souterrain. We zijn jeugdvrienden uit Moss. Zijn familie had een schoenenwinkel, mijn moeder werkte daar. Ik heb er tien jaar geleden voor gezorgd dat Ewald een appartement in de flat kreeg.'

'En uw caravan?'

'Die heb ik al jaren. Vroeger was de camping van de vader van Ewald. Toen hij stierf, nam Ewald het over. Zijn broer kreeg de schoenenwinkel. Ik kom al op Rødvassa sinds mijn jeugd.'

'Hoe lang heeft Britt Else Buberg in Stovner gewoond, kunt u zich dat herinneren?'

'Een jaar of zes, denk ik.'

'Is u de laatste tijd iets bijzonders opgevallen aan Buberg? Hebt u bijvoorbeeld gezien dat ze bezoek heeft gehad? Dat soort dingen.'

'Nee, dat soort dingen hou ik niet in de gaten.'

'En zaterdag? Is er toen iets bijzonders gebeurd?'

'Ik weet niet wat u bedoelt, maar haar buurvrouw kwam aanzetten en zei dat ze de sleutel moest hebben. Buberg had zichzelf buitengesloten, zei ze.'

'Dus u hebt een sleutel van alle appartementen?'

'Natuurlijk. Alle huismeesters hebben dat. Ik heb een moedersleutel voor alle appartementen.'

'Maar u hebt zelf niet met Buberg gesproken?'

'Geen woord. De buurvrouw kwam de sleutel later terugbrengen.'

'Bent u gisteren in de kelder geweest?'

'Ik woon in het souterrain. Die smalle ramen bij de rozenstruiken naast de ingang zijn van mij.'

'Maar bent u ook in de waskelder geweest?'

'Nee. Wat heb ik daar te zoeken? Dat is een andere deur. Je moet door de deur tegenover mijn appartement om daar te komen. Wat is er met de waskelder?'

'Het zou kunnen dat daar iets gebeurd is. De hele vloer lag vol waspoeder.'

William Pettersens gezicht was volkomen uitdrukkingsloos. Hij nam een slok uit zijn glas. 'Er zijn in Stovner al vaker mensen van het balkon gesprongen,' zei hij. 'Het is toch wel erg waarschijnlijk dat dat ook nu het geval is?'

Roger Høibakk keek hem aan. 'Dat sluiten we natuurlijk niet uit. Trouwens, uw motor, hoeveel hebt u daarvoor betaald?'

William Pettersen keek de politieman aan en liet zijn schouders zakken.

Een vleugje humor veroorzaakte een zenuwtrek in de vetmassa rond zijn ogen. 'Het is een tijger. Kostte bijna tweehonderdduizend kronen.'

'Zo een zou ik ook wel willen hebben.' Roger Høibakk viste zijn kam uit zijn achterzak en trok hem snel door zijn donkere haar.

'Ik vergeet bijna te vertellen dat Buberg en haar benedenbuurvrouw wat onenigheid hadden,' zei William Pettersen. 'Buberg vond de muziek te luid en dat kleine hondje blafte te veel. Dat is ook echt zo.'

'Oké,' zei Roger Høibakk. 'Dank u wel, ik zal er een notitie van maken. Gaat u vanmiddag terug naar de camping?'

'Ik zie geen reden om in Stovner de technische recherche in de weg te lopen.'

'Als u niets meer toe te voegen hebt, zijn we klaar,' zei Roger Høibakk. 'We moeten uw vingerafdrukken nog nemen.'

Randi Johansen stond op. 'Nog een paar dingen,' zei ze en ze keek weer naar William Pettersen. 'Hebt u kinderen?'

'Wat bedoelt u?'

'Bent u nooit getrouwd geweest?'

'Ik ben weduwnaar. We hebben nooit kinderen gehad.'

'Was Britt Else Buberg vaak in gezelschap van een oude vrouw uit het bejaardencentrum?'

William Pettersen haalde zijn schouders op. 'In elk trappenhuis zijn acht-tien appartementen. Ik ben huismeester van drie flatgebouwen en elke flat heeft drie trappenhuizen. In elke flat wonen ongeveer honderdvijftig mensen. Dus vierhonderdvijftig in totaal.'

'Weet u wie ik bedoel?' Randi Johansen hield zijn blik vast. Hij probeerde haar te ontwijken.

'Ja, natuurlijk,' zei hij kortaf.

Het witte gordijn wiegde zachtjes heen en weer. Randi stond in de deuropening van het kleine kantoor. Ze constateerde dat haar collega er vermoeid uitzag. Marian Dahle stopte een stukje kauwgom in haar mond.

'Roger en ik hebben de huismeester verhoord,' zei Randi en ze keek naar de enorme stapel dossiers op Marians bureau.

'Ik moet naar de rechtbank,' zei Marian en ze hoorde haar eigen hart tekeergaan. 'Met een gevangene,' voegde ze eraan toe. 'Ik moet opschieten.'

'Hoe ging de identificatie?'

'Het was moeilijk voor Astrid Wismer. Ze had nog maar één keer eerder een dode gezien, zei ze.'

'Ik wil iets zeggen,' zei Randi. 'Cato heeft eigenlijk niet zo'n goed kantoor. Ik begrijp goed dat hij naar het hoekkantoor wil verhuizen. Zullen we de zaak maar laten rusten, Marian? We zitten hier toch ook goed.'

'Nee,' zei Marian Dahle, 'dat doen we niet. We zitten in twee kleine hokjes. Ik neem straks rechtstreeks contact op met Myklebust.' Ze mepte naar een of ander mugje. 'De afdelingsleider neemt hier de beslissingen, niet de leider van het onderzoek.'

'Jij dramt in dit soort gevallen wel door, zeg,' zei Randi en ze pakte een dossier van de tafel. 'Maar we hoeven Cato niet meer dan noodzakelijk uit te dagen.' Ze deed haar witte jasje uit.

Marian Dahle voelde het bloed door haar hals naar haar hoofd bruisen. Ze keek naar Randi's lieve gezicht met het blonde haar.

Randi beantwoordde haar blik. 'Marian, denk nu niet...'

Marian Dahle richtte zich op. 'Denk nu niet wat? Dat ik íemand ben?'

'Nee, dat bedoelde ik niet.' Randi keek haar onzeker aan. 'Maar Cato, hij is uiteindelijk onze chef, hij heeft altijd een klein kantoor gehad, het is tijd dat er iets verandert.'

'Juist. Zo is het maar net.'

'Cato werkt al achttien jaar op de afdeling Moordzaken en de laatste twaalf jaar is hij onderzoeksleider geweest, het is eigenlijk vanzelfsprekend dat hij het hoekkantoor krijgt.'

Cato Isaksen ging er altijd van uit dat zij dingen tégen hem had, dat het een persoonlijke vendetta was. Marian had er schoon genoeg van. Ze krabde afwezig aan haar arm. 'Veel muggen dit jaar,' zei ze sarcastisch. Randi zou niet de lol hebben om te zien hoe het haar raakte, hoe erg ze het vond dat hun plannen voor een kantoor met twee vrouwen en een hond in rook op gingen. Randi was zo'n zwakkeling.

Ze drukte de dossiers die ze mee moest nemen naar de rechtbank tegen haar borst en keek haar collega met samengeknepen ogen aan. 'Weet je wat, Randi? Jij zult nooit iets bereiken. En weet je waarom?'

'Alsjeblieft, Marian.'

'Je bent laf. Je bent doodsbang om boos of hebberig over te komen. Je wilt alleen maar een aardig en lief politievrouwtje zijn.' Door de glazen wand zag ze een kale man in een leren pak samen met een agent voorbijlopen. Hij droeg een witte helm onder zijn arm.

'Nee, Marian!'

'Ja! Die Dahle is gewoon een brutale mongool, zo is het toch?' Ze gooide de dossiers weer op tafel en sloeg haar armen over elkaar. Ze bleef in de derde persoon over zichzelf praten. 'Stel je voor dat Marian, zo'n nieuweling, het in haar bolle hoofd krijgt dat zíj, terwijl ze hier nog maar een paar maanden werkt, zou verhuizen naar het hoekkantoor.'

'Nu moet je ophouden, Marian. Stop met die onzin. Ik heb geen zin om naar dat soort nonsens te luisteren.'

'*If you can't join them, beat them.* Dat is mijn motto, Randi. Ik moet gaan. Ik ben over een uur terug van de rechtbank. De gevangene hoeft maar een getuigenis van vijf minuten af te leggen. Ik zie je dan op de vergadering bij Cato. In het hoekkantoor.' Ze greep de papieren weer en liep langs haar collega. 'Nooit het onderste uit de kan willen, hè, Randi?'

Twee jonge agenten waren bezig dozen met dossiers te verhuizen van Cato Isaksens oude kantoor naar het nieuwe. Irmelin Quist regelde alles. Ze was een van de secretaresses en werkte al meer dan twintig jaar op de afdeling. Haar staalgrijze haar paste precies bij haar donkergrijze mantelpakje. Ze bracht Cato Isaksen een kop koffie op een klein dienblad. Hij glimlachte en nam het kopje van haar aan. Naast het koffiearoma rook hij ook de geur van haar parfum. 'Het wordt mooi hier, Irmelin.' Hij liep naar het raam en liet de markiezen zakken.

'Het werd ook tijd dat jij een betere plek kreeg,' antwoordde ze en ze wees de agenten waar ze de dozen moesten neerzetten. 'Jullie hebben nu een bespreking, ik regel de rest van de verhuizing daarna.'

De vergadertafel was van blank mahoniehout en de stoelen met de hoge rugleuningen hadden donkergroene zittingen.

Roger Høibakk kwam de kamer binnen. 'Dit noem ik nog eens een kantoor, chef. Nu moet je natuurlijk wel oppassen dat je niet in die diepe stoel wegzakt en vergeet dat er ook nog werk aan de winkel is.'

'Ik heb hier in elk geval genoeg plaats voor alle dossiers. En de wanden zijn geïsoleerd, dus het is hier lekker rustig.'

Randi Johansen kwam zachtjes binnen, trok haar witte jasje aan, ging zitten en legde haar handen op tafel. 'Mooi kantoor,' zei ze en ze dacht aan het gesprek dat ze zojuist met Marian had gevoerd. Cato had gelijk, dacht ze. Marian was heftig. Randi besloot dat ze van nu af aan Marian wat meer op een afstand zou houden, ze zou haar laten merken dat ze anderen niet op zo'n manier kon behandelen. Maar ze bedacht ook iets anders: ze had nog nooit een collega gehad met wie ze zo goed kon opschieten, met wie ze op zo'n bijzondere manier zo'n goede band had. Misschien kon ze ondanks alles toch iets van Marian leren. Het politievak was een mannenvak, gekenmerkt door wedijver. Misschien werd het tijd dat ze eens het achterste van haar tong liet zien.

Cato Isaksen onderbrak haar gedachtegang. 'We zijn maar met z'n drieën. Tony en Asle zijn in Stovner, Marian is bij de rechtbank. Ellen komt straks met het voorlopige sectierapport.' Randi onderbrak hem. 'We moeten een ander kantoor hebben, Cato. Marian en ik,' voegde ze eraan toe.

Cato Isaksen kwam geërgerd overeind en liep naar het raam. Hij leunde met zijn handen op de vensterbank en keek naar buiten. Toen draaide hij zich half om en zei: 'Alsof we nog niet genoeg te doen hebben met alle nieuwe zaken die opduiken. Ik heb achttien planken met rapporten die liggen te wachten. Het lukt me nog niet om een honderdste deel daarvan weg te werken. Waar denken jij en Marian de tijd vandaan te halen om in oude zaken rond te wroeten, alleen maar voor de lol?'

'Noem het geen lolletje, Cato.' Randi probeerde Roger Høibakks blik te vangen, maar hij ontweek haar. 'Het is niet dat we het hele systeem proberen te veranderen, en het zal niet ten koste gaan van nieuwe zaken. Het is alleen dat Marian...'

'Ik zeg het nog een keer...' Cato Isaksen onderbrak haar, liep terug naar zijn stoel en nam weer plaats. 'We werken vanuit een bepaald systeem. We hebben het druk genoeg met nieuwe zaken. Ging het verhoor van de huismeester goed?'

Randi haalde diep adem. Roger Høibakk haalde zijn hand door zijn haar en opende de map met foto's van de plaats delict. 'William Pettersen kwam, naar zijn eigen zeggen, rond tien voor tien op Rødvassa aan.' 'Hij zou haar dus geduwd kunnen hebben,' zei Randi snel. 'En waarom heeft hij de waskelder niet schoongemaakt? Volgens de buren is hij heel precies. Hij is verantwoordelijk voor drie van die gebouwen.'

'Ik kreeg een telefoontje van Ellen,' zei Cato Isaksen. 'Ze is van het Gerechtelijk Laboratorium onderweg hierheen. Er zijn onbekende vingerafdrukken in Bubergs appartement gevonden. De meeste vingerafdrukken waren van haarzelf en een paar van Astrid Wismer. Maar op de deur van het toilet zijn niet-geïdentificeerde afdrukken aangetroffen. En ze heeft een week geleden bezoek gehad van een onbekende man.'

Cato Isaksen bladerde wat in de papieren. 'Omdat de balkondeur was afgesloten, kan de moordenaar zijn afdrukken hebben weggeveegd. Zelfs Bubergs eigen afdrukken waren daar niet te vinden. Dat zegt in elk geval dat het geen gewone inbreker is geweest.'

Ellen Grue opende de deur en kwam het kantoor binnen. 'Jemig, wat een mooi kantoor, Cato. Zoveel ruimte. Maar lieve hemel, heeft Myklebust de gordijnen meegenomen? Die mooie rode?'

'Ik wil geen rode gordijnen,' zei Cato Isaksen. 'Die doen me aan bloed denken.'

Roger stond op. 'Koffie, Ellen?'

'Nee, dank je, ik ben vandaag weer misselijk.' Ze legde glimlachend haar hand op haar buik en nam plaats naast Cato. Ze legde een dichtbeschreven rapport en een paar foto's op tafel. 'Ik heb het voorlopige sectierapport,' begon ze. 'Wangen benadrukt dat het slachtoffer is blootgesteld aan geweld voordat ze van het balkon viel. De bloeduitstortingen zijn een paar uur oud.

Ze heeft ze eerder op de dag opgelopen, of de dag daarvoor. De vrouw is niet verkracht, geen tekenen van seksueel misbruik. Dat is alles wat we voorlopig hebben. Kleren, haren en andere zaken worden natuurlijk geanalyseerd, maar DNA-onderzoek duurt nu eenmaal een paar dagen. We moeten maar gewoon verder werken vanuit de gedachte dat ze is geduwd. Er zitten bloeduitstortingen op haar onderrug, waarschijnlijk van de formica werktafel in de waskelder.'

Cato Isaksen knikte. 'En de vloerkleden in de waskelder zijn van haar. Astrid Wismer heeft dat bevestigd. Ze is regelmatig bij Britt Else Buberg thuis geweest. Er moet beneden in de waskelder dus iets zijn gebeurd. Buberg heeft zich 's ochtends vroeg aangemeld. Je moet je naam op een lijst noteren.'

Randi veegde haar hand over het glanzende tafelblad. 'Dat wat Marian heeft ontdekt, dat Buberg dertig jaar geleden in een of ander ziekenhuis heeft gelegen...'

Roger Høibakk schudde zijn hoofd. 'Wat heeft een infectie van dertig jaar geleden met de zaak te maken?'

'Niets, natuurlijk,' zei Randi Johansen. 'Maar we weten gewoon helemaal niets van haar. Ze had geen ouders, geen kinderen. Geen broers of zussen. Alleen die voogd, die de telefoon niet opneemt.'

'Ze was beslist niet kinderloos', zei Ellen Grue. 'Professor Wangen schrijft in zijn rapport dat ze een kind heeft gebaard.'

De schaduw van de grote boom viel over de oprit en bedekte het pad en de hoek van het receptiegebouwtje. De drie mannen droegen alleen een korte broek en zaten met ontbloot bovenlichaam in de zon, ieder op een oude campingstoel, met hun rug tegen de wand. Ewald Hjertnes was bruinverbrand door de zon. Van de warme houten wand steeg een vage geur van beits op. Hij leunde met zijn hoofd achterover tegen het hout en haalde een hand door zijn grijze haar. Toen hij de man in de lift had ontmoet, had hij gedacht dat zijn ogen hem bedrogen, dat alleen de leegte terug was. Dat de wond, die bijna was geheeld, plotseling door het kille licht werd opengereten. Hij had zijn spullen bij elkaar gepakt, was de warme buitenlucht in gelopen, naar zijn auto, en had alles op de achterbank gegooid. Een lang moment was hij met zijn hand op het portier blijven staan, terwijl hij zijn gezicht ophief en omhoog keek naar de bloembakken met de rode petunia's.

Een gezette vrouw met permanentkrullen en een donkergeel badlaken als een jurk om haar stevige borsten geknoopt, passeerde hen. 'Drie katten in de zon,' zei ze in een aanstellerig Zuid-Noors dialect. 'Leuk om jou ook weer eens te zien.' Ze knikte naar Ewald Hjertnes' broer.

Ewald voelde plotseling een stekende pijn in zijn borst. Hij staarde naar de stevig gebouwde vrouw. Ze had een omvangrijk, uitgezakt postuur. Hij dacht aan de man die hij in de lift had ontmoet.

De vrouw met de gele handdoek stak een voet naar voren. 'Ik draag de schoenen die je me vorig jaar hebt verkocht nog steeds.' Het bovenleer van de klompschoenen was niet langer wit maar grijs van kleur.

William Pettersen zette het lege bierblikje op de grond. 'Wanneer krijg ik m'n motorlaarzen?'

Ewald Hjertnes stond op en liep de receptie in. Zijn broer had vijftien jaar geleden de schoenenwinkel van hun vader in Moss overgenomen. Ewald had de camping geërfd. Maar wat was een camping vergeleken met een schoenenwinkel? Zijn broer had de oude camper vervangen door een nieuwe. Hij stond op de beste plek, helemaal beneden aan het strand, twee plaatsen van Williams caravan.

De vrouw liep verder en Ewald Hjertnes ging weer naar buiten. 'Wat heb je tegen de politie gezegd, William?' William Pettersen veegde met de rug van zijn hand het bierschuim van zijn bovenlip. 'Niets. Wat kon ik zeggen? Ze wilden de sleutel van mijn appartement. Die hebben ze gekregen. Wat heb ik te verbergen? Heb je gisteravond nog wat gevangen, Ewald?'

'Nee, ik had geen geluk.' Ewald Hjertnes haalde zijn hand door zijn grijze lokken en keek hen met zijn grijze ogen aan. Hij glimlachte even. 'Ik ben alleen half bevroren.'

'Maar weten jullie wie ik gisteravond laat heb gezien?' William Pettersen keek de broers om beurten aan.

'Nee,' zei Ewald Hjertnes en hij keek naar zijn broer. Die keek hem vragend aan en vroeg waarom hij zo nerveus was.

'Ik ben niet nerveus,' zei Ewald Hjertnes. 'Er is niets aan de hand. Wie heb je gisteren gezien, William?'

'Die donkere man van het benzinestation,' zei William Pettersen. 'Ik mag hem niet. Ik zat aan het water en zag hem heen en weer lopen langs het strand. Uiteindelijk verdween hij tussen de caravans.'

'Waar is hij mee bezig?' Ewald Hjertnes drukte zijn hand tegen zijn borst. 'Hij scharrelt toch niet rond met de bedoeling iets te stelen? Het zou mij niet verbazen. Zulke types,' zei hij en hij nam een slok uit zijn koffiekop.

William Pettersen streek zijn hand over zijn kale hoofd.

Ewald Hjertnes zag ineens dat Lilly Rudeck kwam aanlopen met in haar ene hand een emmer en in de andere een bezem. Hij stond op en liep haar tegemoet.

'Luister eens, Lilly,' zei hij. Hij zag hoe de zon weerscheen in haar glanzende bruine haar. 'Je kunt nu mijn slaapkamer gaan schoonmaken.' Hij keek naar haar handen en realiseerde zich dat hij eigenlijk wenste dat ze niet hoefde te boenen en te schuren, zodat haar handen niet zo rood en opgezet zouden zijn. 'En daarna kun je Julie en Shira in de kiosk aflossen, als je dat leuker vindt.' Hij wist niet goed met wat voor ogen hij haar moest bekijken. Hij haalde diep adem en liet de ingeademde lucht in zijn borst rusten.

Ze schudde het hoofd.

'Je bent zo stil, Lilly, is er iets?'

'Nee.' Ze zette de emmer op de grond en trok haar T-shirt verder naar beneden.

'Ik zal zorgen dat Julie en Shira morgen de toiletten doen, zodat jij een keer niet hoeft. Dan kun jij de kiosk doen.'

Lilly glimlachte even. Ze merkte dat haar taal tekortschoot, dat de woorden opdroogden. Ze kon geen antwoord geven. Ze sprak goed Noors, maar niet zó goed. Natuurlijk was het niet leuk om toiletten schoon te maken. Worstjes opwarmen en ijs uit de vriezer halen was iets heel anders. 'Ik kan ook wel schoonmaken,' stotterde ze ten slotte en op datzelfde moment besloot ze alles aan Julie en Shira te vertellen.

Ze pakte de emmer weer op. Hij strekte zijn hand naar haar uit. Lilly huiverde. Ze liep het receptiegebouwtje in. Ze keek naar de houten vloer, zag de oude planken en de muizenkeutels langs de plinten. Zijn lach beviel haar niet, helemaal niet.

'Er is nog een getuige opgedoken.' Roger Høibakk leunde over de tafel naar voren. 'Een oude man die denkt dat hij een foto van de verdachte heeft gemaakt. Hij wilde de vogels fotograferen die uit de boom opvlogen.'

Cato Isaksens mond viel open. 'Dat is te mooi om waar te zijn.' Hij sloeg zachtjes met zijn vuist op tafel. 'Ik wil het zien voordat ik het geloof.'

Tony Hansen speelde met het ringetje in zijn oor. 'Je houdt het niet voor mogelijk! Waar is die man?'

'Hij woont in het gebouw recht tegenover nummer zestien, op de vijfde verdieping. Hij las in de krant wat er was gebeurd.' Roger Høibakk schoof een kartonnen doos met dossiers aan de kant. 'Hij heeft er verder niets van gemerkt,' zei hij, 'omdat hij zijn balkon aan de andere kant van het gebouw heeft. Maar hij vermoedt dus dat hij de man op het balkon heeft gefotografeerd. Toen hij in de keuken stond, had hij iets zien vallen, zei hij. Hij dacht dat het een kleed of een jurk was. Hij beweert dat hij het door de lens van de camera heeft gezien.'

'Ik kan er gelijk heen gaan en de camera ophalen.' Tony Hansen keek Cato Isaksen aan. 'Je hebt trouwens een mooi hoekkamertje gekregen,' glimlachte hij.

'Hij vertelde dat het een ouderwetse camera met een filmpje is,' zei Roger Høibakk.

'Ga maar halen, Tony,' zei Cato Isaksen. 'Neem de hele camera mee, laat hem de film er niet zelf uithalen.'

*

'Er staat nergens geregistreerd dat Buberg een kind had.' Marian Dahle staarde naar Cato Isaksen en Roger Høibakk. De stilte werd alleen onderbroken door het getik van de klok aan de wand.

'Tja,' zei Cato Isaksen. 'Kan ze abortus hebben gepleegd?'

'Nee, Wangen beweert dat ze een kind heeft gebaard. Maar het kind kan natuurlijk vlak na de geboorte zijn gestorven. Volgens Ellen wordt het lichaam morgenmiddag vrijgegeven, omdat er geen onduidelijkheden zijn omtrent de doodsoorzaak.'

'Dan wordt ze dus al snel begraven,' zei Cato Isaksen. 'Concentreer jij je op

93

dat kind, Marian. Ga graven in Bubergs verleden.'

'Haar voogd, of wat hij dan ook mag zijn, heeft in elk geval officieel toestemming gegeven dat wij de begrafenis regelen. Dat bericht kregen we vandaag. Ik ben nog even in mijn kantoor geweest, voor ik hierheen kwam. Het lijkt erop dat hij er niets mee te maken wil hebben. In eerste instantie ontkende hij zelfs haar te kennen, maar hij belde zo-even terug. Hij leek erg terughoudend.'

Roger Høibakk keek op zijn horloge. 'Tony komt straks met de camera,' zei hij. 'Wat zei die voogd verder?'

'Dat hij geen informatie had waarmee hij ons verder kon helpen, dat hij al jarenlang geen contact met haar had gehad.'

'Het lijkt me een goed idee om naar Kristinehamn te gaan,' zei Cato Isaksen. 'Het is maar een uur of vier rijden.'

'Ga samen met Marian,' zei Roger Høibakk.

Marian Dahle schudde haar hoofd. 'Het is hierbinnen verschrikkelijk warm, Cato. Je hebt veel te grote ramen. De zon staat er de hele dag op. Dat is vast de reden dat Myklebust is verhuisd. Heb je eraan gedacht dat het een vrouw zou kunnen zijn?'

'Het is zomer.' Cato Isaksen veegde een hand over zijn voorhoofd.

In Marians mondhoek krulde een klein glimlachje. ''s Winters is het hier vast veel te koud.'

'Vast. Maar ik heb in elk geval de ruimte. Het gaat hier om anciënniteit, Marian. Aan welke vrouw denk je trouwens? Toch niet Wismer?'

'Ik dacht aan de benedenbuurvrouw. Die met dat kleine hondje en die harde muziek. Eén ding wist Astrid Wismer zeker: Buberg hield niet van rumoer en harde geluiden. Ze had een verschrikkelijke hekel aan de muziek en het geblaf van beneden. William Pettersen bevestigde dat veel mensen zich ergerden aan die muziek en dat Buberg een paar keer had geklaagd. Stel dat dat ook gebeurde voordat ze werd geduwd, dat ze zich over de balustrade boog en op de benedenbuurvrouw heeft gescholden. Stel dat die woedend de trap is opgelopen en bij Buberg heeft aangebeld. Kan het niet gewoon zo simpel zijn?'

Cato Isaksen schoof een half dode, zoemende vlieg van de tafel in zijn hand en gooide hem in de prullenbak. 'Het probleem is dat de vrouw met de hond een waterdicht alibi heeft. Ze was de hond aan het uitlaten toen Buberg werd geduwd. Ze liep daar samen met twee andere buren en een vriendin. Drie mensen geven haar een alibi.'

Op dat moment opende Tony Hansen de deur. In zijn hand had hij een envelop.

*

94

Tony Hansen gooide de envelop op tafel. Hij draaide het ringetje in zijn oor tussen zijn duim en wijsvinger. 'Ik hoorde zojuist dat de motor van Pettersen niet bij de tolpoort op de Mosseveien is geregistreerd. Motoren worden niet geregistreerd. We moeten naar die camping om zijn alibi te checken.'

Cato Isaksen, Roger Høibakk en Marian Dahle keken hem gespannen aan.

'En de foto?' Cato Isaksen kon niet wachten. 'Klopt het? Heeft de oude man een foto van de moordenaar gemaakt?'

'Ja.' Tony Hansen glimlachte. 'Dit is de foto die de oude man heeft gemaakt.' Hij haalde een onscherpe, vergrote foto uit de envelop. De rechercheurs bogen zich erover heen. 'Hij is niet scherp,' zei Marian.

Tony Hansen legde zijn handen op het tafelblad en boog naar voren. 'Dat klopt, maar je kunt zien dat het een man van gemiddelde lengte is. Je ziet ook dat hij zijn gezicht afwendt, terwijl hij Buberg half over het hekwerk tilt. En je ziet dat hij een pet draagt. En bovendien, kijk daar, hij draagt handschoenen.'

Een paar ijzerkleurige wolken hingen laag boven de hoge boomtoppen. Lilly Rudeck liep over het pad naar het dag en nacht geopende benzinestation bij de kruising. Ze voelde zich niet lekker en was vanavond maar niet gaan zwemmen. Ze was bang voor onweer. Er hing elektriciteit in de lucht.

Ze droeg haar gebloemde jurk en de rode schoenen. Eigenlijk was het onzin om naar het benzinestation te lopen, want ze kon precies hetzelfde op de camping krijgen. IJs, cola en tijdschriften. Maar het was de donkere man. Hij had de laatste keer dat ze er was geweest op een speciale manier naar haar geglimlacht. Maar toen ze zich even afwendde, was de uitdrukking op zijn gezicht veranderd.

In een eikenboom hing een rode ballon. Iemand had vergeten hem naar beneden te halen. Het was bijna half elf. Het begon te motregenen. Als ze nat zou worden, werd ze vast ziek. Wie moest haar werk dan doen?

 Op de hoofdweg reden de auto's met een sneltreinvaartvaart voorbij. Aan de kant van de weg stond een trailer achter een blauwe auto met een lekke band. Ze keek even naar de barak achter het benzinestation. Het lag er vol met schroot en verroeste karren.

In het benzinestation stond de airco vol aan. Toch hing er een benauwde geur van frituurolie en bakvet.

De donkere man stond achter de toonbank. Het zweet parelde op zijn voorhoofd. Lilly Rudeck keek hem aan. Hij kwam vast uit een of ander Afrikaans land. Ze zag zijn profiel; een massieve schouder, een stevige nek, kort, zwart haar en een brede neus. Een grote mond. Ze gokte dat hij eind twintig was. Misschien begin dertig. Ze vroeg om een chocoladeijsje, maar keek hem niet aan toen ze betaalde. Ze liep naar de gokautomaat in de hoek. Ze speelde nooit, keek alleen maar naar de kleuren en de lampjes en luister-de naar het gerammel en gerinkel. Door het grote raam zag ze Julie en Shira de weg oversteken. Julie draaide haar gezicht half naar Shira toe en in een fractie van een seconde zag Lilly dat ze bang was.

In de gangen van het politiebureau hing een warme, bedompte lucht.

'Randi!' Cato Isaksen riep zijn collega na. Hij was onderweg naar de lift. Zij liep in tegengestelde richting.

Ze draaide zich snel om. 'Ik haal alleen even mijn paraplu.'

Cato Isaksen keek haar aan. Er leek haar iets dwars te zitten. 'Rij jij naar Rødvassa om het alibi van de huismeester te checken?' vroeg hij.

'Ja. Morgenvroeg, samen met Marian.'

'Wil je iets voor me doen?'

'Wat?'

'Sigrid bellen.'

'Waarom?'

'De batterij van mijn telefoon is leeg. Ik heb geen tijd. We hebben toestemming gekregen van de huismeester om zijn sleutelkast te controleren. Ik ga nu samen met Roger naar Stovner. We moeten ook naar Kristinehamn. Ik moet dat samen met Marian voorbereiden. Zij heeft steeds contact gehad met de officiële instanties daarginds. Het lukt me niet om Georg vandaag op te halen,' zei hij en hij liep snel de lift in.

Randi zuchtte geïrriteerd. Het was niet de eerste keer dat ze Cato Isaksens vrouw of ex-vrouw moest bellen om door te geven dat haar chef ergens niet aan toe kwam. Randi haatte dat, ze kon niet tegen de teleurstelling in hun stem. Ze kreeg haast het gevoel dat het haar schuld was, maar het lukte haar ook niet om te weigeren als hij het aan haar vroeg. Ze wilde juist een bevestigend antwoord geven, maar vlak voordat de liftdeuren dicht gingen, riep ze: 'Nee, doe dat zelf maar, Cato. En anders vraag je Irmelin maar.'

Toen de lift in beweging kwam, trok er een rilling door haar heen. 'Je moet zelf maar met haar praten. Ik heb er ook geen tijd voor,' mompelde ze. Ze draaide zich op haar hakken om en liep verder in de richting van haar kantoor.

*

Het appartement van de huismeester was klein en donker. Als het hol van een mol, dacht Cato Isaksen. Dat mensen onder de grond konden wonen. 'Er zijn ramen,' zei Roger Høibakk, 'maar er staan dichte rozenstruiken voor.'

Het was volslagen stil in het souterrain en opvallend koel. Een bruine corduroy bank stond tegen een van de wanden. De keuken was klein. Het fornuis had maar twee kookplaten. Achter de slaapkamer bevond zich een kleine badkamer. Aan het plafond had het behang losgelaten. Op de vloer zaten vochtplekken.

De sleutelkast was afgesloten. Hij hing ijzerachtig grijs in de gang tussen de kamer en de slaapkamer.

'Ik wil hier weg,' zei Cato Isaksen en hij opende de buitendeur.

Roger Høibakk lachte. Zijn lach echode door het trappenhuis.

*

De rechercheurs werkten tot diep in de nacht aan de zaak door. Ze zaten bij elkaar om alle informatie uit te wisselen. Iedereen was er, behalve Ingeborg Myklebust en Randi Johansen. Britt Else Buberg had geen leningen en geen betalingsachterstanden. Ze had een kind gebaard. De man die haar had geduwd, had handschoenen gedragen. Geen van de bewoners in het trappenhuis leek verdacht. Haar vingerafdrukken waren geïdentificeerd op de bezem in de waskelder. Was ze daar door iemand verrast? Ze had een week eerder bezoek gehad van een onbekende man. Astrid Wismer beweerde dat ze niet rookte, toch had ze dat waarschijnlijk gedaan op de avond dat ze werd geduwd. Ze moest geweten hebben dat hij zou komen, ze was voor iemand bang geweest.

Het was echt een kamertje. Het was Lilly gelukt het slot open te krijgen. Het was geen ingewikkeld slot, heel normaal, zoals in deuren in gewone huizen. Ze had het opengemaakt met een haarspeld. De warme paneelwanden roken naar hout. Twee vette vliegen zoemden beneden langs de plint.

Het was een klein kamertje, een berghok of meterkast. De grijze stoppenkast besloeg bijna de hele wand. Daarboven hing een kaal peertje. Lilly zag geen lichtschakelaar. Daarom brandde het licht dus continu. Een stoel was het enige meubelstuk. Voor meer was ook geen plaats. Buiten hoorde ze mensen lachend en pratend langslopen. Ze luisterde even, wachtte tot ze weer weg waren en klom toen op de stoel. Boven de helft van de ruimte was een zoldertje gemaakt. Ze zag het ontluchtingsluik meteen. Tussen de witte lamellen van het rooster zat stof en viezigheid. Maar dat zorgde niet voor de schaduw. Op het kleine zoldertje waren duidelijk sporen in het stof te zien.

Lilly dacht aan de stad waar ze vandaan kwam. Ze wilde niet terug, niet terug naar de fabrieksgebouwen, het kerkhof en het hoge ijzeren hek.

*

Ze sloeg haar ogen op toen ze een zwak, schrapend geluid hoorde. Haar hart bonkte in haar keel. Nu kon ze zijn bewegingen voelen, nu ze wist hoe het kamertje eruitzag. Ze luisterde naar het geschuifel toen hij op de stoel stapte en zich op het zoldertje hees.

Ze lag volledig gekleed onder het dunne zomerdekbed. Wie kon haar helpen? Ze kon nergens heen vluchten. De schaduw achter het rooster verscheen. Ze trok het lichte dekbed tot aan haar hals omhoog en draaide zich op haar zij. Ze staarde naar de wand. Ze luisterde. Hoorde zijn ademhaling, de geluiden achter het rooster. Het gefluit, eerst zacht, toen luider. De lippen die zich tot een trechter vormden, de mondspieren die zich samentrokken. De kaak, de tong, de zwakke pezen. De slikkende bewegingen van het strottenhoofd.

Marian Dahle reed bij het benzinestation weg. De donkere man had niet begrepen wat ze hem hadden gevraagd. Hij kon zich William Pettersen niet herinneren. Hij had alleen maar zijn hoofd geschud en zijn schouders opgetrokken. Randi en Marian hadden het opgegeven.

Marian draaide de politieauto het pad op. De dennen en sparren stonden dicht opeen; de lucht verdween achter de wintergroene toppen. De wielen wervelden droog stof op. Ze passeerden een picknickplaats met een houten tafel en banken. De sfeer tussen Randi en haar was na de confrontatie op kantoor nog steeds wat gespannen. Randi had weliswaar een hele tijd geprobeerd een gesprek op gang te houden, maar nu sloot ze haar ogen en leunde ze tegen de hoofdsteun. Ze probeerde een beschrijving te bedenken die op Marian van toepassing zou kunnen zijn, een of ander sleutelwoord dat het allemaal begrijpelijk kon maken. Ze kwam alleen maar tot de conclusie dat Marian zich niet aan de algemeen geldende regels hield. Na een paar honderd meter dook aan de linkerkant de camping op. Randi keek naar buiten. 'Gezellig hier.' Ze knikte naar het bord waarop Rødvassa stond geschreven.

'Zeker,' zei Marian Dahle en ze pakte het stuur stevig vast, 'maar ik heb altijd een hekel gehad aan campings. Vooral aan tenten. Herinner jij je die zaak in Noord-Zweden nog, die gek die mensen dwars door de tent heen in stukken hakte?'

Randi glimlachte even. 'Tegenwoordig hebben de meeste mensen een caravan of camper.'

'Je moet je niet zo wegcijferen, Randi. Er is niets gebeurd, er is geen enkele reden om het hoofd te laten hangen.'

'Wat bedoel je?'

'Het had niets te betekenen. Ik raakte alleen geïrriteerd, dat is alles.'

Marian reed naar een laag, bruin gebouwtje, parkeerde en draaide de contactsleutel om. 'Zo, we zijn er.' Ze keek naar Randi en glimlachte even. Randi zag een man met twee kleine meisjes over het pad naar een tent lopen. De bruinverbrande benen van het ene meisje zaten onder de modder. 'Af en toe ben je iets te opvliegend, Marian.' Ze glimlachte terug en merkte dat het haar een gevoel van triomf gaf. Het was haar eindelijk gelukt om te zeggen wat ze dacht.

'Wat bedoel je?' Marian opende het portier en stapte uit. Randi deed hetzelfde. Er hing een beetje een zure zeelucht, een geur van rottend zeewier en zout water sloeg hen tegemoet. Marian hield haar hand boven haar ogen. 'Hier zou ik mijn vakantie niet willen doorbrengen, ik zou me hier niet in bikini vertonen.'

Randi keek haar over het dak van de auto aan. 'Jij velt een keihard oordeel over alles in je omgeving, maar je geeft je omgeving geen kans iets terug te doen. Je overdondert mensen. Je moet niet te stoer worden, niet te arrogant. Er is verschil tussen zelfbewustzijn en zelfvertrouwen.'

Marian Dahle glimlachte even. 'Het probleem is dat ik zo goed ben. Tot er iemand binnenkomt die beter is. Dan voel ik me waardeloos.'

'Heb je het over Cato? Geeft hij je dat gevoel?'

'Ja. Op een schaal van één tot tien zou ik mezelf een negen geven, maar als hij binnenkomt val ik terug naar een vier.'

'Hij krijgt een negen, jij een acht,' zei Randi glimlachend. 'En ik een zeven.'

Lilly Rudeck keek naar de beroering die ontstond toen de politieauto naar het receptiegebouwtje reed. Haar hart bonkte. Ze dook naar beneden zodat ze haar niet door het raam zouden zien. Op de vensterbank lagen een paar kleine insecten, nog kleiner dan speldenknoppen. Ze keek weer naar buiten. De auto stopte en twee vrouwen in politie-uniform stapten uit. Vier kleine kinderen kwamen aanrennen. Ze zag dat de drie mannen op de campingstoelen tegelijk overeind kwamen. William Pettersen liep naar de beide agentes toe. De ene was blond, de andere was een buitenlandse en keek heel streng.

Toen ze vanmorgen in het kleine kamertje had gekeken, was het lichtpeertje weg. Ze had het hele verhaal een uurtje geleden aan Julie en Shira verteld, toen ze de schappen in de kiosk bijvulden. Ze had over de man achter het luik verteld, over zijn ogen en zijn ademhaling. En het zachte gefluit. Ze had verteld dat ze droomde dat ze in een bos liep, dat ze gefluister, gebulder en stappen hoorde. Ze waren bang geworden.

Ze hadden naar haar geluisterd. Ze had haar arm voor haar gezicht gehouden zodat ze niet zouden zien dat ze begon te huilen. Julie had gezegd dat ze het moest melden, maar ze had gezegd dat ze dat niet kon. Aan wie moest ze het melden? Stel je voor dat het Ewald Hjertnes zelf was die naar haar keek.

Nu zag ze dat hij zijn hawaïhemd met korte mouwen pakte dat op een van de stoelen lag. Zijn broer liep weg over het pad naar het water. Julie en Shira openden de deur van de kiosk en keken nieuwsgierig naar buiten. Het rook lekker in de kiosk. De chocoladerepen die naast elkaar op de schappen lagen, hadden mooie wikkels. Julie en Shira kwamen in hun bikini naar buiten. Ze gaapten met hun roze, glanzende tuitmondjes de beide politievrouwen aan.

Lilly draaide zich om en dook in elkaar op de wc-deksel. Ze had vannacht over een grote naaimachine gedroomd, waarmee ze de dagen aan elkaar naaide. Met een lichte draad.

Julie had verteld dat het meisje dat jaren geleden was vermoord, ook in het washok had gewoond. Haar moeder was toen nog jong geweest. Zij kon het zich nog herinneren. Het had in alle kranten gestaan.

Lilly slikte. Julie en Shira hadden vast de politie gebeld. Ze waren gekomen om haar te helpen. Ze draaide zich om en zette haar voeten op de vloer, klaar om het zonlicht in te gaan.

*

William Pettersen gaf haar een hand. Hij droeg een bontgekleurd hawaï-hemd. Marian Dahle pakte zijn hand en constateerde dat die klam aanvoelde. Randi Johansen knikte even naar hem en hield haar legitimatie op. 'Wij zijn van de politie,' zei ze.

'Ja, dat zien we,' zei William Pettersen grijnzend. 'Ik herken u natuurlijk. Zijn jullie al klaar in mijn appartement?'

'Waarschijnlijk is uw appartement extra goed gecontroleerd, omdat u toegang hebt tot alle appartementen. Hier is de sleutel.' Ze gaf hem een envelop.

Ewald Hjertnes stelde zich voor. Marian Dahle bestudeerde hem. Zijn bovenlichaam was ontbloot.

William Pettersen ging verder: 'Hebben jullie ook de tolpoort gecontroleerd?'

'Motoren worden niet geregistreerd,' zei ze.

'Dat betekent toch niet dat ik word verdacht. Dat zou stom zijn.' William Pettersen keek naar Ewald Hjertnes.

Marian Dahle hield haar hand boven haar ogen tegen de zon. 'U bent geen verdachte. Heeft iemand u die avond gezien?' Ze keek naar Ewald Hjertnes en liet daarna haar blik dwalen over de zee van caravans. 'Het is mooi hier,' voegde ze er ontwapenend aan toe.

'Dat is zo.' Ewald Hjertnes keek haar onzeker aan. 'Ik kwam die avond vlak na William hier, jullie kunnen mijn broer vragen, zijn camper staat naast Williams caravan. Hij zal je toch wel gezien hebben, William?'

William Pettersen streek een hand over zijn hoofd. 'Ik heb jullie toegang verleend tot mijn appartement. Ik heb niets te verbergen. Praat maar met de mensen die naast mij kamperen.'

'Dat zullen we doen,' zei Marian Dahle. 'Kunt u ons wijzen waar u staat?'

De camper was glimmend gepoetst en stond op een mooie plaats tussen een caravan en een vierpersoonstent. Luid schreeuwende meeuwen gleden boven de zee. Aan het strand was het een drukte van belang. Volwassenen, jongeren, rennende kinderen. Gelach en stemmen vermengden zich met het geluid van de golven die op het strand sloegen. Twee jongens van een jaar of tien gooiden emmers zand naar elkaar.

Marian Dahle voelde de zon op haar gezicht branden. Het zweet liep van haar nek over haar rug naar beneden. Ze draaide zich om en klopte zachtjes op de deur van de camper. De man die opendeed keek haar geïnteresseerd aan. 'Neemt u me niet kwalijk,' zei ze. 'Mijn collega staat daarginds met een paar andere mensen te praten.' Ze knikte naar Randi die met haar rug naar hen toe bij een tent stond en in een auto keek. 'Ik heb begrepen dat u Ewald Hjertnes' broer bent.'

'Ja,' zei hij en hij stapte naar buiten. Hij liet de deur open staan. 'Dat ben ik.' Hij reikte haar zijn hand. Ze nam hem aan. 'Wat een mooie camper hebt u.'

'Ja, ik heb het hier goed naar mijn zin. Waarmee kan ik u van dienst zijn?' vroeg hij.

Marian tilde haar hand op en hield hem boven haar ogen zodat ze niet in de volle zon keek. Ewald Hjertnes was knapper dan zijn broer, dacht ze en ze vertelde kort over de moord in Stovner en dat ze het alibi van de huismeester moesten controleren. 'Het is gewoon een formaliteit, u moet begrijpen dat politiewerk...'

'Ja, ja, ja.' De man zuchtte diep. 'Alle kleine stukjes moeten in elkaar gepast worden. William was hier ongeveer op het tijdstip dat u zegt. Althans... zo rond die tijd. Je loopt ten slotte 's zomers niet voortdurend op de klok te kijken. Ik was in Moss geweest, in mijn winkel. Ik moest controleren of bepaalde laarzen waren aangekomen, die had ik voor William besteld. Maar ze waren er nog niet, dus... Het is alleen dat Ewald... hij is de laatste tijd zo... afwezig.'

'Hoezo? Hoe bedoelt u?'

De mobiele telefoon die ze in haar zak had, ging over. Marian pakte hem en draaide zich om. 'Hallo, Cato,' zei ze en ze keek op haar horloge. 'Astrid Wismer... oké, vrijgegeven. Mooi, ja. We gaan hier over een minuut of tien weg.' Randi Johansen kwam naar hen toe. 'Hoe bedoelt u?' herhaalde ze en ze keek weer naar Ewald Hjertnes' broer.

'Nee, niets,' zei hij en hij veegde even met zijn hand over zijn wang.

*

'Wilt u misschien iets drinken?' Ewald Hjertnes stond voor het receptiegebouwtje toen ze terug kwamen. 'Had iemand hem gezien?'

'Ik wil graag een cola. Zo'n uniform is zo warm,' zei Randi Johansen. 'Ja, het echtpaar in de caravan naast hem en uw broer hebben bevestigd dat hij hier was.'

'Kom mee naar binnen.' Ewald Hjertnes zwaaide met zijn arm. 'Wilt u een ijsje?' Hij knikte naar de kiosk.

Plotseling, uit het niets, dook een bruinharig meisje op. Ze droeg een gebloemde zomerjurk. Ondanks de warmte zag ze er verkleumd uit. Ze leek een jaar of achttien.

'Zij werkt hier,' zei hij. 'Neem jij de kiosk over, Lilly,' riep hij haar toe.

Ze schraapte onrustig met haar voet door het grind. Hij was de enige die zag dat ze tranen in haar ogen had. 'Hup, aan het werk,' zei hij en hij wendde zich weer tot de rechercheurs.

'Kom. We verkopen hier alleen maar wat koekjes en zakjes soep en dat soort dingen. We moeten hier snel iets gaan doen. De gebouwen zijn oud.'

Marian Dahle en Randi Johansen liepen achter Ewald Hjertnes aan het gebouwtje binnen. William Pettersen nam plaats op een van de stoelen die buiten stonden.

Ewald Hjertnes liep rond en ging achter de kleine toonbank staan. Op de achtergrond bromde een ventilator. Tegen een van de wanden stond een stapel klapstoelen. Aan de wand hingen foto's van boten en oorlogsschepen.

'Water, graag.' Marian Dahle keek onderzoekend naar zijn gezicht. Hij had kikkerwangen. De naar beneden gebogen mondhoeken straalden iets van verwijt uit.

Er kwam een klant binnen. Ze knikte gegeneerd, keek de politievrouwen even aan, kocht een paar dingen en liep gelijk weer naar buiten. Marian nam een slok uit het waterflesje en keek haar na door het raam. Het meisje in de gebloemde jurk was weg.

Ze liepen het zonlicht weer in. Twee grote meeuwen vlogen op van de balustrade. Randi deed een stap naar achteren en klemde het flesje tegen haar borst. Ze had een hekel aan vogels, ze was altijd bang dat de fladderende vleugels haar in haar gezicht zouden raken.

Twee jonge moeders waren op weg naar de kiosk. Een van hen telde het geld dat ze in haar portemonnee had. William Pettersen kwam weer bij hen staan.

Marian Dahle keek Ewald Hjertnes aan. 'Bent u altijd hier op de camping?'

Hij gaf geen antwoord op de vraag. 'William reist de hele zomer op en neer,' zei hij. 'Maar jullie hebben hem al op het bureau verhoord.'

Marian Dahle keek naar de huismeester.

'Dat klopt.'

'Hij gaat ook altijd even naar mijn appartement en controleert of alles in orde is.'

'Dus u hebt sleutels van elkaars appartement?'

'Natuurlijk,' zei William Pettersen.

Marian Dahle keek van de een naar de ander.

Ze trok Ewald Hjertnes een eindje opzij. 'Kunt u iets vertellen over afgelopen maandag...'

'William kwam vlak voor mij terug,' zei hij vlug. 'Ik was in Moss geweest om mijn broer te bezoeken, maar hij was niet thuis. Hij heeft een schoenenwinkel in Moss en was thuis om te werken. Ik was rond kwart voor tien terug. Toen was William er al. Ik heb hem geholpen zijn caravan recht te zetten.'

Randi Johansen keek op haar horloge. Ewald Hjertnes keek haar aan. 'Zoals ik al zei, ik ben sinds begin juni hier geweest. Het is hier gewoon een kwestie van aanpakken. Zoveel valt er aan een camping niet te verdienen.'

'Nee, dat geloof ik. We praten met alle buren en verhoren de mensen van wie wij denken dat ze iets te vertellen hebben.'

'Ik heb niets te melden. Ik ben een week voordat ze werd geduwd een paar uur naar huis geweest. Ik woon op de eerste verdieping, zij op de zesde. Ik kende haar niet. Ik moet hier op de camping zijn. Ik heb foto's van haar in de krant gezien, dat is alles. En ik heb natuurlijk haar naam op de brievenbus zien staan, maar ik had haar op straat tegen kunnen komen zonder te weten wie ze was, begrijpt u?'

'Dat begrijpen we,' zei Marian Dahle. 'U bent goed bevriend met de huismeester, hè?'

'Ja, ik ken William al van kinds af aan. Hij heeft geregeld dat ik het appartement kreeg.' Ewald Hjertnes tikte nerveus een sigaret uit een pakje, stopte hem tussen zijn lippen, maar stak hem niet aan.

'Ze hadden in een civiele politieauto moeten komen,' zei Ewald Hjertnes toen de politiewagen de camping verliet. Hij fronste zijn voorhoofd. 'Dit is geen goede reclame voor ons.'

'De mensen hier weten toch niet waar het over gaat,' zei William Pettersen en hij nam een flinke trek van zijn sigaret.

'Dat is het juist,' zei Ewald Hjertnes, 'de mensen weten niet dat er in Stovner een vrouw van een balkon is geduwd. Ze denken dat er híér iets aan de hand is.'

'Maar dat is toch niet zo, en misschien denken ze eerder omgekeerd. Misschien zien ze de patrouilleauto wel als een vorm van zekerheid. Mensen houden van veiligheid.'

'Hoe laat ben jij trouwens maandag uit Stovner vertrokken?' Ewald Hjertnes bukte zich en tilde een emmer water op. Hij zag Julie en Shira in hun bikini's in de richting van het wasgebouw lopen. Lilly had hun werk in de kiosk overgenomen.

'Ik ben tegen negenen uit Stovner vertrokken. Waarom vraag je dat?' William Pettersen keek hem aan.

Ewald Hjertnes draaide zich om en liet een dweil in de emmer water vallen. Toen zei hij: 'Die verdomde meeuwen hebben de hele balustrade weer onder gescheten.'

*

Randi Johansen trapte voorzichtig het gaspedaal in en reed langzaam de camping af. 'Mooi dat Cato belde om te zeggen dat Astrid Wismer over een uur naar het politiebureau komt. Halen we dat?'

'William Pettersen kan hier best om tien uur zijn geweest,' zei Marian en ze maakte een doosje keelpastilles open. 'Ewald Hjertnes geeft zijn vriend weliswaar een alibi, maar toch... er zitten een paar minuten tussen. Wil je er eentje?'

'Nee, dankjewel. Hij heeft een alibi, maar het is niet waterdicht. Heb je trouwens gehoord dat de bloeddruk van Ellen te hoog is?'

'Ik hou me niet zo bezig met bloeddrukken.' Marian nam de laatste slok uit haar flesje water, stopte een keelpastille in haar mond, boog voorover en krabde aan haar been.

107

Randi zette de auto in de tweede versnelling. 'Het lijkt haast alsof hij zijn alibi heeft gepland. Hij wist precies wanneer hij hier was aangekomen. En dat hij bij het benzinestation is langsgereden...'

Marian Dahle legde het lege waterflesje voor haar voeten op de vloer.

De politieauto was nog maar twintig meter van de inrit toen twee jonge meisjes een stukje verderop plotseling uit de groene struiken tevoorschijn kwamen. Ze droegen een bikini en gaven een teken dat de politieauto moest stoppen.

'Draag jij een bikini, Randi?'

'Ja, natuurlijk. Ik wil toch bruin worden.'

'Als ik naakt voor de spiegel sta en mezelf bekijk, moet ik lachen.' Marian grijnsde. 'Ik zie er namelijk heel grappig uit,' voegde ze eraan toe. 'Helaas voel ik niet de behoefte om anderen in die vreugde te laten delen.'

Randi remde en Marian deed aan haar kant het raampje open.

Het blonde meisje bukte zich en keek in de auto. Ze zette haar handen op haar knieën. 'Zijn jullie hier vanwege dat luik?' vroeg ze buiten adem.

Marian Dahle keek haar verbaasd aan. 'Welk luik?'

'Lilly weet zeker dat er 's nachts iemand door het luik naar haar kijkt. Ze durft in de middagpauze zelfs niet buiten te zitten, want ze weet niet wie het is.'

'Wie is Lilly?' Marian keek naar de minuscule bikini's, die van het donkere meisje was rood en die van het blonde meisje roze.

'Dat meisje dat samen met ons werkt. Ze is heel stil, erg aardig. Ze kwam zonet naar jullie toe.'

'O, dat meisje in die gebloemde jurk.' Marian dacht aan het magere, jonge meisje met het bruine haar.

De meisjes knikten. 'Ze werkt nu in de kiosk, zodat wij hierheen konden gaan om het aan jullie te vertellen. Ze wilde dat wij het tegen de politie zouden zeggen. Ze dacht dat jullie vanwege haar kwamen. Ze vindt het niet leuk dat mannen naar haar kijken.'

Marian Dahle moest even glimlachen. 'Hoe heten jullie?'

Het blonde meisje wees naar zichzelf. 'Ik heet Julie en zij heet Shira.'

'Kunnen jullie het niet tegen de eigenaar van de camping zeggen, als het zo'n probleem is? Jullie moeten begrijpen dat wij eigenlijk niets met dat soort zaken te maken hebben. En als je dergelijke kleding draagt...' Ze knikte even naar de bikini's.

'Ja, wat dan?' Het blonde meisje keek haar aan.

'Wat bedoel je met dat mannen naar haar kijken?'

'Mijn moeder vertelde dat er hier iemand is vermoord, toen zij jong was. Een meisje dat hier werkte.'

'Wanneer was dat?'

'In de jaren zeventig. Ze werd ook verkracht. Toen is ze met een boot meegenomen het water op en daar is ze overboord gegooid. De moordenaar had een maillot met stenen erin om haar middel geknoopt. Ze hebben haar jurk in het bos gevonden. Onder het bloed. Het stond in de krant, zei mijn moeder.'

Marian draaide zich om naar Randi. Ze nam een hand van het stuur en wees op haar horloge. 'We moeten over een uur op het politiebureau zijn om Astrid Wismer te verhoren,' zei ze. 'Het wordt tijd dat we gaan.'

Marian Dahle boog zich weer naar het raampje. 'Kunnen jullie niet met de eigenaar van de camping gaan praten?' herhaalde ze. 'Je moet niet denken aan wat er dertig jaar geleden is gebeurd. Als er hier een gluurder is, moeten jullie met de plaatselijke politie bellen. Ik kan jullie een nummer geven. Nul achtentwintig nul nul. Dan word je direct met het plaatselijke korps verbonden.'

'We hebben niets om op te schrijven,' zei het donkere meisje. 'En bovendien... Ewald Hjertnes... hij gluurt voortdurend naar Lilly. Alsof hij verliefd op haar is.' De meisjes keken elkaar aan, klapten dubbel in een hysterische lachbui. Marian Dahle deed het raampje weer dicht en maakte een gebaar naar Randi om door te rijden.

Astrid Wismers vingers speelden met een zakdoekje met een geborduurd roosje. Ze zat in de witte verhoorkamer. Ze droeg een glanzende blauwe blouse en een groene rok. Haar tasje stond op haar schoot. Ze had een opvallend venijnige trek om haar mond.

Randi Johansen zette de kleine bandrecorder aan, schonk water uit de karaf in de drie glazen en nam plaats op de stoel bij het raam.

'Dit is gewoon een gesprek, mevrouw Wismer.' Marian Dahle krabde aan haar arm. 'We kunnen het gewoon een gesprek noemen,' ging ze verder, 'maar we moeten iedereen verhoren die met haar te maken had. We willen u nogmaals hartelijk bedanken dat u ons hebt geholpen met de identificatie. De bloeduitstortingen op haar bovenarmen kunnen erop wijzen dat er al eerder iets is gebeurd. We moeten tot op de bodem uitzoeken wat dat kan zijn. Dat wilt u natuurlijk ook. U móét proberen u de man op de bank te herinneren. Dat is heel belangrijk.'

Marian Dahle leunde een stukje naar voren en keek de oude vrouw diep in haar ogen. Een gedachte speelde in haar onderbewustzijn. Ze rook de speciale bejaardenhuisgeur die opsteeg uit Astrid Wismers kleding en bedacht ineens dat ze moest uitzoeken wat er in de jaren zeventig op Rødvassa was gebeurd. Of het werkelijk klopte wat de beide meisjes hadden gezegd. 'Britt Else Buberg had ook kinderen,' begon ze.

Astrid Wismer boog haar hoofd. 'Nee,' zei ze zacht, 'en ik geloof dat ze die man op de bank gewoon van vroeger kende.'

'Weet u waarvan? Een getuige vertelde dat hij grijs haar had.'

Er glinsterde plotseling iets in de ogen van de oude vrouw. Een zacht geluidje perste zich uit de gesloten mond. 'Dat kan ik me eigenlijk niet herinneren. Ik wil hier geen dingen vertellen die jullie op een dwaalspoor brengen. Ze is dood. Het heeft geen zin. Alles is voorbij.'

'Britt Else Buberg had kinderen,' herhaalde Marian Dahle stellig. Astrid Wismer tilde haar hoofd op en keek haar aan. 'Nee,' herhaalde ze. 'Dat moet een misverstand zijn.'

'Een misverstand. Hoe komt u daarbij? Ze heeft in elk geval kinderen gebaard. Ten minste één.' Marian Dahle had vlak voor het verhoor snel een boterham met bruine, Noorse kaas gegeten, ze had nog steeds de kleverige, zoete smaak in haar mond.

Astrid Wismer zat doodstil, haalde haast geen adem. Ze legde haar gerimpelde hand op de tafel.

'Misschien kende u haar ook niet zó goed. Ze hoefde u toch niet alles te vertellen?'

'Ik weet niet...'

'Hoe lang geleden hebt u haar leren kennen?'

'Ongeveer een jaar of zes, denk ik. Zoiets.'

Randi Johansen keek haar aan. 'We weten dat we u vervelende vragen stellen, mevrouw Wismer. Maar u bent de enige die ons kan helpen. Zes jaar is niet zo lang. Ze had toen al een lang leven achter de rug. Ze heeft jarenlang in een kliniek gewoond, voor ze naar een ander ziekenhuis werd overgebracht. Kunt u zich niet proberen te herinneren of ze ooit iets heeft gezegd, bijvoorbeeld dat ze ergens bang voor was?'

Marian Dahle ging recht op haar doel af: 'We hebben een theorie dat Britt Else Buberg ergens bang voor was.'

'Wat zou dat moeten zijn? Ik zou eerder zeggen dat ze erg tevreden...'

'Was ze dat?'

'Ja, dat was ze.'

'Waarom zegt u dat zo? Was er iets gebeurd?'

'Ik geloof... dat ze blij was. Dit heeft toch geen zin. Ze is dood.'

'U vertelde dat ze niet rookte. Toch denken wij dat ze dat die avond heeft gedaan. Kan dat betekenen dat ze haar zenuwen onder controle wilde krijgen?'

'Ze rookte niet,' herhaalde Astrid Wismer.

Randi Johansen ontmoette Marian Dahles blik. Marian had dat ook geprobeerd, zeggen dat ze niet rookte. Maar Randi had bij verschillende gelegenheden een vermoeden gekregen en had haar uiteindelijk op heterdaad betrapt.

'We denken echt dat Britt Else Buberg die avond heeft gerookt,' herhaalde Marian.

'Nee.' De oude vrouw bleef pertinent bij haar standpunt.

'Over een paar dagen krijgen we de resultaten van het DNA-onderzoek. Dan zullen we wel zien.'

Astrid Wismer schudde haar hoofd. 'Ze had last van de muziek in het appartement onder haar. En van dat hondje.'

'Het hoeft niet per se iets te betekenen dat ze kinderen heeft gebaard,' ging Marian Dahle verder. 'We denken eigenlijk dat het helemaal niets te betekenen heeft. Maar die ziekenhuisperiodes...'

'Ik weet niets van een verblijf in een ziekenhuis. Ze heeft er nooit iets over gezegd.'

'Het probleem is dat ze geen familie heeft. Raar dat ze u niet vertelde...'

'Ze kan toch ooit een kind verloren hebben. Ik dacht dat ik haar kende, maar... is dit belangrijk?'

Marian Dahle nam een slok uit haar waterglas. 'We moeten meer over haar te weten komen. En u, hebt u geen familie? Of vrienden?'

Astrid Wismer keek haar verdrietig aan. 'Mijn man had geen broers of zussen. Hij stierf tien jaar geleden. Ik had geen neven of nichten. Ik heb in feite nog maar één oude vriendin over, Margareth Jørp. Maar ik heb haar al heel lang niet gezien.'

'Waarom niet?' Marian Dahle knoopte de naam in haar oren en keek ondertussen naar een boomtak die voor het raam op en neer zwiepte. In een fractie van een seconde schoot er iets door haar bewustzijn. Een naam die ze had gezien. Iets wat niet klopte op de faxen uit Zweden. Ze sloot haar ogen, maar het beeld verdween.

'Waarom blijven jullie hier zo over door zeuren?'

Astrid Wismers stem bracht haar weer terug in de werkelijkheid.

'Waarom kunnen jullie me niet met rust laten? Ik ben alleen maar een eenzame, oude vrouw. Een van de verpleegsters vertelde me dat jullie mijn glas hebben meegenomen. Voor vingerafdrukken. Waarom?'

Het idee kwam plotseling als een soort wraakgedachte boven drijven. Marian Dahle stond in de kleine woonkamer in haar appartement op de eerste verdieping in de Hesselberggate te kijken naar de platte pakken met het meubilair. Ze zou thuis een kantoor inrichten. Ze had nu toch al een bureau gekocht. Anciënniteit, ammehoela. Daar ging het helemaal niet om. Het ging om het delen van dingen en luisteren. Waarom zou Cato Isaksen die hele balzaal in zijn eentje moeten hebben? Ze liep naar het raam en keek naar de lege binnenplaats. De muren werden op sommige plaatsen bedekt door amateuristische graffiti. Een kat sloop door een gat in de hoge houten schutting naar de binnenplaats van de buren. Ze sleepte een van de Stressless-fauteuils naar het midden van de kamer om plaats te maken voor het bureau. Ze liep naar de slaapkamer en gooide een sprei over het onopgemaakte bed. Buiten op straat zag ze mensen met fietsen en kinderwagens, snuffelende honden en rennende kinderen. De zomer was een abstract jaargetijde, dacht ze. De hemel was kleurloos. Ze hield het meest van de winter. Ze zat het liefst in alle rust in het donker.

Astrid Wismer had haar zo-even gebeld en had gezeurd over de vingerafdrukken. Ze had nog een keer gevraagd waarom Cato Isaksen het glas had meegenomen. Marian had haar uitgelegd dat dat alleen maar was om de afdrukken te checken die in Britt Else Bubergs appartement waren aangetroffen. Dat ze op zoek waren naar niet te verifiëren afdrukken. Vreemde afdrukken, die een vingerwijzing konden zijn.

Birka kwam naar haar toe en snuffelde aan haar broek. Ze streelde de hond afwezig over haar rug en besloot de woonkamer als kantoor in te richten. Dat zou betekenen dat ze 's avonds thuis zou kunnen werken en niet op het bureau hoefde te blijven. Met betrekking tot Birka zou dat problemen en spanningen voorkomen.

Het was bijzonder om te werken met het fenomeen dood. Ze werd voortdurend gedwongen te kijken naar de keerzijde van het leven. Toen ze klein was, werd ze vaak wakker van de ruzies tussen haar vader en moeder. Het besef dat het gevaarlijk was om te leven had zich toen als een mantra in haar genesteld. En ze zag alles. Dat had de psycholoog waarschijnlijk in zijn rapport bedoeld toen hij zei dat ze elk soort spel doorzag. Ook haar eigen.

Ze zou dossiers mee naar huis nemen en het archief opbouwen waarover Randi en zij hadden gesproken. Het was weliswaar niet toegestaan om dat soort documenten mee te nemen, het waren originelen en ze zouden in verkeerde handen terecht kunnen komen, maar niemand hoefde het te weten. Cato Isaksen kon creperen in zijn zonnige hoekkantoor. Cato's Corner, had Tony het treffend genoemd. Toen ze het idee een tijdje had laten bezinken, werd ze steeds meer in beslag genomen door haar plannen voor de opbouw van een soort schaduwarchief waar ze nieuwe en oude zaken met elkaar kon vergelijken. Op die manier kon ze Cato altijd een stap voor zijn. Op de deur van de koelkast had ze met tape een lijstje gehangen. Daarop stond dat ze actief zou zijn en zou doen wat ze moest doen, wannéér ze het moest doen. Dat ze op de juiste manier moest werken en tijd moest winnen. En dat ze effectieve procedures moest ontwikkelen en niet bang moest zijn voor vernieuwende en doeltreffende gedachten.

Eigenlijk had ze niet meer nodig dan een schrijftafel en een computer. Maar ze wilde het op de ouderwetse manier doen, documenten uitprinten, ze dateren en archiveren in mappen en dossiers.

Ze voelde zich ineens vrolijk. Ze zou beginnen met de nieuwe zaak. Ze zou er direct mee beginnen en Irmelin Quist van de administratie dossiers uit het archief laten halen. Ze zou de volgende dag al beginnen. Waarom niet? Ze keek even op haar horloge. 'Kom, Birka,' zei ze tegen de hond die in een van de fauteuils lag. 'We gaan naar Ikea om een ladeblok met een slot te kopen.'

Tijdens de rit liet ze haar gedachten over de zaak gaan. Ze liep de gebeurtenissen nog eens in chronologische volgorde na. Ze begon in de waskelder en fantaseerde wat daar beneden gebeurd zou kunnen zijn. En daarna, wat gebeurde er nadat de man in haar appartement was aangekomen? Toen hij haar had geduwd. Maar waarom had hij de deur achter zich op slot gedaan? Was dat misschien gewoon een reflex geweest in een stressvolle situatie of was het een teken?

In de achteruitkijkspiegel zag ze dat Birka achter in de auto overeind kwam.

'Lig!' riep ze.

Hoewel de belangrijkste dossiers in de Buberg-zaak zich in verschillende kantoren en ziekenhuizen in Zweden bevonden, zou ze alles uit kunnen zoeken. Dat Buberg meer dan vijf jaar in een gewoon ziekenhuis had gelegen, was merkwaardig. Maar toen was ze overgebracht naar een plaats met de naam Sahlgjärda, en dat was vast een psychiatrische kliniek. Die bestond nog steeds.

Ineens schoot het beeld van haar moeder in de rolstoel door haar hoofd.

Ze had er zo armzalig uitgezien, zo oud. Marian had erover gefantaseerd dat ze naar haar toe was gegaan, op haar knieën was gevallen en om vergeving had gevraagd. Ze praatte over dingen die ze zich niet meer kon herinneren, ze voelde de weerzin. Ze kneep haar handen om het stuur. Het zweet stond in haar handen. Ze herinnerde zich de stem van haar moeder: de keurig geformuleerde zinnen, de taal die ze niet begreep, die in het begin een middel was geweest waarmee haar moeder haar aan zich had weten te binden. Haar moeder, die haar precs als ze een dierengeluid na wist te doen. Dat was de enige keer dat ze was geprezen. Moeder was een oude vrouw geworden. Misschien had ze als kind meer geweten dan nu. De vesting die ze om zich heen had opgetrokken, was niet zo solide als ze dacht.

Toen haar coach, die ze voor de gein oom E noemde, nog in Helsfyr werkte, voordat de landelijke recherche verhuisde naar Bryn, had ze een keer de benen genomen om naar hem toe te gaan. Ze was langs de autoweg en over de verkeersknooppunten gelopen. Het was gaan regenen. Ze was doorweekt toen ze aankwam. Twee dagen later gebeurde het verschrikkelijke. Hij had haar ten slotte geholpen weg te komen. Daarna had ze haar ouders niet meer gezien, niet voor nu. Ze probeerde gewoon adem te halen, langzaam, diep en rustig. Ze merkte dat haar bloeddruk steeg als ze er alleen maar aan dacht. Birka kwam achter in de auto weer overeind. 'Ga liggen!' schreeuwde ze en ze sloot even haar ogen. Ze zag een groot zwart vlak achter haar oogleden. En een dunne lijn die over een rotonde was gespannen. Er liep iemand op de lijn. Ze was het zelf. Een mens, een heel klein mensje.

Uiteindelijk lukte het haar het ladeblok naar de voordeur te slepen, maar het zou haar nooit lukken het blok ook de trappen op te dragen. Ze stond er een tijdje naar te kijken. Ze had een politiefoto gezien van de sleutelkast van de huismeester. Die kast was net zo grijs als het ladeblok. Ze liep naar een bloempot met een tomatenplant die midden in een grote plas stond na de regenbui van gisteren. Die jonge gezinnen met kinderen probeerden de straat leuker te maken en zetten allerlei dingetjes buiten. Ze schoof een kinderwagen met een opengereten dekzeiltje aan de kant. Een jonge man kwam de binnenplaats op. Hij droeg een stalen brilletje, een pet en een wijde broek. Bij nader inzien herkende ze hem. Hij huurde samen met twee andere jonge mannen een appartement op de begane grond. Ze waren een paar maanden geleden hier komen wonen. 'Ik moest nota bene een aanhanger huren om dit ladeblok hier te krijgen,' begon ze. 'Het was te breed voor de bagageruimte. Je krijgt vijfhonderd kronen als je de aanhanger voor mij terug wilt brengen. En als je me helpt deze naar boven te dragen, krijg je nog een glimlach op de koop toe.' Hoog boven hen, over de daken van de huizen, lag de grijze avondhemel.

'De aanhanger, nu, vanavond, waarheen?' De jonge man keek haar verbaasd aan.

'Ja, vijfhonderd. Ik heb geen tijd om hem terug te brengen. Naar Ikea bij Slependen.'

'Als je dat echt meent met dat geld,' zei hij, 'wil ik het hebben voor ik ga.'

'Je krijgt het zogauw je me hebt geholpen dit blok naar boven te dragen. Hier heb je de autosleutels. Je kunt ze gewoon in de brievenbus doen als je terug komt. Er staat Dahl op.'

Toen het ladeblok boven was en de jonge man met de auto, de aanhanger en een briefje van vijfhonderd kronen was vertrokken, ging ze op de bovenste traptrede zitten om uit te blazen. Haar gezicht was helemaal warm en ze veegde met een papieren zakdoekje over haar voorhoofd en wangen. Ze stond op en liep het appartement binnen. Ze liet de deur open staan. Birka snuffelde rond op de binnenplaats. Ze zag de hond door de buitendeur. Ze opende het raam, keek naar de binnenplaats en hoorde de auto's op straat langsrijden. Ze besloot dat ze tot de volgende dag zou wachten met het in elkaar zetten van de spullen. Dat was nog een behoorlijke klus en ze gruwelde nu al bij de gedachte dat ze zou ontdekken wat er allemaal ontbrak. Want dat was altijd het geval.

Om ergens te beginnen zou ze de secretaresse vragen naar de dossiers van die oude zaak op Rødvassa. Als het tenminste klopte wat die twee meisjes hadden verteld, dat er lang geleden een jonge vrouw was verkracht en vermoord. 'First thing in the morning,' zei ze tegen zichzelf en ze keek om zich heen. De woonkamer kon wel een lik verf gebruiken. De bank lag vol hondenhaartjes en er zat een grote koffievlek op die ze er niet meer uit kon krijgen. De ruimte was overvol, er moesten wat oude dingen weg. Misschien de beide Stressless-fauteuils. Die had ze tenslotte al jaren. Ze had geen twee stoelen nodig. Ze kreeg nooit bezoek. Ze had de stoelen jaren geleden in een vlaag van overdreven optimisme gekocht. Birka lag altijd in de ene stoel, maar zij had een nieuwe honden-chaise longue gekregen. Die stond nog steeds in de gang. Ze zou meteen het plastic eraf halen. Misschien kon ze die knul van de begane grond nog een keer omkopen. Hij wilde vast wel een keertje rijden met alle spullen die ze kwijt wilde en het verpakkingsmateriaal van het kantoormeubilair. Als ze hem maar iets toe zou stoppen.

Hij zat ineengedoken op het kleine zoldertje in het kamertje van het wasgebouw. Het was zondag 29 juli. Hij hield niet van zondagen. Ze waren lang en leeg. Zelfs nu, midden in de zomer, waren de zondagen anders dan gewone dagen. Hij ging in zijn gewone positie liggen en zette zijn ellebogen op de ruwhouten planken. Zijn ellebogen waren droog en rood geworden. Zijn gezicht stond ernstig en geconcentreerd.

Hij boog naar het luik toe en blies voorzichtig tegen de lamellen. Hij luisterde, schatte de geluiden in, archiveerde en interpreteerde ze. Ze lag op haar rug te slapen. Ze ademde rustig. Hij zag haar in het lichtschijnsel van de buitenlamp. Dat drong door de gordijnen heen en kleurde haar gezicht wit. Haar jurk hing op een kleerhanger aan een haak aan de wand. Binnenkort zou het allemaal voorbij zijn. Want deze keer zou hij het voltooien. Hij had alles in zijn hoofd geconstrueerd, steeds weer opnieuw. Nog maar een paar dagen. Hij zou zorgen dat ze het washok uit liep, over het pad, naar het water. Naar dezelfde plek. Misschien morgen, misschien nog een dag later. Binnenkort zou het allemaal voorbij zijn. Het moest niet te lang duren, want dan zou hij zelf het slachtoffer worden. Hij zou de rest van zijn leven in alle rust doorbrengen. Hij zou de foto van zijn moeder wegdoen. Het glas breken, de foto weggooien.

Hij luisterde, vormde zijn mond tot een tuit en floot zachtjes. Zoals de man naar zijn moeder had gefloten. Hij verheugde zich op het moment dat Lilly zou zien wie hij was. Een paar tellen zouden ze elkaar in de ogen kijken. Voordat alles voorbij was.

*

Zo dom dat ze dacht dat ze gered was: dat de politie voor haar was gekomen. De politieauto was weer vertrokken. De beide vrouwen hadden het verhaal niet geloofd. Het was ook geen verhaal. Er was niets gebeurd. Ze keek even naar het luik. Het zag er boosaardig en griezelig uit. Ze wist dat hij er was. Die zekerheid stak als een glassplinter door haar heen. Iemand keek naar haar. Iemand die wachtte. Iemand die haar zag.

Vanmiddag had de motorman zijn nieuwe laarzen gepast, bij het receptiegebouwtje. Julie had gelachen. De drie mannen hadden naar haar gekeken. De
motorman vroeg waarom ze lachte. Lilly kneep haar ogen dicht. Alles flitste
door haar hoofd. Julies nerveuze lach, Shira's opgewonden stem. De schaduw
achter het luik deelde zich doormidden en veranderde in twee schaduwen.
Ze mocht niet slapen. Toen ze ten slotte toch in slaap viel, droomde ze dat ze
achterwaarts een trap af werd gesleurd en vervolgens door een lange gang.
Hij trok haar mee, knoopte zijn jas open, tilde haar op en droeg haar het bos
in.

Irmelin Quist was er trots op dat ze al tweeëntwintig jaar kantoorjuffrouw op de afdeling Moordzaken was. Tegenwoordig heette het secretaresse. Ze had een zwak voor Cato Isaksen en Roger Høibakk. Asle Tengs was ook aardig. En Randi Johansen. Tony Hansen was leuk. Maar die nieuwe, Marian Dahle, vond ze maar niets. Ze gedroeg zich superieur. Zo voelde Irmelin het. Het was niet iets wat ze zei of deed, maar het was haar hele manier van doen. Ze was vast een goede rechercheur en het was nu eenmaal Irmelins plicht om te doen wat de rechercheurs haar vroegen. Vandaag had Marian Dahle haar gevraagd om twee oude dossiers uit het Rijksarchief te halen. Zaak: camping Rødvassa. De dossiers hadden de nummers 1026/72, nummer 1 en 2.

Irmelin had geantwoord dat het beter was als Cato Isaksen het goedkeurde, maar toen was Marian Dahle als een furie tekeergegaan. Het had haast, had ze gezegd. Want ze moest naar de begrafenis van het slachtoffer. En de volgende dag moest ze met Cato Isaksen naar Zweden. Tot slot had ze gezegd dat ze geen tijd had voor al die flauwekul.

Flauwekul, wat verbeeldde ze zich? Alsof Irmelin zich met flauwekul bezighield. Ze had een hele tirade naar haar hoofd gekregen. Vond Marian misschien dat ze niet goed genoeg met de computer kon omgaan? Irmelin had nerveus met haar handen over haar grijze gebreide jasje gestreken. Er waren zoveel nieuwe dingen. Ze wilde vooral niet dat Marian Dahle over haar zou klagen. Ze had er niets op tegen om dossiers op te halen of opdrachten uit te voeren, dat was het niet. Dat was tenslotte haar werk. Maar het was Marian Dahles manier van doen. En haar blik. Ze had gezegd dat Irmelin de dossiers direct aan haar moest geven. Natuurlijk begreep Irmelin wel dat Cato Isaksen de dossiers niet hoefde te hebben, als zij er persoonlijk naar kwam vragen. Maar toch... waarom zo bars? Alsof ze iets in haar schild voerde, had Irmelin gedacht. Dat deed ze natuurlijk niet.

Ik wil er Cato Isaksen gewoon niet mee lastig vallen, had Marian Dahle tot besluit gezegd en ze had zelfs even geglimlacht. Toen was haar oog op de oude kopieermachine gevallen die op de grond stond. Ze had gevraagd of die zou worden weggegooid. Irmelin had haar schouders opgehaald. We hebben een nieuwe gekregen, had ze gezegd. Wil jij hem hebben? Marian had geknikt. Ze had zich gebukt, hem opgetild en was het kantoor uitgelopen met het kopieerapparaat in haar armen.

Nu was Irmelin naar het Rijksarchief geweest om de dossiers te halen. Marian Dahle had om twee dossiers gevraagd, maar er waren er meer. Ze had er even in gekeken.

De dossiers bevatten informatie over een moord op een camping. Er was een jong meisje vermoord. Dat was in 1972. Vijfendertig jaar geleden dus. Wat moest ze daarmee?

*

Cato Isaksen glimlachte naar haar. Hij was onderweg om een kop koffie uit de machine in de gang te halen.

'Alles goed, Irmelin?'

'Ja, prima,' antwoordde ze. 'Ben je nog steeds onbestorven weduwnaar?'

'Ja, en à propos, Irmelin, nu ik je toch spreek... petunia's... is het al te laat om die nog te planten? Ik moet twee hele grote bloembakken vullen.'

'O, ja. Volgens mij wel. Ik geloof ook niet dat je ze nu nog kunt kopen. Ga je nu nog nieuwe planten in de tuin zetten? Het is over een paar dagen al augustus.'

'Bente komt over een paar dagen thuis. Ik ben bloembakken aan het maken op het terras achter het huis. Hele grote bloembakken die op de grond staan.'

'Goed van je, Cato. Jij kunt ook alles.'

'Nou, nee hoor.' Hij glimlachte.

Ze trok haar witte blouse recht. 'Wat dacht je van dahlia's? Ze zijn prachtig, maar wel moeilijk om eraan te komen. Als je morgenmiddag bij mij langskomt, dan graaf ik er een aantal voor je op. Ik heb er zeker vijftig in mijn bloembedden staan. Ze zijn de hele herfst mooi en kleurig. Ik heb ze in alle kleuren. Geel, rood en goud.' Ze glimlachte naar hem. 'Als je ze tenminste wilt hebben?'

'Ja, graag.' Cato Isaksen bukte zich en gaf haar een kus op haar wang. 'Dankjewel, Irmelin.'

*

Marian Dahle zag dat Cato Isaksen in de gang stond te praten met Irmelin Quist. Wee haar gebeente als ze iets zou zeggen over de dossiers. Ze lagen op haar bureau. Ze keek even op haar horloge. Ze kon de dossiers nog naar huis brengen, voordat ze naar de begrafenis moest. Die begon om één uur. Als ze zich haastte. Ze was vanochtend om zes uur opgestaan om de schrijftafel in elkaar te zetten. Nu had ze nog twee uur voordat ze naar de Nordberg-kerk moest.

Ze gooide de dossiers op de stoel aan de passagierskant. Het waren rechercherapporten en krantenknipsels met betrekking tot de moord op Rødvassa in 1972. Irmelin Quist had haar met een stuurs gezicht de dossiers gegeven. Alsof zij bepaalde wat Marian deed. Heks, dacht ze. Die oude zaak had vanzelfsprekend niets met de Buberg-zaak te maken. Maar omdat ze het belang had verkondigd van het archiveren en koppelen van verschillende zaken, kon ze er net zo goed nu mee beginnen. Toen de beide bikinimeisjes de auto hadden aangehouden en hadden verteld over de oude moord, had ze onmiddellijk beseft dat dit een gouden aanleiding was om met haar project te beginnen. Ze wilde zaken op elkaar afstemmen, dat had ze een paar dagen geleden aan de anderen proberen duidelijk te maken. Randi had hetzelfde idee, maar Cato Isaksen was van mening dat ze daar geen tijd voor hadden. En dat hadden ze eigenlijk ook niet.

Toen ze de deur van haar appartement van het slot draaide en Birka de kamer in stuurde, was het bijna half elf. Ze waadde door het verpakkingsmateriaal, liep de keuken in en smeet de dossiers op de keukentafel. Ze moest vanmiddag die verdomde schrijftafel op zijn plek zetten. En de archiefkast, de planken en de nieuwe bureaustoel. Wat had het eigenlijk voor zin om dingen zo fucking goed in te pakken? Mensen konden over milieuverontreiniging praten zoveel ze wilden, maar ze zouden met de verpakkingen moeten beginnen.

Het goudkleurige doek met Jezus en de discipelen hing in het licht van het raam achter het altaar. In de oude stenen kerk van Nordberg hing een nadrukkelijke kerkgeur, vermengd met een vage schimmellucht.

Op de eerste bank zat Astrid Wismer met tranen op haar wangen, tussen twee verpleegsters. Haar handen stijf gevouwen. Cato Isaksen had een paar grote splinters in zijn vinger. Het deed pijn. Het kwam door dat verdomde terras.

Marian pakte zijn hand en keek ernaar. 'Die moet je er uithalen,' fluisterde ze. Hij knikte en staarde naar de achterhoofden van de mensen op de voorste bank. Hij herkende de kleine, blonde verpleegster en de roodharige met het Stavangerdialect. Hij had gisteren met de begrafenisonderneming gesproken. Ze hadden verteld dat Wismer erop stond te betalen voor drie zangers die de psalmen zouden zingen. Als hij nu om zich heen keek, leek het hem inderdaad een goed idee, want er waren maar weinig mensen in de grote kerk. Er waren maar twee buren, de vrouw in het appartement beneden, met het zwarte haar en de paarse streep. Ze zat aan de andere kant van het gangpad. Het kleine hondje was van haar. Ook de buurvrouw uit het naastgelegen appartement was er, met haar dochter. Elianne heette ze. Mooie naam, dacht Cato Isaksen, hij zou Roger en Ellen de tip geven.

Marian Dahle staarde naar de kist en de trieste bloemstukken in geel en oranje. Ze vond dat bij begrafenissen witte bloemen hoorden.

Het orgel begon te spelen. De dominee kwam binnen. Hij liep naar voren en knikte even naar Astrid Wismer. Toen begon de ceremonie. 'Almachtige God,' begon hij, 'we zijn hier bij elkaar om afscheid te nemen van Britt Else Buberg. Gods wegen zijn ondoorgrondelijk...'

Marian las met samengeknepen ogen de teksten op de linten. *Een laatste groet aan Britt Else Buberg van het Stovner Senter*, stond op een lint. Op het andere stond met sierlijke krulletters: *Ik mis je, Astrid.*

Marian keek naar de twee kleine boeketten die aan weerszijden van de kist op de vloer lagen. Het ene was een kinderboeket met zomerbloemen. Vast van het kleine meisje aan de andere kant van het middenpad. Het meisje boog naar voren en keek. Ineens herinnerde Marian zich een foto van zichzelf toen ze klein was. Ze was mager en met haar gladde, zwarte haar maakte ze een harde indruk. De foto was van achteren genomen en met haar rechte heupen, haar smalle achterste en krachtige benen leek ze net een jongen. Ze had een manier bedacht om te verdwijnen, een verdwijnpunt waar de werkelijkheid ophield, als ze ergens intens naar staarde, een stoel, een tafel of een patroon in de gordijnen. Het was haar manier van overleven.

'We hadden een boeket mee moeten nemen, er zijn haast geen bloemen,' fluisterde ze tegen Cato Isaksen terwijl ze bleef staren naar het zijden lint met de naam van het slachtoffer. Ze kneep haar ogen nog verder dicht en opende ze weer. Britt Else Buberg. Hadden ze niet beter alleen de initialen kunnen schrijven? B.E.B. Of B.E. Buberg. B Else Bub... Belsebub... Beëlzebub.

Ze verstijfde. De naam van de dode kon je lezen als de naam van Satan. Zo mocht je niet denken in een kerk. Toch kon ze het niet laten. Het nam haar helemaal in beslag. Het boze had vele namen. De duivel, Satan, Lucifer, Beëlzebub.

Cato Isaksen draaide zich naar haar toe toen de dominee iedereen vroeg te gaan staan voor het gebed. 'Wat is er?'

'Niets,' antwoordde ze. Ze zag de beide mannen van de begrafenisonderneming zachtjes binnenkomen. Ze namen plaats op de banken, waarschijnlijk om de kerk iets op te vullen. De pleegvader uit Zweden was niet komen opdagen. Asle Tengs had met hem gesproken. Die pleegvader was waarschijnlijk haar erfgenaam, dacht Marian Dahle. Hij was tenslotte de enige.

De dominee vroeg hun weer plaats te nemen. Hij preekte: 'Want niets is verborgen dat niet onthuld zal worden en niets is geheim dat niet bekend zal worden.'

Cato Isaksen fluisterde zacht, terwijl zijn adem in haar oor blies: 'Was het maar zo simpel. Astrid Wismer heeft ervoor betaald dat een paar mensen zullen zingen.'

'Dat is toch goed. Er is verder niemand.' Ze keek naar de achterhoofden op de voorste bank. De dominee preekte verder: '...al ging ik ook in een dal der schaduw des doods, ik zou geen kwaad vrezen. Nu zingen we het mooie lied dat u hebt gekregen.' Marian Dahle staarde naar het kleine vouwblad.

Toen ik ontwaakte, vielen de zonnestralen,
door het open venster op het behang.
Licht en geluid beloofden de zomer
in het kussen stond de afdruk van jouw wang.
Ik wist het toen ik mijn ogen opsloeg,
ik las het teken aan de wand.
Dat je alles mag ontvangen wat je hebt gemist
als je ooit aankomt in Samarkand.

Godzijdank voor die professionele kerkzangers, anders zou het wel erg pijnlijk zijn geworden, dacht Marian Dahle en ze viel in zo goed ze kon. De tekst en de muziek waren haar volledig onbekend. Cato Isaksen zat stom als een vis naast haar met zijn rode splintervinger in de lucht.

Vogels zingen, hommels zoemen om mij heen
in het gras glanst de heldere dauw.
Hoewel ik je mis, kan niets me nog raken
alles wat je me gaf, herinnert me aan jou.

Je blijft hier bij me, alles wat je ooit hebt aangeraakt
als een bloem, als een vlinder in mijn hand.
Al het mooie wat je maar kunt verlangen
als je ooit aankomt in Samarkand.

*

Na de dienst werd Astrid Wismer door de beide verpleegsters naar buiten begeleid.

'Niet bepaald een dolle boel,' zei Cato Isaksen.

'Nee, totaal niet,' antwoordde Marian.

De rechercheurs bleven even op de kerktrappen staan voordat ze terugliepen naar de civiele politiewagen. Cato Isaksen opende het portier en pakte een brochure van de achterbank. Hij bleef bij de auto staan. Hij had foto's gezien van precies zulke grote bloembakken als hij langs de rand van het terras wilde plaatsen. Als hij ze niet zelf hoefde te maken, zou hem dat veel tijd besparen. Ze waren er in rood, bruin en grijs. De grijze kleur paste perfect bij de nieuwe tuinmeubelen. Als hij vanavond bij het tuincentrum langs zou rijden om aarde te kopen, zou hij binnen de kortste tijd klaar zijn. Hij zou de laatste planken vast kunnen timmeren en morgenavond het hele terras verven, als hij terug zou zijn uit Zweden.

'Maar het was inderdaad mooi dat die zangers er waren, dat Wismer ze betaalde, bedoel ik,' zei Cato Isaksen. Marian opende het portier aan de passagierskant. 'Ze moeten toch een speciale relatie hebben gehad,' voegde hij eraan toe.

'Ja. Maar toch denk ik niet dat Astrid Wismer alles wist van haar jongere vriendin. Dat met dat kind en met dat ziekenhuis bijvoorbeeld. Kom, ik zal die splinter er uittrekken. Ik heb een pincet.' Ze zocht in haar tas, pakte een klein mapje en deed het open.

'Ik had nooit gedacht dat jij dat soort ijdeltuitdingen had,' zei Cato Isaksen.

'Een pincet is niet speciaal voor ijdeltuiten. Geef me je hand.' Ze pakte zijn wijsvinger, drukte hard met haar vinger op de rode vingertop, kreeg met de pincet de splinter te pakken en trok hem eruit.

'Geweldig, dat had je niet beter kunnen doen,' zei Cato Isaksen tevreden.

Marian Dahle stopte de pincet terug in haar tas en deed haar veiligheids- gordel om. Ineens schoot haar te binnen dat Securitas die avond bij haar thuis een alarm zou installeren. Ze dacht aan de dossiers die ze had meege- nomen. Wat stond er eigenlijk in?

Het meisje was verkracht en vermoord, meegenomen in een boot en in het water gedumpt. Marian staarde naar het korrelige krantenknipsel met de zwart-witfoto van een lief gezichtje. Een koude rilling trok door haar heen. Alles wat de twee bikinimeisjes op de camping hadden verteld, klopte. Het was niet zo vreemd dat ze bang waren, maar een gluurder in 2007 had vanzelfsprekend niets met een moord uit 1972 te maken.

De schrijftafel stond op zijn plaats in de hoek van de kamer. De archiefkast stond ernaast. De kopieermachine die ze van Irmelin Quist had gekregen, stond op het bureaublad, tegen de wand geschoven.

Marian spreidde de inhoud van het tweede dossier over het bureaublad en bladerde er vlug doorheen. Het waren krantenartikelen en verhoorverslagen. Er waren tien grote krantenartikelen verschenen over de Hanne Elisabeth-zaak. De moord was in 1972 op Rødvassa gepleegd. Het meisje was zeventien jaar. Ze las snel een pagina door en gaapte zodat het knakte in haar kaken. Ene Lennart Hoen had het jonge meisje van het leven beroofd.

Haar telefoon ging. Hij lag onder de documenten. Ze keek even op haar horloge, pakte de telefoon en beantwoordde de oproep. 'Met Marian.'

Astrid Wismer verontschuldigde zich. Haar stem klonk iel. Ze zei dat ze zich onrustig voelde en vroeg zich af of er nog nieuws was. 'Ik heb de telefoon van een van de verpleegsters geleend. Ik lig al in bed. Het spijt me dat ik zo laat nog bel.'

'Geen probleem,' zei Marian. 'Het is pas acht uur. Er is geen nieuws. We gaan morgen naar Zweden.'

'Naar Zweden?'

'Ja, naar Kristinehamn.'

Het werd stil aan de andere kant. 'Hallo,' zei Marian, 'bent u er nog?'

'Neem me niet kwalijk dat ik u heb gestoord,' zei Astrid Wismer. 'Ik hield zoveel van Britt Else.' Ze beëindigde het gesprek.

Marian merkte ineens dat ze honger had. Haar maag knorde. Ze liep naar de keuken. Ze keek even uit het raam en zag dat de lucht betrok. Het had weer geregend. Ze vulde een pan met koud water en deed er een half pak spaghetti in. In de koelkast stond een pot saus. Die deed ze in een kommetje en zette het in de magnetron. Ze veegde wat kruimels van het aanrecht op de vloer. Als ze terugkwam uit Zweden zou ze wel stofzuigen. Op hetzelfde moment stond Birka naast haar de kruimels op te likken. Ze vroeg zich af of het appartement van haar ouders in Stovner nu leeg stond, of dat haar vader er nog steeds woonde. Arme vader, ze had bij hem langs kunnen gaan. Als ze toch in Stovner was. Het was niet zeker dat de sukkel er nog woonde, maar ze wist zeker dat hij nog leefde, anders had ze wel bericht gehad.

'Ga weg en ga liggen, Birka, op je nieuwe bed.' Het irriteerde haar dat de verwende hond niet geïnteresseerd was in de nieuwe hondenmand. De jongen van de begane grond had een paar uur geleden de Stressless-fauteuils opgehaald. Hij was er blij mee en had gezegd dat ze de stoelen goed konden gebruiken. Ze hadden te weinig meubilair.

Toen de stoelen weg waren had Birka haar kop laten hangen.

Marian nam haar bord eten mee naar de kamer en ging bij de salontafel zitten. Ze schoof een strook plastic en een stuk karton aan de kant en pakte haar laptop. Ze zette hem aan terwijl ze met een vork de spaghetti naar binnen werkte. Ze ging het net op en zocht de adressen op van de Sociale Dienst, de Gemeentelijke Dienst Verpleging en Verzorging en de Voogdijraad in Kristinehamn. Birka stond naast haar. 'Birka, ondankbaar meisje. Ga op je chaise longue liggen.' Ze moest lachen. De hond zag er volkomen hulpeloos uit. De woede die ze eerder op de dag had gevoeld, was weg. Een gevoel van hopeloosheid daalde over haar neer. Roger wilde niet op Birka passen. Ze had haar toevlucht moeten nemen tot oom E.

Nadat ze had gegeten, sloot ze de laptop op de printer aan en printte de adressen. De faxen die ze had gekregen lagen op kantoor, keurig in een dossier. Ze had morgenochtend om zeven uur met Cato Isaksen afgesproken.

Ze gaapte weer. Ze liep naar de gang en waadde door het karton naar de spiegel. Ze staarde naar een helft van haar gezicht. Over een uur zou de Securitas-man komen. Hij kon niet eerder. Ze keek naar de twee dossiers die op de schrijftafel lagen. 'Je kunt niet voortdurend spelletjes spelen,' mompelde ze voor zich uit, 'en alleen maar bezig zijn om Cato Isaksen te irriteren.' Ze trok een gezicht tegen zichzelf. Het was belangrijk om te winnen, steeds maar weer te winnen. Dat Randi en zij een kantoor zouden delen, had op zich weinig te betekenen. Ze wilde alleen haar positie tegenover Cato Isaksen bekrachtigen, laten zien dat haar mening telde. Dat ze net zo belangrijk was als hij. Ze voelde het hondenlijf langs haar benen strelen, ze draaide zich om en wierp even een blik op de garderobekast. Achter de schuifdeur hing de rode mantel die ze maar één keer had gedragen. Ze had hem jaren geleden gekocht. De reden dat ze hem niet gebruikte was dat ze zich er veel te mooi in voelde. Dat ze hem niet verdiende. Ze herinnerde zich plotseling een van de oefeningen van de psycholoog. *Stel je voor dat je samen met andere jongens en meisjes van je eigen leeftijd in een kamer zit. Je vindt zelf dat je er mooi uitziet – je bent duidelijk de mooiste van allemaal. Jullie praten over allerlei*

dingen en je hebt een heleboel leuke dingen te vertellen. Iedereen kijkt naar je.
Dan komt er nog iemand de kamer binnen. Ze is mooier dan jij, heeft mooiere
kleren aan en zegt leukere dingen. De anderen kijken naar haar. Jij staat niet
meer in het middelpunt. Ineens is al je blijdschap verdwenen. Je wordt stil en
boos. Waarom gebeurt dat? Het antwoord luidt: dat gebeurt omdat je zelfver-
trouwen goed is, maar je gevoel van eigenwaarde niet.

Marian schopte tegen een stuk karton en keek nog een keer in de spiegel.
Ze staarde naar haar spijkerbroek en de trui die ze aan had. Het was een
manier om jezelf te verbergen. Als ze alleen maar weer eens een jurk durfde
te dragen. De pijn werd heviger. Haar ogen begonnen te tranen. Eigenlijk
niet van verdriet, dacht ze, maar van woede. Ze was bang. Ze liep een eindje
van de spiegel vandaan en staarde naar haar gezicht. De tijd verstreek niet,
hij kwam. 'Het is niet mijn schuld,' fluisterde ze. 'Ik kon er niets aan doen.'

Morris Soma glimlachte naar haar. Ze was hem weken geleden al opgevallen. Hij verzon iets te doen bij de gokautomaat en door de frituurlucht heen rook hij de zwakke, frisse geur van haar parfum. Ze likte enthousiast aan het ijsje dat ze had gekocht. Ze had dezelfde zomerjurk aan als de vorige keer. Die met die bloemetjes. Aan haar voeten had ze rode pumps. Haar gezicht, haar hals en haar armen waren bruin. Hij dacht dat hij van haar hield. Op een manier waarop je niet van een vrouw zou moeten houden die je niet kende, dacht hij.

*

Lilly liep naar de hoge statafel bij het raam en hees zich op een van de zwarte barkrukken. Ze zat op het randje van de kruk. Met haar rug naar de balie keek ze zonder zich om te draaien in het raam naar de donkere man. Ineens zag ze dat hij om de toonbank heenliep. Hij kwam naar haar toe en bleef vlak achter haar staan.

Ze draaide haar hoofd weg. Het raam zat vol vette vingerafdrukken. Ze zag dat de man uit de camper, met de witte gymschoenen, een pakketje brood uit een van de vuilnisbakken haalde. Met zijn duim en wijsvinger plukte hij stukken van het brood die hij naar de meeuwen gooide. Een klein kind, een meisje, liep met uitgestrekte hand naar hem toe. De man glimlachte naar het kind, gaf haar een stuk brood en gebaarde dat ze de meeuwen moest voeren. Hij deed voor hoe ze het moest doen. Het meisje keek onderzoekend naar het brood voordat ze het zo klunzig wegsmeet dat het onder een bank terechtkwam. De meeuwen vlogen weg.

*

Morris Soma voelde zijn schoenen bij zijn tenen knellen. Hij schoof zijn horloge een stuk naar beneden over zijn pols. Er bleef een afdruk op zijn arm achter. Hij liep naar de schappen met koekjes en legde de pakken keurig op hun plek. Hij werkte sinds afgelopen winter bij het benzinestation van Statoil, na zijn vlucht uit het asielzoekerscentrum in Trandum. De eigenaar van het benzinestation maakte er geen probleem van dat hij geen werkvergunning had. Hij had schoon genoeg van luie Noren, zei hij. Die wilden hooguit acht uur per dag werken. Morris Soma werkte voor twee en betaalde geen belasting. Hij kreeg elke week zijn salaris contant uitbetaald en de eigenaar hoefde geen premies af te dragen. Hij begreep wel dat het officieel niet was toegestaan om in de containerbarak achter het benzinestation te wonen. Er zaten geen ramen in en er was geen toilet. Maar wat kon hem dat schelen? Hij hoefde er alleen maar te slapen. Het benzinestation was dag en nacht geopend.

Hij liep elke avond naar de camping. In de hoop haar te zien.

*

Een jonge vrouw kwam binnen met een kind op haar arm. De man met het kruis om zijn nek die in het kleine tentje woonde, was bij haar. Het kind dronk chocolademelk uit een flesje. De vrouw kocht een tijdschrift en een flesje limonade.

'Ik bedenk me dat ik nog een paar dingen moet hebben.' Ze pakte een pak keukenrollen en zette het op de toonbank. 'Heb je trouwens ook fopspenen?' Ze wees naar de mond van het kind. Lilly zag in het raam dat Morris Soma een pakje van de schap met toiletspullen pakte.

De man met het kruis ging weer naar buiten. Lilly volgde hem met haar ogen. Ze keek naar zijn lange haar.

Ze dóók ineen. De donkere man stond plotseling achter haar en veegde met een zakdoek over zijn bezwete voorhoofd. 'Hai,' zei hij. Lilly merkte dat hij naar haar achterste keek.

'Iek heten Morris Soma.'

'Lilly,' zei ze en ze spreidde haar vingers op de tafel voor haar terwijl ze het koude ijs in haar mond doorslikte.

'Zal iek...'

'Wat?'

'Jai wil...'

Ze keek hem vragend aan.

'Jai Lilly Pools, hè? Iek... heb baan van... jai hebt Pools broer werken in Oslo, hè?'

Lilly Rudeck knikte. Haar broer had hier bij het benzinestation gewerkt, en hij had haar de tip gegeven dat Ewald Hjertnes hulp nodig had op de camping. Nu woonde haar broer in een barak op een bouwplaats in Oslo.

Haar gezicht brak open. 'Ken je mijn broer?'

'Hai zai hier baan.' Morris Soma glimlachte. 'En hai zai zus werken op camping. Jai praat goede Noors.'

Lilly keek naar zijn voeten. Hij liep op zwarte lakschoenen. Ze zagen er warm uit. Het viel haar op dat ze veel te klein waren.

Hij volgde haar blik en werd verlegen. 'Heb jai eten?'

'Nee,' zei ze en ze gleed snel van de barkruk en liep naar de deur. De donkere man hief zijn armen op. 'Jai krijgen eten van mai. Niet betalen.'

De deuren openden automatisch en ze liep snel naar buiten. Het plein voor het benzinestation was leeg. In het westen weerlichtte het. Het geluid van de donder echode door de boomtoppen aan weerszijden van het pad. Ze stak met grote passen de hoofdweg over terwijl ze snel kleine hapjes nam van het ijsje dat ze in haar hand had. De motorman reed haar voorbij. Hij stopte, zette zijn voet op de grond en keek naar rechts voor hij de weg opdraaide en in de richting Oslo reed.

Lilly keek hem na. Het begon te regenen en de lucht werd kil en stormachtig. De damp sloeg van het asfalt. De sparren bogen over het pad. Ze waren zwart en zwaar van het water. Ze gooide de rest van het ijs tussen de hoge varens. Het smalle pad stond al vol plassen. De weg was verlaten. De geur van natte stenen kwam op haar af. Lilly schopte haar schoenen uit, nam ze in haar hand en begon te rennen.

'Kristinehamn, *here we come!*' Marian Dahle opende het portier en stapte achter het stuur. Het mooie lied van de begrafenis liet haar niet los. De muziek speelde door haar hoofd. *Wat je me gaf, herinnert me aan jou. Als je ooit aankomt in Samarkand.* Ze wierp heel even een blik op Cato Isaksen. 'Bemoei je niet met mijn rijstijl, anders mag je zelf rijden.' Marian Dahle gooide de plastic map met faxen en prints met de adressen van het ziekenhuis, de pleegvader en de openbare instanties over de hoofdsteun op de achterbank van de Opel Corsa. Ze bereidde zich voor om met een gevat antwoord te komen als hij het haar op zijn neerbuigende toon lastig zou maken.

'Ik was niet van plan om wat dan ook te zeggen,' zei Cato Isaksen en hij deed zijn veiligheidsriem om. 'Half acht,' zei hij terwijl hij even op zijn horloge keek. 'Als je een beetje doorrijdt, zijn we er rond half twaalf. We gaan naar die kantoren, halen de kopieën van die documenten op en als we geluk hebben, zijn we om een uur of half vier weer op de terugweg. Ik moet vanavond het terras achter mijn huis verven. Gisteren kwam het met bakken uit de hemel.'

Marian Dahle reed de parkeergarage uit en sloeg links af. 'Het duurt vast wel iets langer. Je weet hoe dat gaat bij die officiële instanties. We werken er zelf tenslotte ook. Ik heb de fax van de politie in Stockholm meegenomen. Daarin staat dat de instanties ons behulpzaam moeten zijn. Ik heb trouwens gisteravond laat nog een andere fax gekregen. Uit Västerborre, het ziekenhuis waar Buberg een aantal jaren heeft gelegen. Ik had gevraagd of ze die naar mijn huis wilden sturen.'

'Heb jij thuis een fax?'

'Ja, nu wel. Maar ik heb op het werk ook veel e-mails en faxen gekregen,' voegde ze er snel aan toe. 'Er staat alleen maar in dat ze geen informatie over de patiënt hebben. Dat is onzin. Ik heb tenslotte een paar dagen geleden met ze gesproken. Randi heeft ook een heleboel nagetrokken. Het is goed dat we erheen gaan, het is erg rommelig.'

'De technische recherche heeft veel vingerafdrukken gevonden,' zei Cato Isaksen. 'Ik heb gisteravond met Ellen gesproken. Nu moet we afwachten of we ze kunnen identificeren. Bijvoorbeeld die van de huismeester. Of dat ze in het register terug te vinden zijn. De resultaten van het DNA-onderzoek komen morgen of overmorgen.'

Op de voorruit lag een dun laagje stuifmeel. Marian Dahle zette de ruiten-wissers aan. 'Ik had trouwens Roger gevraagd of hij de uren dat wij weg waren op Birka wilde passen, maar hij heeft nee gezegd.'

Cato Isaksen glimlachte even. 'Ik heb je nog niet eerder in dat rode T-shirt gezien.' Hij was druk bezig een sms'je naar Bente te sturen. Hij verheugde zich erop dat ze over een paar dagen thuis zou komen. 'Roger wordt papa. Hij heeft op het moment wel iets anders aan zijn hoofd dan honden. Ik begrijp echt niet dat je de signalen van de hele afdeling over dat beest niet oppikt.' Hij verzond het berichtje.

'Er is niets om over te zeuren. De anderen hebben geen probleem met haar. Jij bent de enige die...'

Cato Isaksen draaide zich om en keek haar nijdig aan.

'Ze is bij oom E.'

'Oom E? Wie is dat in hemelsnaam?'

Marian Dahle glimlachte. 'Roger is er sinds dat gedoe met Ellen niet leu-ker op geworden. Het kind komt toch pas tegen kerst. Honden zijn niet gevaarlijk voor zwangere vrouwen. Katten zitten vol bacteriën en viezigheid.' Marian Dahle remde af en reed het verkeersknooppunt bij het operagebouw op. Ze sloeg rechts af en reed verder over de Mosseveien. 'Ik heb je trouwens vergeten te vertellen dat een paar jonge meisjes die op Rødvassa op de cam-ping werken Randi en mij hebben aangehouden toen we de camping wilden verlaten. Ze dachten dat een Pools meisje, dat daar ook werkt, door een luik in het plafond werd begluurd.' Ze glimlachte even.

'Ja, en?'

''s Nachts, als ze slaapt, zeiden ze. Ik heb hun gevraagd de eigenaar van de camping in te lichten. Maar het zou ook kunnen zijn dat hij de gluurder is. Maar ik heb ze natuurlijk duidelijk gemaakt dat zoiets geen zaak voor ons is.'

'Er gebeuren veel rare dingen op campings,' zei Cato Isaksen. 'Was jij trou-wens laatst bij Ikea?'

'Jij ook?' Ze keek in de achteruitkijkspiegel.

'Ik heb nieuw tuinmeubilair gekocht. Ik zag je auto toen ik weg wilde rij-den.'

Marian Dahle boog over het stuur en bestudeerde de nummerplaat van de auto die voor hen reed. 'Hij heeft dit jaar nog geen belasting betaald,' zei ze. 'Het gele merkje zit er nog op.' Ze stond op het punt om hem te vertellen dat er in 1972 een moord was gepleegd op de camping, maar ze hield zich in. Ze moest niet laten merken dat ze dossiers mee naar huis had genomen. In plaats daarvan zei ze: 'Ik heb me trouwens wat ingelezen over Kristinehamn. Het moet een idyllisch stadje zijn. Wist je dat ze daar een beroemd stand-beeld van Picasso hebben?'

'Nee.'

'Aan de oever van Vänernmeer. *Les dames des Mougins.* Je hebt daar een grote jachthaven en een mooi eiland dat Vålön heet. En verschillende grote parken. Het is daar 's zomers vast mooi.'

'Het is nu zomer,' zei hij.

Ze glimlachte even. 'En je hebt er ook een vlindermuseum.'

'En een paar ziekenhuizen,' zei Cato Isaksen.

'En een paar ziekenhuizen,' herhaalde Marian Dahle. 'Misschien kan de Dienst voor Verpleging en Verzorging ons wat antwoorden geven. Misschien hebben ze daar een archief bijgehouden. Laten we het hopen.'

Er kwam een antwoord binnen op Cato Isaksens mobiel. *Ik mis jouw lichaam ook,* stond er. Hij glimlachte en klapte de telefoon dicht. 'Van Bente,' zei hij.

'Ik heb haar voogd nog niet te pakken gekregen. Hij heet Oluf Carlsson, dus we moeten hem maar gewoon opzoeken en hopen dat hij nog op het adres woont dat ik heb gevonden. Het gaat er in Zweden heel bureaucratisch aan toe. Kun je me mijn zonnebril geven? Hij zit in mijn tas.'

Cato Isaksen boog naar achteren en zocht naar de bril. Uiteindelijk vond hij hem en gaf hem aan haar.

'Dankjewel,' zei ze.

'Typisch Zweeds om zo formeel te doen,' zei hij en hij deed het raampje iets verder open. De wind waaide naar binnen en blies zijn haar in de war.

Marian glimlachte. Hij zag er jongensachtig uit. 'Ik heb gisteravond nog een paar uur doorgewerkt, om uit te zoeken met wie we moeten spreken, bij welke instanties we moeten zijn,' zei ze. 'Ik heb met de Sociale Dienst gesproken, met de Dienst voor Verpleging en Verzorging en de Voogdijraad.'

'Waarom met de Voogdijraad?'

'Weet ik niet. Maar ze wilden telefonisch niets zeggen. We moesten maar langskomen, zeiden ze. Ik heb ook contact opgenomen met de plaatselijke politie, maar zonder resultaat. Ik heb op internet gezocht. Er werken meer dan tweeduizend mensen bij de gemeente.'

'Jezus,' zei Cato Isaksen.

De stad was mooi gelegen aan het grote meer. Na vier uur rijden, twee koffiestops en oneindige etappes over wegen langs sparrenbomen, uitgestrekte landerijen en rode boerderijen, draaide de civiele politieauto het centrum van Kristinehamn in. Het was bijna twaalf uur en in de straten, met een leuke mengeling van witte houten huizen en nieuwe gebouwen, was het een drukte van belang.

'Veel instanties zijn ondergebracht op de Nya Kyrkogatan 19,' zei Marian Dahle en ze streek een haarlok van haar voorhoofd. Ze zette haar zonnebril af en legde hem op het dashboard. 'Allemachtig, wat is het warm. Wat een mooie straatjes met die kinderkopjes. En sportzaken en kunstgalerieën naast elkaar. Kijk, daar is een parkeerplaats. Als ik parkeer, kan jij vast de weg vragen.'

Cato Isaksen vroeg een vrouw met een kinderwagen. Ze wees naar de andere kant van de straat en zei dat ze rechtsaf moesten.

Hij opende het portier, boog voorover en zei: 'Voorbij die kermiskraampjes daarginds, een rood stenen gebouw met allemaal openbare instanties. Zullen we de auto hier laten staan en lopen?'

'Oké. Daar is trouwens het politiebureau.' Ze knikte even met haar hoofd. 'Zullen we daar even binnen lopen en een verklaring halen dat we de noodzakelijke documenten mee mogen nemen? Als jij dat even regelt, doe ik geld in de automaat.'

'Komt in orde,' zei hij en hij propte zijn overhemd in zijn broek.

Ze wachtte bij de auto toen hij weer terugkwam. Hij was maar vijf minuten weggeweest. 'Er is ergens een zwemongeluk gebeurd,' zei hij. 'Al het beschikbare personeel is erheen, zei de dienstdoende agent. Hij zat met drie telefoons aan zijn oor. Maar hij zou de boodschap doorgeven en het in orde maken. Nu eerst naar die vreselijke openbare instanties. We proberen het eerst maar met die fax die we al hebben, die van de politie in Stockholm. Want ze zijn niet de hele dag open.'

'Die heb ik hier.' Marian drukte de kunststof map tegen haar buik. Haar leren tas hing over haar schouder.

Op de glimmende plaat stond: Nya Kyrkogatan 19. Gemeentelijke Dienst Verpleging en Verzorging.

Cato Isaksen schoof zijn zonnebril op zijn hoofd. Op de eiken deur was boven de klink met tape een stukje karton bevestigd. 's Zomers geopend van tien tot vier. Lunch tussen twaalf en één.

'Die verdomde kantoren. Een uur pauze. We hebben niet de hele dag tijd. Dit redden we niet, Marian. Wat doen we nu?'

'We doen alles op zijn tijd. We moeten naar Västerborre en naar Sahlgjärda. En we moeten op bezoek bij Oluf Carlsson. We moeten even ergens vragen wat hier het dichtst in de buurt is en dan gaan we daar eerst naartoe. Hier heb je de autosleutels. Nu mag jij rijden.'

Ze konden het plaatselijke psychiatrisch ziekenhuis in eerste instantie niet vinden, dus hielden ze een voorbijganger aan. 'Sahlgjärda ligt een beetje afgelegen,' zei hij. Hij boog zich voorover en wees. 'Die kant op,' zei hij. 'Bij de verkeerslichten op de kruising bij het Coop Forum-winkelcentrum sla je rechtsaf en daarna nog een keer naar rechts. Een groot geel gebouw in een park. Je kunt het niet missen.' Marian glimlachte en bedankte hem. De man droeg een heel klein Zweeds vlaggetje op de kraag van zijn jas.

Ze zat met de faxen en uitdraaien op haar schoot en keek snel de papieren door. Ze las de spaarzame, droge gegevens over Britt Else Buberg. Informatie niet beschikbaar, stond er boven aan een van de pagina's. 'Ik wil hierna ook naar Södergatan 12. Daar woonde Buberg voor ze naar Noorwegen verhuisde,' zei ze. Er kwam een vermoeden in haar op. Nadat ze nog een keer een verkeerde afslag hadden genomen, reden ze eindelijk een hoek om en zagen ze de grote gebouwen in het groene landschap, met aan de voorkant grote gazons en bloembedden. De gebouwen, die er van afstand gerenoveerd uitzagen, deden denken aan een drietal kastelen.

'Daar is het.' Marian Dahle deed haar veiligheidsriem af. 'Ik stap vast uit, dan kun jij de auto parkeren.' Ze keek naar de smalle grindpaden die kriskras door het park liepen.

Cato Isaksen draaide de parkeerplaats op en keerde de auto. Voor hij de kans kreeg iets te zeggen, was ze al uitgestapt en had ze het portier dichtgegooid.

Marian Dahle liep naar het gebouw toe, de brede trappen op en ging door de grote, zware eikenhouten deur naar binnen. De drempel was versleten en splinterig door talloze voeten die naar binnen en naar buiten waren gegaan. En weer naar binnen, dacht ze. Hier had je lange gangen en dikke muren, verdriet en stilte. Er was eten genoeg en er waren medicijnen genoeg. Het was tijdloos. Ze dacht aan haar moeder, die nu was ondergebracht op de verpleegafdeling van een gewoon bejaardencentrum. Het was niet goed, het was gewoon niet goed.

Ze wierp een blik op haar horloge en liep naar de receptie. Hoe zouden ze alles kunnen regelen in die paar uren die ze tot hun beschikking hadden? Haar behoefte aan een sigaret werd steeds groter. De stress spande als een band om haar hoofd.

De receptioniste keek haar over de rand van haar bril aan en vroeg vriendelijk wie ze wilde bezoeken.

'We hebben een afspraak...'

Marian was nog niet klaar met haar verhaal, toen Cato Isaksen plotseling achter haar opdook. Hij maakte een gebaar, legde zijn hand kameraadschappelijk op haar arm. Alles stokte in haar, de vriendelijke aanraking schoot als een bliksemschicht door haar lichaam.

'We hebben een afspraak met de bewindvoerder,' zei hij op een gebiedende toon en hij toonde zijn legitimatie aan de receptioniste. 'En we hebben niet veel tijd.'

De vrouw stond op en vroeg of ze een moment geduld hadden. Even later kwam ze terug en nam hen mee door een deur en een lange gang.

'Hier heeft Britt Else Buberg dus gelegen,' fluisterde Marian en ze keek Cato Isaksen aan. 'Wat is het hier stil.'

'Ja,' zei hij. 'Gelukkig wel. Ik vraag me af wat we hier zullen vinden. Het is meer dan dertig jaar geleden dat Buberg hier lag. Ik kan me niet voorstellen dat ze bruikbare informatie hebben.'

'Maar we hoeven toch alleen te weten...'

'Ik mis jullie zo!' riep plotseling een jonge jongen achter hen. Hij rende de andere kant op. Zijn voetstappen dreunden op de vloer. Daarna werd het doodstil.

De receptioniste vroeg hun te wachten in een kleine kamer met geel meubilair. Aan het plafond zaten gipsrozetten en aan de wand hing een groot schilderij van een bloem met een baby in de kroonbladeren.

Cato Isaksen nam plaats op de kleine tweezitsbank die tegen een van de korte wanden stond.

Er hing een doordringende geur. Van angst en eenzaamheid, dacht Marian en ze liep naar het raam. De lucht zat vol gefluister; het was koud als in een vrieskist vol rijp. Een plek voor rust en analyse, waar verwanten individuen konden onderbrengen die als gek of moeilijk werden bestempeld.

Ze keek neer op een kleine fontein, met een standbeeld ervoor. Waarom waren dergelijke plekken altijd zo mooi? Kon je zulke mensen niet gewoon in lelijke gebouwen stoppen en de deur op slot draaien? Een vrouw met een rechte rug en een warrige bos grijs haar zat op een bank voor zich uit te staren. Haar moeder had een klein kind geleken toen ze werd afgevoerd. Ze had naar Marian gespuugd, geroepen dat ze een stom en ondankbaar kind was, dat geen eten verdiende. Marian had haar handen voor haar ogen en oren gehouden, ze had geprobeerd haar vingers zo ver mogelijk te strekken. De band in haar haar zat scheef. Haar blouse was aan één kant gescheurd.

Een witharige vrouw stond in de kamer. Boem! klonk het ineens.

Een dik dossier was op de vloer gevallen. 'Neem me niet kwalijk,' zei de vrouw in zangerig Zweeds en ze bukte om het weer op te pakken. Een paar pagina's vielen eruit. Cato Isaksen stond snel op. Marian zocht de bladzijden weer bij elkaar. De pijn van de dreun toen de vrouw het dossier op de vloer liet vallen, zat nog in haar borst. Ze gaf haar de papieren aan.

De vrouw bedankte haar en legde ze terug in het dossier. Ze was gekleed in een beige linnen pak, groette hen beleefd en ging recht op haar doel af. 'Britt Else Buberg is hier nooit geweest,' zei ze. 'Zullen we gaan zitten?' Ze knikte naar de tweezitsbank en een stoel. Ze namen plaats. De vrouw in de stoel, Marian en Cato op de tweezitsbank.

'Dit moet op een misverstand berusten. We hebben geen enkele informatie over deze patiënt. Ze is nooit in Sahlgjärda geweest.'

'O.' Marian Dahle keek Cato Isaksen aan. 'Deze inrichting is in 1973 in gebruik genomen.' De vrouw stond op en opende een van de hoge ramen.

'Het klopt dat enkele patiënten uit het ziekenhuis kwamen,' ging ze verder. 'Het klopt ook dat Britt Else Buberg hier zou komen, maar er gebeurde iets waardoor ze niet kwam.'

'Wat gebeurde er?' Marian Dahle voelde haar hart sneller slaan.

'Jullie moeten contact opnemen met het ziekenhuis,' ging ze verder. 'Västerborre. Misschien weten die meer.'

'Maar het ziekenhuis wil ons geen informatie verstrekken,' zei Cato Isaksen.

'Ze zeiden dat ze geen informatie hadden,' verbeterde Marian Dahle. 'We kregen een fax van de Zweedse politie dat we contact moesten opnemen met jullie en een of andere openbare instantie. Erg vreemd dat alles zo verwarrend is. Er moet toch informatie over haar te vinden zijn.' Plotseling viel haar oog op het schilderij aan de wand. Een vrouw en een man die elkaar vasthielden, als twee slangen om elkaar heen gekronkeld. Ze voelde een eigenaardige pijn onder in haar rug.

De witharige vrouw keek haar aan. 'Ik heb u toch aan de telefoon gehad?'

'Ja,' zei Marian. 'Of mijn collega, Randi Johansen.'

'Tja, nu u het zegt, ik geloof dat ze zo heette. Jullie hebben voor zover ik weet het medisch dossier van het ziekenhuis toegestuurd gekregen, klopt dat?'

'Niet direct het medisch dossier,' zei Marian Dahle snel. 'Alleen een korte beschrijving van een paar regels over een soort bloedziekte.'

Cato Isaksen nam het van haar over. 'Bepaalde dingen hebben ertoe geleid dat wij hebben besloten een nader onderzoek in te stellen. De aard van haar ziekte bijvoorbeeld. En bovendien had ze een adoptievader.'

'Het gaat om moord.'

'Om moord?' De vrouw herhaalde geluidloos de woorden van Marian Dahle. 'Tja, maar dan ben ik niet de juiste persoon.' Ze drukte het dossier met beide handen tegen haar buik.

Cato Isaksen verplaatste zijn gewicht van zijn rechter- naar zijn linkerbeen. 'U zei dat Britt Else Buberg tot januari 1973 in het Västerborre ziekenhuis verbleef?'

'Ja, toen werd het opgeheven en werden alle patiënten in beginsel uitgeschreven.'

'Ja, en? Wat wil dat zeggen?'

'Het was maar tijdelijk, tot nader order. Tot Sahlgjärda geopend zou worden. Alleen die ene afdeling van het ziekenhuis zou worden opgeheven.'

'Waarom?'

'De omstandigheden op Västerborre waren niet in orde. In de kranten werd regelmatig geschreven over procedurefouten, gebrekkige verzorging en slechte herstelprogramma's. De politici hebben uiteindelijk de afdeling gesloten, van de ene op de andere dag.'

'Het was dus een psychiatrische afdeling?' Marian schoof haar horloge over haar pols.

'Ja. Eigenlijk een crisisopvang.'

'En wat hebben ze in de tussentijd met de patiënten gedaan?'

'De patiënten die dat konden zijn naar huis gegaan en werden verzorgd door familieleden. Het zou hooguit om een paar weken gaan, maar het werden helaas drie maanden.'

'En de anderen, die te ziek waren om naar huis te gaan?'

'Dat weet ik echt niet. Het is lang geleden. Het is allemaal niet zo goed gedocumenteerd.' De vrouw gaf een teken dat ze de kamer moesten verlaten.

Ze liepen de gang weer op.

Cato Isaksen ging verder: 'U moet toch in de papieren terug kunnen vinden of ze hierheen is gekomen, of Britt Else Buberg na die drie maanden hier is gekomen?'

'Maar dat deed ze dus niet, heb ik gezegd. Ze is hier nooit geweest.'

'Maar ik heb bericht gekregen dat Britt Else Buberg daar jarenlang op die afdeling in het ziekenhuis is geweest,' zei Marian. 'Dat kan dan toch niet kloppen. Op een crisisopvang?'

'Ik zie hier in de papieren dat ze niet terug is gekomen,' herhaalde de vrouw en ze sloeg het dossier weer open. Ze haalde haar schouders op. 'Ze is hier nooit geweest. Ze had een voogd, ene Oluf Carlsson. Hij was psychiater op de afdeling in het Västerborre ziekenhuis.'

'Haar pleegvader, Oluf Carlsson, was hij haar arts?' Marian voelde haar hart achter haar ribben tekeergaan.

'Dat heb ik verteld aan de politievrouw die hierheen heeft gebeld,' zei de witharige vrouw. 'Ze heeft van mij de naam gekregen.'

'Juist. Er moet iets fout gegaan zijn in de communicatie tussen Randi en mij,' zei Marian Dahle en ze keek Cato Isaksen aan. 'Ik heb wel gehoord dat Oluf Carlsson de pleegvader was van Britt Else Buberg, maar dat hij ook haar arts was...'

'Toen de afdeling in Västerborre werd opgeheven, werd hij hier hoofd psychiatrie. Maar dat was ver voor mijn tijd. Hij is jaren geleden met pensioen gegaan.' De vrouw keek hen om beurten aan.

'Was hij haar voogd of haar pleegvader?' Marian draaide nog een keer aan haar horloge.

'Haar voogd, geloof ik, maar ze was niet onder curatele gesteld.'

'Wat betekent dat?' Cato Isaksen pakte de bril van zijn hoofd en klapte hem in elkaar.

'Dat ze zich deels kon redden, neem ik aan.'

Marian Dahle wendde zich tot Cato Isaksen. 'Ik heb in verband met de begrafenis met Oluf Carlsson gesproken. Hij heeft niet verteld dat hij ook haar arts was.'

'Hij is al over de tachtig,' zei de vrouw. 'Om precies te zijn tweeëntachtig. Het is niet zeker dat hij nog bij zijn volle verstand is.'

'De psychiater is wel degelijk bij zijn volle verstand!' Marian Dahle trapte het gaspedaal in. 'Waarom neemt hij de telefoon niet op?'

'Je rijdt vijftien kilometer te hard, Marian.' Cato Isaksen zette zijn zonnebril weer op zijn neus. 'Bovendien is niet zeker dat die informatie zo belangrijk is. Het heeft vast niets met de zaak te maken.'

Marian Dahle liet haar schouders zakken en zuchtte diep. 'Ik weet het.' Ze remde af voor een vrouw die met een kinderwagen de weg overstak. 'Maar dat Carlsson zowel haar voogd als haar psychiater was, is toch merkwaardig. De politie in Stockholm zei dat hij haar had geadopteerd. Dat is toch vreemd. Toen ik hem aan de telefoon had, ontkende hij dat eerst en zei hij dat hij niet wist waarover ik het had. Toen ik nog een keer belde, gaf hij toe dat hij haar had geadopteerd, maar hij wilde niets met haar te maken hebben, zei hij. Toen ik vertelde dat ze dood was, reageerde hij helemaal niet.'

Ze waren weer terug in het centrum van Kristinehamn. 'Hij kan best volkomen seniel zijn, Marian. Hij is tweeëntachtig,' zei Cato Isaksen.

Marian bracht de auto met een ruk tot stilstand voor het rode stenen gebouw, naast een halvemaanvormig bloembed met rozen. Ze boog voorover en keek door de voorruit. 'De deur is nu in elk geval open,' zei ze.

*

'Zweedse kleuren.' Ze wees naar de geschilderde muren in het trappenhuis. De kleuren deden haar denken aan doordeweekse dagen in de keuken van het appartement in Stovner. Het licht boven het aanrecht was ijskoud. De warme maaltijden, die ongeveer tien minuten duurden, werden in doodse stilte gegeten.

'Ach wat, Zweedse kleuren. Dat is bureaucratisch groen,' glimlachte Cato Isaksen. 'Als we hier klaar zijn, gaan we eerst iets eten.'

'Helemaal mee eens,' zei ze en ze gleed met haar wijsvinger over een naamplaat in het trappenhuis. Gemeentelijke Dienst voor Verpleging en Verzorging. 'Dat is hier, op de begane grond,' zei ze.

De jonge man in de receptie vertelde waar ze heen moesten, en de rechercheurs liepen een gang zonder ramen in. De tl-balken aan het plafond verspreidden een kil, wit licht. 'Daar,' zei Marian Dahle, 'staat "archief" boven de deur.'

Door het geribbelde glas zagen ze het verwrongen profiel van een vrouw achter een balie. Ze liepen een ruimte in met grote ouderwetse, metalen schuifkasten langs de wanden. Van één kast was de deur opengeschoven en waren de planken zichtbaar. Ze stonden vol kartonnen mappen, op alfabet geordend.

Er stonden vijf bruine houten stoelen in de wachtruimte. Op een ervan zat een oude man. De vrouw achter de balie keek hen aan.

'Nummertje,' zei Marian en ze trok een kaartje van de lichtgroene rol in de dispenser aan de wand.

Ze namen allebei op een stoel plaats. Even later werd de oude man opgeroepen. Hij liep naar de balie, boog eroverheen en sprak met zachte, trillende stem met de vrouw.

'Heb jij de fax van de politie in Stockholm?' Cato Isaksen leunde naar haar toe.

'Ja, hier.' Ze pakte het stuk papier uit haar tas en moest op hetzelfde moment krachtig niezen.

Cato Isaksen wendde zich geërgerd af. De ruimte leek verdacht stil na haar nies. Het ventilatiesysteem aan het plafond suisde zacht.

'Heb je een papieren zakdoekje?' vroeg ze.

'Natuurlijk niet,' zei hij.

De rechercheurs waren aan de beurt. De oude man had de informatie die hij nodig had gekregen. De vrouw achter de balie keek Cato Isaksen met haar blauwe ogen vragend aan en zag Marian Dahle volkomen over het hoofd. Heel even voelde Marian de teleurstelling. Intolerantie, oneerlijkheid, egoïsme, dacht ze. De woorden stroomden door haar hoofd. Haar oog viel op de enorme nepring aan de rechterhand van de vrouw. 'Wij zijn van de Noorse politie,' zei ze luid.

Cato Isaksen legde de fax op de balie.

'Wij zijn erg geïnteresseerd in de familieomstandigheden van een zekere Britt Else Buberg,' nam hij het over. 'Ze is geboren op 7 oktober 1951. Dit is haar persoonsnummer. Ze woonde vierendertig jaar in Noorwegen, maar komt hiervandaan. Als u kunt uitzoeken hoe haar ouders heten en ons wat algemene informatie over haar leven kunt verstrekken, zou dat heel fijn zijn.'

'We komen nu van Sahlgjärda en zij hadden maar weinig informatie,' voegde Marian Dahle toe en ze leunde over de balie.

De vrouw knikte. 'Ik zal zien,' zei ze in haar snijdende dialect. Ze las snel de fax van de Zweedse politie en legde hem op haar bureau. Toen stond ze op en pakte een map van een van de onderste schappen, opende hem en bladerde snel door de papieren. De rapporten lagen keurig gerangschikt. Cato Isaksen keek met een scheef oog wat er stond.

'Dit is de verklaring van handelingsonbekwaamheid,' zei de vrouw en ze pakte een formulier. 'En er ligt hier nog een brief.' De vrouw vouwde een handgeschreven vel papier open, las een paar regels en vouwde het weer op.

'In Sahlgjärda zeiden ze dat ze niet onder curatele was gesteld, maar dat ze een voogd had,' zei Marian ongeduldig.

'Dat kan op een vroeger tijdstip zijn geweest. Wanneer was dat rapport van Sahlgjärda gedateerd?'

'Tja, dat weten we niet.'

'Ze kwam van het platteland,' ging de vrouw verder. 'Hier staat dat ze 's winters blootsvoets rondliep en dat soort dingen, dus ze moest wel worden opgenomen.'

Marian keek haar aan. 'Dat klinkt absoluut vreemd. Wat bedoelt u met het platteland?'

De vrouw verschoof een doos met pennen. 'Er staat maar weinig informatie over haar familie.'

'Wat stond er in de brief?' vroeg Marian Dahle. 'Is ze bij haar familie gebleven? En weet u of ze een kind heeft gekregen?'

'Er staat niet veel informatie. Er staat ook niets over een kind. Als ze vierendertig jaar in Noorwegen woonde, kan ze het kind ook daar hebben gekregen.'

'Dan hadden we daar informatie over gehad,' zei Marian Dahle.

'Als ze kinderen had, staat dat toch in het bevolkingsregister?' De vrouw richtte zich weer tot Cato Isaksen.

Hij haalde zijn schouders op. 'Kunt u alstublieft kijken of u een naam van familieleden kunt vinden? We hebben helemaal geen familie kunnen achterhalen.'

'Ja. Ik zal zien. Momentje.'

De vrouw stond op en verdween achter een hoge kast. Ze opende een la, pakte een sleutel en verliet de ruimte. Na een paar minuten kwam ze terug. 'Hier heb ik iets,' zei ze.

Ze hief haar armen op en trok de jurk uit. Het was kwart voor vier. Ze was stiekem naar de picknickplaats gegaan. Ze had een half uur tijd. Morris Soma had haar via Julie en Shira een boodschap gestuurd. Hij had gezegd dat hij haar wilde ontmoeten en gevraagd of ze om vier uur naar de parkeerplaats wilde komen.

Nu stonden ze tegenover elkaar. Ze stond voor hem in haar turkooizen zwempak. Hij glimlachte, trok zich een stukje terug.

'Zal ik voor je zwemmen, Soma?' Ze zei het vlug, lachend. Ze gooide haar jurk op de houten tafel. Ze keek hem ernstig aan en lachte weer. Zijn ogen waren donker.

'Ja.' Hij knikte.

Ze liep naar de oever met de grote stenen. Het eerste contact met het water deed haar naar adem snakken. De afgelopen twee dagen waren er grote temperatuurverschillen geweest, dan had de zon geschenen, dan had het weer geregend. In de schaduw van de bomen was het koud geweest, op het gras, in de zon, was het warm.

De stenen schraapten onder haar voeten. Ze begon te zwemmen, ze zag haar voeten als bleke, glinsterende vissen in de diepte, bij haar enkels leken ze los te staan van haar lichaam.

Morris Soma was weggelopen en op de grote steen gaan zitten. Hij had zijn schoenen uitgedaan. Hij zat met zijn tenen te wiebelen. Hij glimlachte naar haar en keek op zijn horloge. Ze was niet de enige die maar een half uur had.

Hij dook ineen toen hij een geluid achter zich hoorde. Hij staarde naar een plek ongeveer veertig meter verderop, waar een overwoekerd pad eindigde tussen het kreupelhout en een paar jeneverbesstruiken, hij stond op en liep er op blote voeten heen, helemaal tot aan het eind van het pad dat stopte op een kleine open plek in het struikgewas.

In het midden lag een omgevallen boom. Daarnaast lag een grote steen waaromheen margrieten groeiden. Ze waren verlept en verdroogd.

Lilly keek hem na. 'Waar ga je heen?' riep ze.

Hij draaide zich naar haar om en maakte met zijn hand een gebaar dat ze stil moest zijn.

Lilly waadde weer naar de kant. Een eindje verderop zag ze iets aan de kant in het water drijven. Ze strekte haar hals en zag dat het een dode meeuw met een gebroken vleugel was. Ze staarde naar het bos, zag de rug van Morris Soma tussen het groen verdwijnen. Tegelijk kwam tussen een paar struiken die een eind verderop over het water hingen een boot tevoorschijn. In de boot zaten twee mannen.

De vrouw las hardop, met een Zuid-Zweedse tongval. 'Dit is een uittreksel uit de kerkboeken. Britt Else Bubergs moeder heette Eva Louise Hannah Buberg, geboren 1932, gestorven 1955.'

'Gestorven in 1955. Ze was dus vier jaar toen haar moeder stierf.' Marian Dahle keek naar Cato Isaksen en kwam tot de conclusie dat het Zuid-Zweedse dialect verschrikkelijk klonk. Ze wendde zich weer tot de vrouw. 'En de vader?'

'Ik vind niets over een vader, dus dat betekent waarschijnlijk dat de vader onbekend is. En als je naar de jaartallen kijkt, was de moeder nog maar negentien toen ze werd geboren. Dan kun je je dus voorstellen...'

'Kunnen we het dossier zelf doornemen? Misschien kunt u kopieën voor ons maken.' Marian Dahle keek haar afwachtend aan. 'Ze werd geadopteerd door ene Oluf Carlsson. Kunt u meer over hem vinden?'

'Helaas, dit zijn vertrouwelijke documenten. Dat zie ik nu. Ik heb al te veel gezegd. Ik weet dat jullie van de politie zijn, maar ik neem niet de verantwoordelijkheid om dit af te geven.' Ze sloeg de map met een klap dicht. 'Dat betekent dat jullie een speciale toestemming moeten hebben van de Zweedse politie. Ik zal contact met hen opnemen, dan kan ik de papieren later opsturen.'

'Maar we hebben toch een fax van de Zweedse politie,' zei Cato Isaksen verbaasd. 'Het is toch niet mogelijk dat hier zo'n probleem van wordt gemaakt?'

'Toch wel, hier staat dat het vertrouwelijke documenten zijn. Ze zijn gestempeld door de Voogdijraad. Ik kan niet...'

'Maar we hebben die informatie nodig. Dit is meer dan dertig jaar geleden,' zei Marian Dahle. 'Wat er ook in staat, zo belangrijk kan het nu niet meer zijn.'

'Er staat ook niets bijzonders,' zei de vrouw. 'Dat is het niet. Maar jullie moeten officieel toestemming hebben, dan kunnen jullie alles krijgen.'

'Maar...' Cato Isaksen kreeg een diepe rimpel tussen zijn wenkbrauwen.

'Ik wil mijn baan niet kwijtraken. Natuurlijk krijgen jullie de papieren. Maar ik kan ze niet zonder meer afgeven, heb ik gezegd. Ik zal het vragen bij het bestuur van Västerborre, dan neem ik daarna weer contact met jullie op.'

'We gaan vanavond terug naar Oslo,' zei Marian Dahle teleurgesteld.

'Tja, ik begrijp het wel, maar ik moet toch vragen of jullie morgen contact

149

opnemen met het bestuur van de psychiatrische inrichting. Jullie kunnen ze bellen. Wij sluiten straks.'

Marian Dahle kneep haar lippen op elkaar. 'U bedoelt dat u weigert ons te helpen? Waarom?'

'Nee, dat is het niet' zei de vrouw vlug. 'Maar ik moet me aan de procedures houden.'

'Wij vatten het op als een weigering de politie te helpen. Dat is een bijzonder ernstige zaak.'

De vrouw voelde zich niet op haar gemak. 'Ik neem contact op met Västerborre en de politie en vraag of ze de documenten aan jullie doorgeven. Misschien lukt dat morgen nog.'

'Maar we rijden vanavond terug naar Oslo,' herhaalde Cato Isaksen. 'Hoe moeten we dit opvatten, als tegenwerking of gewoon als typisch Zweedse bureaucratische traagheid?'

'Als dat laatste,' zei de vrouw resoluut. Ze stond snel op en zette de map op een schap met kunststof mappen. Marian prentte de plek in haar geheugen.

'Wanneer krijgen we de papieren?' Cato Isaksen trommelde met zijn vingers op de balie.

'Het kan even duren. Een paar dagen of zo.'

'Een paar dagen?' Marian zuchtte mismoedig. 'We werken aan een moordzaak.'

De vrouw leek even onzeker. 'Ik ga bellen,' zei ze.

Marian ging weer op de stoel zitten en zette stoer haar ellebogen op haar bovenbenen. Ze keek voor zich uit. Cato Isaksen stond nog steeds bij de balie. De vrouw kwam weer terug. 'Jullie kunnen de documenten helaas niet meenemen,' zei ze resoluut.

Als scherpe speerpunten viel het zonlicht door het gebladerte in de boomtoppen. De twee mannen waren gekleed in shorts en hadden hun bovenlichaam ontbloot. In de verte klonk het geruis van de snelweg. Hij voelde de ruk aan het snoer. Het kleine visje bood nauwelijks tegenstand. Hij haalde het op, de vissenhuid was glad en bedekt met een dunne grijze slijmlaag die doorzichtig werd als hij het op zijn handen kreeg. Met een krakend geluid draaide hij het de nek om en gooide de dode vis in de emmer. 'Ik heb trouwens gisteren een adder op de picknickplaats gezien,' zei hij. 'Bij de varens, waar de wilde aardbeien staan.' Hij rook de rotte geur die van zijn handen kwam.

'Een grote?' William Pettersen keek hem aan.

'Ja, zo'n grote had ik nog nooit gezien.' Hij wilde lachen, maar het lukte niet.

'Pas op voor die steen. Die zwarte, daar.'

'Ik weet waar die steen ligt.' Lennart Hjertnes roeide de boot naar de oever. Uit het water steeg de zurige geur van wier op. Een plotselinge windvlaag scheerde over het wateroppervlak en creëerde duizenden dansende sterretjes. 'We gaan nog een keer het water op,' zei hij. 'Moet Ewald vanavond de boot hebben?'

'Weet ik niet.' Hij keek naar zijn sandalen. 'Ik ben in een plas modderwater gestapt. Mijn gymschoenen staan te drogen op de veranda bij de receptie.'

'Je moet wormen gebruiken, Lennart,' zei William Pettersen en hij keek hem aan. 'Dat doet je broer ook. Ewald gebruikt niet van die nepvliegen. Dan vang je alleen maar kleine visjes.'

'Nepvliegen... Wormen zijn voor losers. Ga me nu niet vertellen wat ik moet doen.' De spieren lagen als dikke kluiten om zijn bovenarmen, maar zijn vel werd te ruim.

'Rustig, Lennart. Er mag toch wel eens iemand iets tegen je zeggen? Je hoeft je niet altijd zo superieur op te stellen, alleen omdat jij dat winkeltje hebt en een mooiere auto dan Ewald.'

'Winkeltje...'

'Je weet dat Ewald vindt dat hij de winkel had... Je weet wel waarom. Na wat er toen is gebeurd.'

Hij deed een nieuwe vlieg aan de haak en wierp uit. 'Mooi dat je tevreden bent met de laarzen. Er is toen niets gebeurd,' zei hij. 'Ewald heeft het druk genoeg met het beheer van de camping elke zomer. Hij had het nooit gered met de winkel.'

William Pettersen zocht in zijn zak naar zijn sigaretten. 'Ze zijn warm, die laarzen die je me hebt geleverd. Niet bepaald zomerschoenen. Ewald heeft het trouwens verteld.'

'Wat?'

'Dat je boos werd toen hij je vertelde over de man in de lift. Dat hij alleen maar naar huis moest om...'

'Dat is zijn probleem.' Lennart Hjertnes staarde naar het water.

William Pettersen gluurde naar hem. 'Had die man in de lift iets met die vrouw op de zesde te maken?'

'Ik heb beet.'

'Had hij dat?'

'Dat zou jij dan moeten weten, William. Denk je aan iets speciaals?'

'Je geeft geen antwoord op mijn vraag.' William Pettersen hield zijn blik vast en doopte zijn vingers in het water.

'Ik heb antwoord gegeven op je vraag. Ewald heeft hem gezien. Ik niet.' Hij hoorde een geluid en draaide zich snel om. Ineens zag hij een stuk verderop Lilly Rudeck zwemmen. De donkere man zat op een steen naar haar te kijken.

Het moest een boze maskerade van het lot zijn, dacht hij. Lilly's manier van lopen, haar jurk, schoenen en haar. Haar hele wezen. Het was een schok geweest, dat met die man in de lift. Een verschrikkelijke schok. Alles kwam weer terug.

William Pettersen begon zijn visspullen in te pakken. 'Zullen we straks weer teruggaan?'

Hij wendde zich af, gaf geen antwoord op de vraag. 'Heb je trouwens aan de politie over de man in de lift verteld, dat Ewald hem heeft gezien?'

'Toen ik verhoord werd?'

'Ja.'

'Nee. Ik heb er niets over gezegd. Heeft het iets met de zaak te maken, Lennart? Is dat het?'

'Nee. Ik vroeg me alleen af wat Ewald dacht.'

'Dat kun je hem toch vragen?'

'Nee.'

Lilly Rudeck zwom terug naar de oever bij de picknickplaats. De mannen in de boot keken haar na.

William Pettersen glimlachte en trok zijn shirt aan. Hij had erop gezeten. 'Wat is er?' vroeg hij.

'Ewald moet die donkere niet,' zei Lennart Hjertnes en hij knikte naar de man op de steen.

William Pettersen stak een sigaret op. 'Als ik naar dat meisje kijk dat daar zwemt, moet ik aan jullie moeder denken. Ik herinner me de zure geur in jullie keuken nog.'

De boot dreef naar de oever. Helemaal tegen de kant, zachtjes. Hij draaide rond. Hij stak een hand uit en trok wat fluitenkruid uit de losse grond. Hij sloot zijn ogen en had het gevoel dat hij viel. Toen haalde hij met een harde ruk het snoer op. 'Gaan we nog vissen of niet?'

'We houden er zo mee op,' zei William Pettersen. 'Het is vreemd...'

'Wat is vreemd?'

'Ze lijkt op jullie moeder. Daarom moest ik aan die keuken denken.'

Lennart Hjertnes draaide zich om en zond hem een ijskoude blik. Wat hij zag deed hem van de ene dimensie in de andere tuimelen. 'Het was het ergst voor Ewald,' zei hij en hij pakte een van de roeispanen en zette die in het water. Hij duwde voorzichtig en de boot veranderde van koers.

'We gaan het niet halen, Marian. We moeten ook nog met die Oluf Carlsson praten.' Cato Isaksen voelde zijn buik knorren van de honger. 'Ik heb verdomme totaal geen zin om hier te overnachten.'

'Ik ga weer naar binnen,' zei ze en ze keek naar de afgebrokkelde asfaltrand langs de droge berm met stenen. Er reed een auto langs.

'Nu? Weer naar binnen? Waarom?'

'Natuurlijk gaan we hier niet overnachten, Cato. Jij gaat terug naar je terras. En ik ga naar Birka.'

'Maar, waarom...'

'Ik wil alleen dat dossier hebben.'

'Nee, Marian. Ik ga terug naar het politiebureau. Dan komt het wel in orde. Je krijgt het toch niet zonder toestemming. Zo gaan die dingen niet.'

'Zo gaan ze wel. Ik doe net alsof ik de fax kom halen. Zij heeft de fax van de politie in Stockholm nog.'

'Marian...'

'Oké, ga dan maar naar het politiebureau, maar ik moet sowieso nog naar het toilet. We zien elkaar weer bij de auto.'

*

Cato Isaksen liep de straat door en ging de trap weer op naar het kleine politiebureau. Het was een paar minuten voor vier. De zon brandde in zijn nek. Hij opende de deur en liep naar binnen.

De luxaflex was half dicht en tekende grote zwarte en witte strepen op de linoleumvloer. De dienstdoende agent, dezelfde als zojuist, keek naar hem op en knikte.

'Daar ben ik weer,' zei Cato Isaksen.

Op de vensterbank stonden een paar verdroogde potplanten. Hij legde de situatie uit. 'Zijn ze al terug van dat zwemongeluk?' vroeg hij. 'Ik moet die toestemming hebben zodat we het dossier van die Britt Else Buberg mee kunnen nemen. We zijn helemaal uit Oslo gekomen.'

'Ze zijn weer weg,' zei de politieman, 'maar het papier ligt hier voor u klaar. Ik zoek het even op.' Cato Isaksen liet zijn schouders zakken en keek op zijn horloge. 'Ik ben bang dat we hier moeten overnachten.'

'Dat kan wel moeilijk worden,' zei de man en hij gaf hem het papier aan. ''s Zomers is alles bezet. Maar ik weet een adres. Misschien dat zij een kamer vrij hebben. Het is op een boerderij, "Kronkärrs" heten ze.'

'Kronkerrs,' herhaalde Cato Isaksen. 'We willen het liefst vandaag nog terug, maar waar is het?'

'Een klein stukje de stad uit. Sla rechts af op de kruising na het grote museum en rij een paar kilometer naar het westen. Dan ziet u het bord.'

'Dank u wel,' zei Cato Isaksen. 'Kunt u me ook nog vertellen waar ene Oluf Carlsson woont? Ik heb hier het adres.' Hij legde het uitgevouwen papier op de donkerbruine balie. 'Lamberts allé 5,' zei hij.

'Dat is het bejaardencentrum. Twee minuten met de auto. Naar links, voorbij het standbeeld van Picasso.'

'En Södergatan 12, kunt u me dat ook vertellen?'

*

Marian Dahle liep de hoofdingang weer door. Voor haar liep een moeder met een puisterige tienerzoon. In de gang bleef ze achter hen lopen. Door het geribbelde glas zag ze de contouren van de blonde vrouw, gebogen over het toetsenbord voor de computer. De moeder en zoon liepen de wachtkamer in en namen plaats op de stoelen langs de wand. Marian Dahle wachtte in de gang. Ze had een droge mond en was misselijk van de honger.

Ze wachtte tot de moeder en zoon bij de balie stonden. Op het moment dat de vrouw met de blauwe ogen opstond om iets uit een andere ruimte te halen, liep Marian Dahle om de glaswand met het geribbelde glas heen, glimlachte even tegen het tweetal dat op hun informatie stond te wachten, liep resoluut naar de balie en stond er in een mum van tijd achter. 'Hallo,' zei ze tegen de moeder en zoon. Ze gaven geen antwoord. Ze pakte de fax en trok de map van de plank. 'Vergeten,' glimlachte ze en knikte even. 'Warm, hè?' De puistige jongen keek haar slaperig aan. 'Goedemiddag,' zei ze en ze liep snel de ruimte uit en terug door de gang.

Uit het zicht propte ze het dossier achter de band van haar broek en trok haar T-shirt eroverheen. Brutalen hebben de halve wereld, dacht ze, niemand kan mij verwijten dat ik niet durf. Ze liep door de vensterloze gang en door de hoofdingang van eikenhout en glas naar buiten. De zon stond als een brandglas aan de lichtblauwe hemel. De eikenhouten deuren sloegen als twee vleugels achter haar heen en weer.

Lilly Rudeck keek naar de witte gymschoenen die stonden te drogen op de verveloze veranda voor de receptie. Haar eenzaamheid was voorbij. 'Soma,' mompelde ze aarzelend voor zich uit. Zo zou ze hem noemen. Het was een mooie naam. Zijn lakschoenen zaten zo krap. Ze kon zien dat zijn voeten pijn deden. Hij had andere schoenen nodig. Hij werkte tenslotte de hele dag bij het benzinestation.

Ze bond met een blauw elastiek haar natte haar in een paardenstaart. Julie en Shira waren vandaag iets eerder naar huis gegaan. Ze zou de douches schoonmaken. Een autoportier werd dichtgesmeten. Ze draaide zich snel om. Haalde moeizaam adem. Ewald Hjertnes was nergens te zien. Ze keek nog een keer naar de schoenen. Ze leken Morris Soma's maat te zijn. Eén schoen zat onder de modder. Ze keek nog een keer snel in het rond en zette de emmer op het gras. Het bos was nat geweest na de regenbui, maar nu was het weer opgedroogd. Ze verschoof de schoenen voorzichtig een stukje, pakte er een op, draaide hem om en zette hem weer neer. Maat vierenveertig. De cijfers brandden op haar netvlies. Het waren Nikes. Ze waren van de broer van de campingeigenaar. De man die nooit een woord zei, die alleen maar in zijn campingstoel zat en haar met zijn ogen volgde. Die woonde in de camper aan het strand. Die het bos in liep naar de boot bij de picknickplaats om te vissen. Ze was hem een aantal keren op het pad tegengekomen. Lilly mocht hem niet. Ze mocht de motorman in zijn zwarte leren pak ook niet. En vandaag waren ze langzaam in een boot aan komen glijden toen zij aan het zwemmen was.

Lilly keek vlug om zich heen, gooide het water uit de emmer op de grond, bukte zich en greep de schoenen. Ze stopte ze snel in de emmer. Op de bodem lag een dikke gele laag groene zeep.

Twee eenden vlogen suizend het bos in en landden bij de berkenboom waaronder een grote plas was ontstaan. Ze voelde ineens de koude trek in de lucht. Het voelde koel aan tegen de brandende huid van haar gezicht.

Ze meende even zichzelf van afstand te kunnen zien toen ze langs de bruine wand glipte met de emmer tegen zich aangedrukt. Ze hoorde een geluid en bleef staan. Ze dacht aan Morris Soma. Er kraakte iets. In de struiken langs de bosrand. Een tak. Was hij nog niet teruggegaan naar het benzinestation?

'Soma?' zei ze aarzelend. Niemand gaf antwoord. Ze wachtte een paar tellen en liep toen de doucheruimte binnen. Ze liet de grote bak vol water lopen. Ze liet de kraan stromen en stopte de schoenen in het water. Ze schrobde ze schoon met de borstel. Vannacht zou ze goed slapen. Soma, dacht ze. Wat zou hij blij zijn met de schoenen.

Later stak ze de sleutel in het slot van haar kamerdeur en gooide de natte schoenen uit de emmer, direct achter de deur. Het was zo warm dat ze morgen wel droog zouden zijn. Ze verheugde zich nu al.

Haar smalle bed was onopgemaakt; over de rugleuning van de keukenstoel hing haar nachtpon. Op de vloer lag nonchalant een bh. Het was de lichtblauwe bh, ze moest hem wassen. Haar koffer stond in de hoek bij het raam. Hij was open maar niet uitgepakt. Je kon zien dat hij in grote haast was dichtgegooid, een stuk van een kous hing eruit. Ze had ineens het gevoel dat ze moest overgeven. Er was iemand in haar kamer geweest.

Cato Isaksen gaf haar de door de politie gestempelde verklaring. 'Nu kun je de map gaan halen. Je hebt nog drie minuten voor sluitingstijd.'

'Hoeft niet meer,' zei Marian en ze keek de andere kant op. 'Ik heb de map al.' Ze trok het dossier uit haar broeksband en op hetzelfde moment drong het lawaai van het verkeer op straat tot haar door. Het geluid hamerde in haar oren.

'Marian. Hoe heb je... heb je hem meegenomen? Zo gaan wij niet te werk.'

'Niet iedereen is hetzelfde, Cato. Dit is mijn manier van werken.'

'Daar gaat het niet om, Marian. Het gaat erom dat je je werk fatsoenlijk doet.' Hij draaide zich om en liep haar achterna over het trottoir. In een etalage stond een naakte etalagepop. Toeristen en andere zomers geklede mensen slenterden over de stoep. Een kind, een jongen met gitzwart haar, liet een bal de straat op rollen. Zijn moeder liep er achteraan om hem op te pakken.

Marian wierp een blik op de naakte pop. 'Het verschil tussen slagen en mislukken zit niet in het aantal afwijzingen, maar hoe je ermee omgaat,' zei ze koortsachtig. 'Hou altijd rekening met afwijzingen en weigeringen.'

'Voel je je wel helemaal lekker?' vroeg Cato Isaksen geërgerd. 'Heb je een zonnesteek opgelopen? Gaat dit nog steeds over dat hoekkantoor?' Hij had moeite om haar bij te houden.

Haar glimlach leek te zijn opgeplakt. Ze zei: 'Een of andere wijze man heeft gezegd dat je wordt wie je wordt, omdat je praat hoe je praat. Ik moet uitkijken, hè?'

'Waarom switch je van het ene gespreksonderwerp naar het andere?' Cato Isaksen liep snel achter haar aan. 'We moeten iets gaan eten.'

'Als Britt Else Buberg nu maar was verkracht,' babbelde ze verder, 'dan hadden we iets om achteraan te gaan. Als ze door iemand was gevolgd, toen ze naar binnen ging, dan hadden we misschien een spoor gehad.'

'Marian!'

Ze bleef staan. 'Sorry,' zei ze. 'Ik heb honger en ik voel me gespannen. Heb je nog nooit eerder te maken gehad met hongerige vrouwen?'

Cato Isaksen keek haar glimlachend aan.

'Als ik gestrest word, word ik gek,' gaf ze toe.

'Marian...'

'Altijd als je over een probleem praat, creëer je het probleem opnieuw. Ik word stapelgek van deze zaak,' zei ze.

*

Toen hij de weg opdraaide, voelde hij de stoelzitting in zijn rug branden. De zon, die door het zijraampje naar binnen scheen, stak op zijn wang. 'Waar gaan we heen?'

'Naar het Västerborre-ziekenhuis of naar Södergatan 12. Of naar Lamberts allé 5.'

'Wat zal er gebeuren als ze het ontdekken?'

'Het is allemaal zo'n onzin. Als we steeds moeten wachten, komen we nergens. Ik vraag wel of Irmelin Quist de map terugstuurt als we weer thuis zijn. Ik moest onze fax toch weer ophalen? Die moeten we in het ziekenhuis laten zien.'

'Irmelin Quist?'

'Ja, dat lijkt wat professioneler. Zij regelt toch ook de documenten die uit het Rijksarchief moeten komen. Als we klaar zijn, sturen we alles terug. We moeten Carlsson vinden. Dat gaan we nu doen.'

'Je weet dat...'

'Ja, ja, Cato... ik weet het. Dit is geen spelletje. Maar ik neem de verantwoordelijkheid op me.'

'Ja, ik wil niet...'

'Rij naar de Södergatan. Stop daarginds, dan gaan we een worstje kopen.' Ze knikte naar een grote kiosk, opende het dossier, bladerde snel door de papieren en pakte een willekeurig rapport.

07-01-1973
Britt Else Buberg, geboren 07-10-1951, heeft vandaag van het psychiatrisch team de aanbeveling gekregen voor privéverpleging. Het team heeft unaniem toegestemd omdat Buberg geen ouders of familieleden heeft en ernstig psychisch ziek is. Ze vertoont volgens haar arts Oluf Carlsson duidelijk verbetering tijdens korte bezoeken bij hem en zijn vrouw thuis. Omdat ze zelf geen kinderen hebben en zijn vrouw het meisje graag bij haar thuis heeft, hebben zij 03-11-72 een aanvraag ingediend tot herziening van de psychische verzorging van de jonge vrouw.

Ze bladerde snel een paar bladzijden verder. Er was een handgeschreven rapport van een of andere arts, ondertekend met de initialen L.H.B. Het rapport was gedateerd in 1968. Het leek te gaan om een acute opname en de initialen waren van de dienstdoende arts. Ze rekende snel uit dat Britt Else Buberg zestien en een half was geweest toen ze was opgenomen.

*

'Hier woonde Britt Else Buberg,' zei Cato Isaksen en hij slikte het laatste stuk van het warme worstje door. Hij remde af voor een groot wit huis in een stille, uitgestorven straat. 'Södergatan 12. Hier is het. Wat stond er in de papieren?'

'Allerlei details. Ik heb nog niets belangrijks gezien. Ik stap uit en ga aanbellen.' Ze pakte de papieren bij elkaar, wierp het worstenpapiertje op de vloer en maakte de veiligheidsriem los. 'Wat een mooi huis, en een mooie wijk,' zei ze. 'We moeten later maar naar die documenten kijken. Ik heb eigenlijk niets bijzonders gezien.'

'Er staan zelfs zuilen naast de voordeur,' zei Cato Isaksen. 'Maar er moet nodig geschilderd worden.'

'Zet de auto maar tegen de stoeprand. Ik stap uit en ga kijken.' Ze gooide de map op de achterbank, opende het portier en stapte uit.

Cato Isaksen bleef in de auto zitten en volgde haar rode rug. Marian Dahle keek naar beide kanten en stak op een draf over. Er was geen mens te zien in de straat met het grauwe asfalt en de hoge heggen.

Op de trap stond een beige kruik met een conifeer. Op het messing plaatje stond een andere naam, geen Buberg of Carlsson. Natuurlijk stond er geen Buberg of Carlsson, dacht ze. Het was al vierendertig jaar geleden dat Britt Else Buberg naar Noorwegen was verhuisd. Maar waarom heette ze geen Carlsson als ze geadopteerd was? Wanneer werd ze geadopteerd? Was ze nog een kind, of was ze al zo oud dat het niet meer voor de hand lag om van naam te wisselen?

Ze belde aan en hoopte eigenlijk dat niemand de deur zou openen, dat er binnen geen voetstappen te horen zouden zijn. Ze had nog steeds honger. Haar longen schreeuwden om een sigaret.

Ze boog over het houten hekwerk heen en probeerde naar binnen te kijken door, waarschijnlijk, het keukenraam. Ze stond op haar tenen op de trap, maar het was te hoog. Een appelboom weerspiegelde in het raam en verstoorde het zicht. Ze liep de trap weer af, de hoek van het huis om en over een klinkerpaadje tussen welig bloeiende struiken door naar de achterkant van het huis. De achtertuin was mooi. Niet zo heel erg groot, maar volkomen beschut door een hoge heg. Een stenen terras nam de halve tuin in beslag.

Het was niet moeilijk te constateren dat Södergatan 12 werd bewoond door een gezin met kinderen. Op het groene gazon lagen plastic speeltjes en kleine autootjes. Een opblaasbaar rood en geel zwembad stond halfvol met

water waarin plukken gras dreven. Op de tuintafel lag wat in stukjes gesne-
den fruit op een bord. Vliegen en wespen hadden zich op het bord verzameld
en maakten een intens zoemend geluid.

'Karin en Oluf Carlsson kregen uiteindelijk toch nog een kind.' De magere vrouw in haar turkooizen zomerjurk drukte haar tas tegen haar lichaam. 'Ik woon al vijftig jaar in deze straat. Ik ken iedereen. Karin en Oluf hadden het mooiste huis.'

Marian Dahle stond met haar rug naar Södergatan 12. De vrouw woonde in het huis aan de overkant.

Cato Isaksen zat nog steeds in de auto. Hij had Roger Høibakk aan de telefoon. Hij vertelde dat ze nog niet met Oluf Carlsson hadden gesproken en dat ze wel moesten blijven overnachten.

'Ze waren dolgelukkig toen het eindelijk gebeurde,' zei de vrouw en ze keek naar Marian Dahles scheve ogen. 'Kom je uit Japan?' vroeg ze en ze veegde een paar grassprietjes van haar jurk.

'Nee,' zei Marian en ze wierp een blik op Cato in de auto. Het was duidelijk dat hij iets belangrijks te horen kreeg over de telefoon. Ze wendde zich weer tot de buurvrouw en haalde een fotootje van Britt Else Buberg uit haar zak. 'U bedoelt dat ze uiteindelijk een adoptiedochter kregen? Zij hier, Britt Else Buberg.' De oude vrouw boog voorover en keek met samengeknepen ogen naar de foto. Ze zag niet dat de vrouw op de foto dood was.

De vrouw hield haar ogen even op de foto gericht. 'Tja, misschien,' zei ze. 'Maar het is al lang geleden. Die vrouw is toch niet zo jong meer?'

'Nee, het is meer dan dertig jaar geleden.'

'Ik kan me wel een jong meisje herinneren. Er woonden hier een tijdje een paar jonge meisjes.'

'Een paar jonge meisjes?'

'Ja, maar ik dacht niet aan hen toen ik dat van dat kind zei. Ze kregen ten slotte een zoon. Ik bedoel hun zoon Tomas. Karin was al tweeënveertig toen hij eindelijk kwam. Ze hadden het zo lang geprobeerd. Hij is nu een jaar of vierendertig. Karin stierf tien jaar geleden. Oluf zie ik nog wel eens in de stad.'

'We willen met hem praten,' zei Marian en ze keek door de lege straat.

'Tja, hij woont beneden in Lamberts. Een mooie plek voor oudere mensen. Ik ga me ook inschrijven. Maar nu moet ik naar mijn man, hij wacht met de koffie.' Haar man kwam in de deuropening aan de overkant van de straat tevoorschijn, met in elke hand een kop koffie.

'Maar weet u of de Carlssons Britt Else Buberg hebben geadopteerd? Hebt u haar daarna nog gezien?'

'Nee, daar weet ik niets van. Ik heb die jonge vrouw niet meer gezien sinds ze vertrokken is. Maar ik weet wel dat ze opgelucht waren toen ze wegging. Dat was ook wel te begrijpen.'

*

Terug in de auto zei ze: 'Zullen we eerst naar Carlsson gaan en dan naar het ziekenhuis? Ik wil liever niet blijven overnachten. Jij toch ook niet?'

'Maar we halen het niet allemaal vandaag, Marian. We moeten wel blijven overnachten.' Cato Isaksen kneep in het stuur. 'Roger vertelde dat ze hebben ontdekt dat Astrid Wismer Bubergs appartement betaalde.'

'*Now we are talking.*' Marian maakte met haar vingers het V-teken. 'Waarom in vredesnaam... Kom op, rijden.'

'Het appartement is zes jaar geleden contant betaald. Wat zei die vrouw in die vreselijke blauwe jurk?' Cato Isaksen draaide de contactsleutel om.

Marian deed haar gordel om. 'Nu moet ik snel een sigaret hebben. Of iets te drinken, wijn, sterkedrank, nicotinekauwgom, het doet er niet toe.'

'We rijden naar het overnachtingsadres.' Hij trok langzaam op. 'We ontdekken steeds meer. Vertel eens wat die vrouw zei.'

'Oluf Carlsson had niet alleen een adoptiedochter, maar ook een zoon. Zijn vrouw kreeg het kind toen ze tweeënveertig was. Maar we moeten nu snel iets te drinken hebben. Die worstjes waren zout.'

'Ja,' zei hij.

'Ik probeer Oluf Carlsson te bellen.' Marian Dahle toetste zijn nummer op haar mobiel. Ze hield het toestel tegen haar oor. Geen antwoord. Ze keek op haar horloge. 'We gaan eerst naar het ziekenhuis,' zei ze vermoeid en ze voelde nog steeds de honger. 'Dan gaan we daarna naar die pensionboerderij.'

*

Het Västerborre ziekenhuis was opgeknapt en uitgebreid. Het was een grijs gebouw aan de rand van de stad. Alle ramen op de begane grond hadden matglas. 'Ik betwijfel of we hier nu nog geholpen worden. Het is zes uur.' Cato Isaksen wreef in zijn handen.

Het gebaar irriteerde haar. 'Die zoon van Carlsson moeten we ook proberen te traceren.' Ze opende het portier en stapte uit. Ze trapte bijna in een perk met doornstruiken.

Cato Isaksen liep achter haar aan over een plein met grote, platte stenen. Ze hoorde zijn voetstappen, zijn adem. Een jonge man met een baard en een doktersjas kwam de trap af toen ze naar boven liepen. Marian deed een stapje opzij om hem langs te laten. Onder de open jas droeg de dokter een ribfluwelen broek en een geruit overhemd.

Achter de houten receptiebalie zat een jonge vrouw met rechtgeknipt rood haar in een verpleegstersuniform. In een vitrine tegen de wand stonden voor de sier kleine bruine glazen kruiken. De wand naar de achtertuin was helemaal van glas. Er hingen doorzichtige, grijsgele gordijnen voor.

Toen Cato Isaksen uitlegde waarom ze waren gekomen, raakte de vrouw in de war. 'We hebben hier op psychiatrie natuurlijk een crisisopvang,' zei ze en ze volgde met haar ogen een arts die haastig met open jas langs liep. 'Maar natuurlijk werkt daar nu niemand meer uit die periode.'

'Ik heb een contactpersoon doorgekregen tot wie we ons moesten wenden,' zei Marian Dahle en ze toetste iets in op haar mobiel. 'Gustav Thorn,' zei ze.

'Juist,' zei de vrouw. 'Dat is de directeur van het ziekenhuis.' Een mannelijke verpleger liep voorbij. Hij duwde een leeg bed voor zich uit. De vrouw keek hen aan. 'Zowel dokter Thorn als de dienstdoende arts zijn al weg en ik weet niet of iemand anders jullie kan helpen. Maar ik begrijp dat jullie vooral geïnteresseerd zijn in het archief, en dan hoeven jullie toch niet met een arts te praten?'

'We hebben alleen informatie nodig over een patiënt,' zei Cato Isaksen.

Ze stond op en klopte voorzichtig op een deur achter de receptie. Daarna opende ze de deur zonder op antwoord te wachten. 'Er zijn hier een paar mensen van de politie uit Noorwegen.'

Cato Isaksen en Marian Dahle keken tegelijk naar de deur waardoor de vrouw was verdwenen. Ze kwam weer terug en zei: 'Jullie moeten morgen terugkomen. We zijn op de hoogte gesteld van jullie komst, maar Gustav Thorn is al naar huis.'

Cato Isaksen zuchtte teleurgesteld. 'Hebben jullie geen kopieën van haar medisch dossier? We hebben immers een afspraak dat we die zouden krijgen. We zijn helemaal uit Noorwegen gekomen.'

Marian nam het over: 'Ene Oluf Carlsson werkte hier in de jaren zeventig. Hij was afdelingshoofd. Jullie moeten toch iets over hem hebben. En over Britt Else Buberg, die hier tenslotte bijna vijf jaar is geweest.'

'Verdomme,' riep Cato Isaksen en hij reed om een auto met caravan heen die aan de rand van de weg was gestopt.

'Wat? Wat is er?' Marian Dahle keek op uit de papieren. Door de warmte van de stoelzitting stond het zweet op haar rug.

'Kijk dat bord!'

Marian staarde naar een groot blauwgeverfd houten bord. 'KONKÄRRS FÅR-GÅRD,' las ze.

'Precies,' zei Cato Isaksen, 'een schapenboerderij. Dat hebben wij weer!'

Ze reden verder over het klinkerstraatje tussen de lindebomen. Een eindje verderop zagen ze een conciërgewoning. En nog een bord: PAARDEN EN HONDEN WELKOM!

Marian Dahle barstte in lachen uit. De lach kwam helemaal uit haar buik en ze kon niet meer stoppen. Ze sloeg zich op haar dijen.

Het hoofdgebouw lag vijftig meter verderop. Fruitbomen en een dicht loofbos werden verderop afgewisseld door sparrenbomen. Daarachter lagen vlakke landerijen, kilometers landschap. Het was een veeteeltbedrijf en verschillende stukken land waren omheind. Schapen, varkens, kippen en paarden liepen door elkaar. En kinderen. Een stuk of tien kinderen speelden op een klimrek.

'Je kunt zelfs je eigen paard meenemen,' gilde Marian. De papieren uit de map vlogen in het rond. 'En honden. We hadden Birka gewoon mee kunnen nemen, Cato. Dat hadden we best kunnen doen. Nu moet ik een sigaret hebben, anders spring ik op een paard en ga ik er vandoor.'

Cato Isaksen veegde vermoeid een hand over zijn voorhoofd. Hij glimlachte. 'Het is niet te geloven, Marian, waar jij me in meesleept. Ik moet ook iets te drinken hebben.'

'Waar ík jou in meesleep? Het is toch niet mijn schuld dat een of andere tante uit Zweden van de zesde verdieping valt? En dat ze helemaal geen *fucking* familie heeft. Dat alles wat met haar te maken heeft, kant noch wal lijkt te raken? Dat die Oluf Carlsson niet te pakken te krijgen is en die verdomde Zweedse bureaucratie alles zo moeilijk maakt?'

'Dankjewel voor deze filosofieles.' Cato Isaksen stopte op het erf, naast vijf andere auto's.

'Ik zeg het nog eens, nu wil ik iets drinken,' zei hij. Hij draaide de contactsleutel om en stapte uit.

Een vrouw van een jaar of veertig met zwart haar kwam naar buiten om de dieren te voeren. Ze droeg in elke hand een rode emmer en had groene rubberlaarzen aan haar voeten. Ze bleef staan en glimlachte. 'Jullie hebben geluk, we hebben nog één kamer vrij. Alle andere zijn verhuurd.'

De afschuw klonk door in Cato Isaksens stem. 'Zijn het wel eenpersoonsbedden?'

'Het zijn eenpersoonsbedden,' zei de vrouw en ze keek hem met een listig glimlachje aan.

Marian Dahle drukte de map met documenten tegen haar borst. Ze voelde de warmte naar haar hoofd stijgen. 'Hebben jullie wijn?' vroeg ze.

'O ja, zo veel jullie willen. Loop maar naar binnen, mijn man zal jullie de sleutel geven. Hij is in de keuken.'

'Mooi,' zei Marian. 'Dan bestellen we tegelijk een fles wijn. Hebben jullie witte, Italiaanse wijn?'

'Nee, het is geen fijnproeverij hier. We hebben maar één soort.'

'En dat is?'

'Een Franse tafelwijn.' De vrouw glimlachte even. 'Praat maar even met mijn man.'

Cato Isaksen knikte even. 'En kunnen we ook iets te eten krijgen? We hebben reuzehonger.'

'We hebben gehaktballen of haring met brood.'

'Zweedse gehaktballen zijn heerlijk.'

'Natuurlijk. Jullie kunnen in de keuken eten. De keuken is het hart van het huis. Ik ben over tien minuten terug. Dan ga ik eten koken. Hebben jullie bagage?'

'Nee, niets,' zei Marian Dahle.

Roger Høibakk keek Randi Johansen aan. De grijze civiele politieauto waarin ze zaten, stond geparkeerd voor de Nordbergveien 68. 'Dat was Cato, ze moeten in Kristinehamn overnachten,' zei hij en hij keek in de achteruitkijkspiegel even naar zijn donkere haar.

'Die twee? Samen? Allemachtig.' Randi stapte uit. Roger deed hetzelfde.

Ze keek naar het huis. Een rood, vierkant houten huis. De beits was van ouderdom lichter van kleur geworden en de horizontale planken waren droog en hier en daar kromgetrokken en losgesprongen uit de wand. Tussen de stenen voor de voordeur groeide gras en mos.

'We moeten met ons bezoek aan Wismer wachten tot Cato terug komt. Hij weet hoe hij haar aan moet pakken.'

Roger knikte.

Een stel jongens van een jaar of twaalf speelde verderop in de straat een potje voetbal. Het lawaai van hun stemmen en gelach klonk het ene moment luid en even later weer zacht.

'Hier woonde Astrid Wismer dus tot een jaar of zes geleden,' zei Randi. 'Het ziet er donker uit. Er is duidelijk niemand thuis. Hebben Marian en Cato nog iets ontdekt in Zweden?'

'Weet ik eigenlijk niet,' zei Roger Høibakk. 'Volgens mij wisten ze het zelf ook niet. Het ziet er inderdaad leeg uit.' Randi Johansen liep de tuin in, het trapje op en belde aan. Er deed niemand open. Ze liep de hoek om en via de stenen trap naast het huis naar beneden. Roger kwam haar achterna.

De tuin lag op verschillende niveaus. Onder de veranda bevond zich een apart souterrain met een eigen ingang.

Aan de andere kant van de haag stond in de tuin van de buren een vrouw naar hen te kijken. Randi Johansen boog wat takken opzij en toonde haar legitimatie. Ze zag iets uit de struiken wegvluchten, waarschijnlijk een kat. Ze vroeg de dikke vrouw of ze haar een paar vragen mocht stellen.

'Wat doen jullie hier?' vroeg de vrouw.

'We zijn hier in verband met een zaak. Astrid Wismer heeft hier een aantal jaren geleden gewoond. Ze is niet direct bij de zaak betrokken, maar het gaat om iemand die ze kent. Hoe lang woont u al hier?'

Roger Høibakk kwam de trap af. De vrouw keek hem aan. 'Twaalf jaar,' zei ze.

'Dan kent u Astrid Wismer neem ik aan?' Randi Johansen wuifde een vlieg weg.

'Ja, uiteraard. Ik kende haar goed. Ze is naar een bejaardencentrum gegaan.'

'Ja, dat weten we. Bent u wel eens bij haar op bezoek geweest?'

'Ja, met kerst en zo. Het is zes jaar geleden dat het huis werd verkocht.'

'Woonde ze alleen in dit grote huis?'

'Ja, nadat haar man was overleden, woonde ze alleen. Maar ze verhuurde de benedenverdieping.'

'O, ja?'

'Aan een vrouw van middelbare leeftijd?' vroeg Roger Høibakk.

'Ja.'

'Weet u nog hoe die vrouw heette, of hoe ze eruitzag?'

'Tja, wat zal ik zeggen... ze zag er eigenlijk heel gewoon uit. Een blonde vrouw.'

Randi en Roger keken elkaar aan. Wismer en haar huurster waren dus tegelijk verhuisd, maar Buberg was niet blond.

Roger Høibakk nam het over: 'Weet u waar die vrouw gebleven is?'

'Nee, om eerlijk te zijn heb ik geen idee. Toen het huis werd verkocht, moest ze natuurlijk verhuizen. Astrid vertelde nooit iets over haar.'

'Kent u de naam Britt Else Buberg? Weet u iets van haar?'

'Ik heb die naam nog nooit gehoord,' zei de vrouw. Ze bukte zich en tilde een zwarte kat op.

'Hoe oud was die blonde huurster?'

'Tja, wat zal ik zeggen. Een jaar of veertig?' De kat spartelde. Ze bukte zich en liet hem weer los.

'Veertig...'

'Ja, zoiets. Maar het is al zes jaar geleden, dus ze is nu ouder.'

'Weet u of ze werkte?'

'Nee, dat geloof ik niet. Ze zaten vaak samen in de tuin en zo. Eerst met zijn drieën. Rolf Wismer leefde toen nog.'

Cato Isaksen kreeg een telefoontje. Hij liep een eindje bij de auto vandaan en haalde vlug een hand over zijn kin. Een slechte gewoonte die hij zich had aangewend. 'Hallo Bente,' zei hij. 'Nee, ik heb wel even tijd. Nog een momentje.' Hij liep nog wat verder weg. In een klein hok knorde een varken en duwde tegen het houten hek.

'Waar ik ben? Je zult het niet geloven.' Terwijl hij het vertelde, begon hij te lachen. 'Alsjeblieft,' zei hij vermoeid. 'Dit is niet echt een plezierreisje. Ik verheug me erop dat je weer thuiskomt. Nee, ik ga geen kamer delen met Marian Dahle. Ik heb een verrassing voor je als je thuiskomt. Nee, zeg ik, als je je ergens geen zorgen over hoeft te maken is dat het. Nu ga ik Zweedse gehaktballetjes eten en wat dossiers doorlezen.'

*

De houten wanden waren zachtroze geverfd. Cato Isaksen lag op zijn rug te staren naar het plafond. Zijn broek hing over de keukenstoel bij het raam. 'De gehaktballetjes en de witte wijn waren heerlijk,' gaapte hij en hij keek naar Marian Dahle die in een nog smaller bed lag dan hij. Ze had haar rode T-shirt nog aan en ook haar broek. Ze had helemaal niets uitgetrokken. Aan de wand boven zijn bed hing een houtskooltekening van een teddybeer.

'We gaan morgen direct naar het Västerborre-ziekenhuis,' zei ze. 'Ik begrijp niet wat er speelde tussen Astrid Wismer en Buberg. Dat zij haar appartement betaalde. Waarom zou ze dat verborgen willen houden?'

'Misschien heeft het alleen maar met belasting en successierechten te maken,' zei Cato Isaksen. 'Je mag niet zomaar weggeven wat je wil. Ze heeft waarschijnlijk geen erfgenamen. Ik vind trouwens dat het hier naar koe ruikt.'

Marian glimlachte in het schemerdonker. 'Misschien ruik je mij wel. Ze hebben hier tenslotte geen douche. Ik vind dat het tussen ons wel goed gaat, Cato.'

Het licht dat door de kier tussen de blauw en mosterdgele gordijnen viel was grijs van kleur. Cato Isaksen krabde aan zijn neus. 'Geen commentaar,' zei hij. 'We moeten morgen eerst naar Oluf Carlsson. Wat denk jij dat er met Buberg is gebeurd?'

'Dat ze een kind kreeg en het misschien bij haar pleegmoeder achterliet? Dat ze naar Noorwegen verhuisde om te vergeten. Misschien dat haar pleegvader...'

'Je bedoelt dat die psychiatrische voogd de vader is van...'

'Ja, misschien. Er moet iets gebeurd zijn. Ik weet niet...'

'En die zoon... hoe heette hij ook alweer?'

'Tomas. Als we thuiskomen zal ik alles wat met hem te maken heeft natrekken. In die waskelder is iemand door het lint gegaan. Later heeft iemand haar van het balkon geduwd en de deur achter zich op slot gedaan. Ik denk dat het iets met die man te maken heeft, waar die buurvouw over vertelde. Misschien was dat Oluf Carlsson.'

'Buberg kan toch ook een kind hebben gekregen nadat ze naar Noorwegen is verhuisd.'

'Als die balkondeur niet op slot was geweest en ze geen blauwe plekken op haar armen had gehad, hadden we andere conclusies getrokken. Dan hadden we de zaak niet zo'n hoge prioriteit gegeven.'

'Dan hadden we waarschijnlijk gedacht dat ze vrijwillig was gesprongen.' Cato Isaksen sloot zijn ogen.

'Ja, maar die onscherpe foto verraadde alles.'

'Nu moeten we gaan slapen,' zei hij.

Marian Dahle gaapte. 'Ik ben doodmoe. Heb je die beer gezien die boven je bed hangt?'

'Ja. Ik had zo'n beer toen ik klein was.'

'Ik ook.' Haar stem klonk anders. 'Je snuffelt in mijn leven. Als je ooit nog een keer met mijn moeder praat...'

'Ik snuffel niet in jouw leven.' Zijn woorden bleven in de lucht hangen.

Marian staarde naar het raam. Het stond op een kier. Het gordijn wuifde zachtjes heen en weer. 'Toen ik vier was zei mijn moeder dat ik te oud was voor een knuffelbeer. Ze zei dat zij dat bepaalde. Ze stopte hem in de vuilniskoker.'

'Ik vraag me werkelijk af waarom je mij de hele tijd de oren van mijn hoofd kletst over je jeugd, Marian. Waarom praat je niet met een psycholoog?'

'Ik heb te veel gedronken. Jij bent geen goede luisteraar. Ze was zo oud geworden. Jij bent een grens overgegaan.'

'Marian... die obsessies van jou...'

'Je hoeft het met kinderen tenslotte niet zo nauw te nemen. Maar je hebt gelijk, Cato. Waarom praat ik in vredesnaam met jou over dit soort dingen.' Marian Dahle haalde hardhandig een hand door haar haar en wierp zich op haar andere zij, zodat ze met haar rug naar hem toe kwam te liggen. Plotseling schoot de melodie van het Zweedse lied dat werd gezongen tijdens de begrafenis van Buberg door haar hoofd. *Wat je me gaf, herinnert me aan jou. Als je ooit aankomt in Samarkand.* Een merkwaardige strofe. Ze staarde naar de houten wand. De noesten in het houtwerk vormden door de verf heen allerlei verschillende patronen. Twee noesten leken ineens een blik. Misschien had Samarkand iets met de pinkstergemeente of rare religieuze plaatsen te maken? Als ze thuiskwam zou ze het eerst nazoeken op internet.

Cato Isaksen draaide zich ook op zijn zij en bleef met zijn rug naar haar toe liggen. 'Welterusten dan maar.' Zijn dunne dekbed maakte een knetterend geluidje.

'Welterusten, *Mr. Perfect*,' zei Marian.

'*Mr. Perfect*? Waarom zeg je dat?'

Ze hoorde dat hij zijn hoofd van het kussen optilde en zich weer omdraaide.

'Omdat je voortdurend de indruk wekt de perfecte vader te zijn. Goedenacht!'

'Heb je met Randi gesproken?' Cato Isaksen hield zijn hoofd in dezelfde positie. Hij staarde naar haar rug.

'Nee, Randi heeft niets gezegd. Wat had ze moeten zeggen?'

'Ik ben niet bepaald de perfecte vader. Maar ik praat nooit over mijn kinderen tegen jou.' Hij vervloekte zichzelf dat hij door de jaren heen privé-informatie aan Randi had toevertrouwd.

'Britt Else Bubergs appartement is trouwens precies gelijk aan het appartement waar ik ben opgegroeid. Ik had dat kleine kamertje naast de keuken.'

'Dus daarom...'

'Daarom, wat?' Ze draaide zich weer naar hem toe. Ze kwam half overeind in haar bed.

Hij liet zijn hoofd weer op het kussen vallen. 'Nou ja, je wilde het appartement van Buberg niet binnen gaan.'

'Wílde ik het appartement van Buberg niet binnen gaan? Dat was niet nodig. Jij was er, Ellen, en nog tien anderen.'

'Je maakt je veel te druk, Marian. Kun je niet wat meer afstand nemen? Ik wil nu graag slapen.'

'Welterusten, *Mr. Perfect. The bitch is sleeping.*'

'Welterusten,' zei Cato Isaksen en hij staarde geïrriteerd naar het plafond toen plotseling, voor het raam, een koe loeide.

Oluf Carlsson woonde in een op een rijtjeshuis lijkende aanleunwoning. De kleine, gele appartementen waren rond een binnenplaats gebouwd. Er liep een veranda langs de hele buitenkant. De appartementen hadden uitzicht op het meer en de jachthaven. Ze vonden de deur met de naam van Oluf Carlsson op een grote messing naamplaat. Die had waarschijnlijk ook op de mooie deur van Södergatan 12 gehangen, dacht Marian. Er deed niemand open toen ze aanbelden.

Marian zuchtte. 'Hij doet niet open...'

Plotseling werd de deur met een ruk geopend en een oude man met een rechte rug en een gegipste arm in een mitella stond in de deuropening en keek hen vragend aan. Hij was lang, had dik grijs haar en droeg een sportieve broek. 'Goedendag,' zei hij snel.

'Goedendag,' zei Marian en ze zag dat hij een lelijke blauwrode bloeduitstorting aan zijn linkerslaap had.

'Wij zijn op zoek naar Oluf Carlsson. We zijn hier in verband met een moord in Noorwegen.' Cato Isaksen toonde zijn legitimatie, Marian Dahle deed hetzelfde.

Oluf Carlssons waterige blauwe ogen kregen een ijskoude trek. 'Ja, ik heb een telefoontje gehad. Ik ben Oluf Carlsson.'

'Ik heb u gebeld,' zei Marian Dahle. 'Mogen we binnenkomen?'

Oluf Carlsson staarde de politiemensen een paar tellen onvriendelijk aan. 'Ik ben een oude man. Ik kan hier niet tegen,' zei hij.

'Waar kunt u niet tegen?' Cato Isaksens jarenlange ervaring als rechercheur zorgde ervoor dat zijn stem wat bitser klonk. Als hem een strobreed in de weg werd gelegd, ging hij gewoon op een andere manier verder, vrijmoedig, niet afgeleid door de talloze saaie gesprekken met bijfiguren. Hij keek Oluf Carlsson aan en voelde intuïtief dat deze man niet iemand was die met fluwelen handschoenen moest worden aangepakt. Zijn gevoel werd bevestigd toen de man probeerde de deur te sluiten.

'Dan moeten we u vragen naar Oslo te komen voor een officieel verhoor,' zei Marian Dahle en ze zette haar voet tussen de deur.

'Ik heb al jarenlang geen contact meer gehad met Britt Else. Ik heb niets, maar dan ook helemaal niets te vertellen. Britt Else heeft ons vijfendertig jaar geleden verlaten. Ze was niet gezond. Momentje, dan kom ik naar buiten.'

'En uw zoon...'

Hij gooide de deur dicht, maar deed hem op hetzelfde moment weer open. 'Ik zie jullie straks in het restaurant, in die vleugel daar.' Hij knikte naar een laag, rond stenen gebouw dat midden op het plein stond. 'Over een half uur,' zei hij en hij duwde de deur weer dicht.

'Wat een schat,' zei Marian Dahle. 'Hij is oud, maar ik weet het niet... hij zag er heel vief uit, maar was ook erg onvriendelijk. En hij was gewond...'

'Bel nog eens aan. De getuige meende dat de man die Buberg duwde behoorlijk lang was. We zijn hier speciaal naartoe gekomen...' Cato Isaksen stopte zijn legitimatie weer in zijn binnenzak.

'Hij zei over een half uur. Dan kunnen we in de tussentijd naar Västerborre gaan. De getuige zei dat ze dácht dat hij lang was. Ze zei ook dat hij net zo goed dertig als zestig kon zijn. Die man straalt iets psychopathisch uit.'

'Hij is tweeëntachtig,' benadrukte Cato Isaksen. 'Hij is iets te oud. Maar we zullen bij de Rijksdienst nagaan of hij een auto heeft.'

'Veel is ook psychisch.' Marian Dahle stopte een keelpastille in haar mond. 'Als hij haar in zijn macht heeft gehad, als hij wílde dat ze zou vallen, kan het zo zijn dat ze ook inderdaad viel.'

*

In het Västerborre-ziekenhuis kon directeur Gustav Thorn, die een merkwaardige mix leek te zijn van een sociaal werker en een jurist, hun vertellen dat Oluf Carlsson een bijzonder gerespecteerde afdelingsarts was geweest bij de crisisopvang voor psychiatrische patiënten. 'Ik heb in de papieren gelezen dat hij hier gewerkt heeft van 1967 tot 1973. In januari van dat jaar is de afdeling gesloten. Hij was ook actief in de politiek en heeft lang gevochten voor betere omstandigheden binnen het ziekenhuis. Toen uiteindelijk de beslissing viel dat de afdeling werd gesloten, verschenen er grote artikelen in de kranten over hoe slecht het gesteld was met de psychiatrie in de omgeving. Sommige patiënten, die eigenlijk in aanmerking kwamen voor langdurige opname, hadden bij gebrek aan alternatieven jarenlang op de afdeling crisisopvang doorgebracht. Dat Sahlgjärda zo snel in gebruik werd genomen, was vooral te danken aan Oluf Carlsson. Het gebouw was oorspronkelijk een oude herenboerderij, eigendom van een Duitse familie.'

'We zijn er gisteren geweest,' zei Cato Isaksen. 'Het zag er mooi uit.'

'Het werd in de negentiende eeuw gebouwd,' ging Gustav Thorn verder. 'Toen de beslissing in november 1972 werd genomen, werd het door de staat gekocht. De hele afdeling verhuisde naar Sahlgjärda, dat eind april 1973 in gebruik werd genomen. Carlsson werd geneesheer-directeur van het nieuwe ziekenhuis.'

'Zoals u al hebt begrepen willen wij graag informatie over een patiënt met de naam Britt Else Buberg,' zei Marian Dahle. 'Ze werd, zoals jullie hebben gehoord, iets meer dan een week geleden in Oslo vermoord. De reden dat we hier zijn, is dat Oluf Carlsson, die haar in 1973 heeft geadopteerd...'

'Hij heeft haar niet geadopteerd,' zei de ziekenhuisdirecteur. 'Hij werd haar voogd. Dat zijn twee heel verschillende dingen.'

Cato Isaksen veegde een hand over zijn voorhoofd. 'Ze is bij hem thuis gaan wonen.'

'Dat kan wel zijn, ik ben persoonlijk niet van de zaak op de hoogte. Ik heb alleen de informatie uit de dossiers.'

'Hebt u ook haar medisch dossier? Zit er een foto van haar in?'

De directeur zag er direct gespannen uit. 'Nee, dat hebben we niet. Haar medisch dossier is waarschijnlijk met haar meegegaan naar Sahlgjärda.'

'Nee,' zei Cato Isaksen. 'Dat is niet het geval. Ze is namelijk nooit in Sahlgjärda geweest. Ze is nooit teruggekeerd naar een psychiatrisch ziekenhuis. Zou Oluf Carlsson haar dossier hebben meegenomen?'

'Oluf Carlsson was een gerespecteerd arts. Hij kan het dossier natuurlijk hebben meegenomen, maar ik zou niet weten waarom hij dat zou hebben gedaan.'

'Ze was gewoon een eenzaam meisje dat in een gezin werd opgenomen. Maar ze was zieker dan we dachten. Binnen in haar heerste duisternis. Ze werd eenvoudig te gevaarlijk.' Oluf Carlsson sprak op monotone toon.

Marian Dahle keek om zich heen. Er zaten een stuk of dertig bejaarden in het restaurant. Ze liepen rusteloos rond, zaten te kaarten, dronken koffie of stonden in de rij om eten te bestellen.

'Gevaarlijk? Hoezo?' Cato Isaksen zette zijn ellebogen op tafel en keek hem aan. 'Ze was al jarenlang uw patiënt. U moest toch weten hoe ze was.'

Marian Dahle bedacht dat Oluf Carlsson iets van een vos had. Hij had een smal gezicht en een spitse neus. Alles aan hem straalde uit dat hij tot de hogere kringen behoorde. Hij was verfijnd, maar leek zich niet op zijn gemak te voelen. Zijn blik, zijn onrustige handen, de manier waarop hij naar hen keek.

Een lege Ittala-vaas met een vergeeld laagje op de bodem stond op tafel. Er lag ook een opgevouwen krant. 'Ik begrijp dat ik me tot uw beschikking moet stellen.' Oluf Carlsson streek over het gips in de mitella. 'Maar ik vraag u, ik ben oud en ziek. Het is te veel geweest. Ik geloof niet dat ik interessante informatie voor u heb.'

Er klonk gerammel van kopjes achter de balie. Een serveerster met een netje over haar haar barstte in lachen uit over een opmerking van een oude vrouw.

'Maar waarom hebben uw vrouw en u haar geadopteerd?' Marian stopte nog een pastille in haar mond.

'Het was allemaal een grote vergissing. Ik was haar voogd.' Hij zuchtte en wendde zijn hoofd af.

De bloeduitstorting op zijn kaakbeen straalde hen tegemoet.

'Britt Else had helemaal geen familie,' ging hij verder. 'Karin werkte ook in het ziekenhuis. Zij was degene... Karin was... we hadden geen kinderen. In het begin nam ze wat spulletjes voor haar mee. Ze gaf haar wat kleren, en dat soort dingen. Karin vond dat we iets voor haar moesten doen, dat ze iets voor ons kon doen. Maar toen werd Karin zwanger. Het was een wonder. Ze was tweeënveertig. Britt Else had het er moeilijk mee. Ze werd gewoon jaloers. Ze was tweeëntwintig, bijna drieëntwintig. Ze ging naar Oslo.'

'Waarom juist naar Oslo?' vroeg Cato Isaksen.

'Waarom niet? Ze had het ook over Kopenhagen, maar het werd Oslo. Ze was een einzelgänger. Ze had geen vrienden. Ze was gewoon een moeilijk persoon. Karin vond het moeilijk, ze had het gevoel dat we waren mislukt en zo... maar zo ging het gewoon. Karin is tien jaar geleden gestorven.'

'Had ze nog contact met Britt Else nadat...'

'Nee.' Hij schudde het hoofd. 'Absoluut niet.'

'En jullie kregen een zoon?'

Oluf Carlssons gezicht verstrakte. 'Met hem is het ook niet zo goed gegaan. Dat weten jullie waarschijnlijk wel?'

'Nee, we weten niets,' zei Marian Dahle.

'Hij zit in de gevangenis. Het is een lang verhaal. Toen Karin tien jaar geleden stierf, is mijn contact met Tomas verbroken. En Britt Else... je kunt wel zeggen dat ik een mislukte man ben. Een erg mislukte man.'

Cato Isaksen keek op toen de serveerster met een blad met koffie langs liep. Twee grijze vrouwen vroegen of de plaatsen naast hen vrij waren. Cato Isaksen schudde zijn hoofd. 'Het spijt me,' zei hij.

Marian Dahle slikte de pastille door. 'We hebben een dossier gekregen waarin staat dat Britt Else leed aan een bloedziekte...'

Oluf Carlsson knikte langzaam. 'Ik begrijp dat jullie grondig onderzoek hebben verricht. Het was leukemie, maar een milde vorm. Lymfatische leukemie, CLL geheten. Ze is er helemaal bovenop gekomen.'

Marian Dahle keek de gepensioneerde psychiater aan. 'Haar medisch dossier is verdwenen. We hebben alleen een korte fax van het ziekenhuis ontvangen waarin twee regels stonden. Dat was alles wat ze hadden. Het lag in een aparte kast voor kankerpatiënten in het Binet 1 stadium. Maar het dossier zelf was verdwenen.'

'Het is niet het enige dossier dat is verdwenen, neem dat maar van mij aan. Alles was een grote chaos. De psychiatrische afdeling in Västerborre zat overvol, volkomen chaotisch. We hadden niet genoeg verplegend personeel. Het was pure waanzin. Het kostte mij bijna mijn gezondheid. Ik moest de politiek in gaan om veranderingen te bewerkstelligen. Toen ik het aanbod kreeg om in de nieuwe kliniek geneesheer-directeur te worden, waren we dolgelukkig. Karin was zoals gezegd verpleegster in Västerborre, maar op een gewone verpleegafdeling. De tragedie met Britt Else was dat Karin en ik haar een paar weekeinden mee naar huis hadden genomen, gewoon om aardig te zijn. Karin kwam op het idee haar permanent bij ons te laten wonen. Het leek ons toen een goed idee. Karin wilde zo graag een kind,' herhaalde hij.

'En toen werd ze zwanger. Jullie hebben vast wel eens gehoord van vrouwen die geen kinderen kunnen krijgen, die dan een kind adopteren en dan plotseling toch zwanger worden?'

Marian Dahle knikte afwezig en keek door het raam naar buiten. Een schoonmaakster met een geel schort voor trok een schoonmaakkar achter zich aan over de veranda. Ze maakte een aantal deuren van de kleine appartementen open.

'We waren dolgelukkig toen Karin zwanger werd. Het was een wonder. Maar het was duidelijk dat Britt Else jaloers werd. Aanvankelijk leek ze blij, maar toen het kind kwam en er wat tijd overheen was gegaan, werden we gewoon bang dat ze hem iets aan zou doen.'

Cato Isaksen staarde hem aan.

'Begrijpen jullie wat ik zeg?' zei hij koud. 'Ze werd gevaarlijk.'

Ineens verscheen er een bruinharige vrouw in het restaurant. Een paar meter van hun tafel. Ze was in de vijftig, sportief gekleed in een lange broek en een dunne, witte anorak alsof ze op het punt stond om een wandeling te gaan maken. Oluf Carlsson veerde even op, voor zijn gezicht versomberde. Hij verontschuldigde zich, stond snel op en liep naar de vrouw toe. Hij legde zijn hand op haar arm en nam haar mee naar de deur. Ze draaide zich om en keek langs hem heen, ze zag de rechercheurs, knikte even naar Oluf Carlsson en liep weer naar buiten. Cato Isaksen keek snel naar Marian Dahle. 'Wat denk jij?'

'Ik weet het niet, we moeten controleren in welk ziekenhuis Tomas Carlsson is geboren. Het beeld dat hij schetst van Britt Else kan misschien wel kloppen. De buren hebben hetzelfde gezegd, dat ze stil en teruggetrokken was. Een beetje zwaarmoedig. Het moet moeilijk zijn geweest, Cato. Stel je voor hoe gelukkig ze was dat ze een moeder kreeg. Om haar vervolgens weer te verliezen. Aan een baby. Misschien was ze niet helemaal gezond en heeft ze ervoor gekozen om te vertrekken. Zo werd ze eenzaam. En misschien...'

'Misschien wat? Schiet op, Oluf Carlsson komt er weer aan.'

'Misschien werd de eenzaamheid een veilige haven voor haar, iets herkenbaars. Ze werd een eenzame vrouw die boende en poetste. Toen raakte ze bevriend met Astrid Wismer. Waarschijnlijk nam zij de rol van Karin Carlsson over... Ik moet even iets regelen.' Marian Dahle stond snel op.

Cato Isaksen staarde haar verward na. Oluf Carlsson ging weer zitten. 'Neem me niet kwalijk. Dat was een vriendin van mij. We maken samen wandelingen.'

*

De bruinharige vrouw was nergens meer te zien. Marian wierp een blik op Oluf Carlssons appartement. De schoonmaakster met het gele schort liep onhandig met de kar en een stofzuiger over de veranda. Plotseling viel de bezem, die tegen een muur stond, om. De vrouw stond op het punt de deuren weer af te sluiten.

Marian Dahle liep snel het plein over, ze nam de twee traptreden naar de veranda en liep verder. Ze bukte zich snel en pakte de bezem op. 'Ik ben op bezoek bij Oluf Carlsson.' Ze glimlachte naar de schoonmaakster. 'We zitten in het restaurant. Ik moet zijn bril even halen.' Ze wees even naar haar ogen, voor het geval de Zweedse vrouw haar niet zou begrijpen.

De schoonmaakster keek haar aan. Ze had wallen onder haar ogen en kneep hard in de vaatdoek die ze in haar hand had.

'We moeten nog voor sluitingstijd naar een gemeentelijk bureau, begrijpt u,' praatte Marian gejaagd verder. 'Ik help hem ergens mee. Het is nu in de zomer zo stil, dus is het vast verstandig om...'

'Jawel, maar... bent u advocaat?' De schoonmaakster gooide de doek in een emmer en pakte de bezem die Marian haar aanreikte.

'Ja, een soort advocaat.' Marian Dahle bleef voor de deur van Oluf Carlssons appartement staan.

'Tja, ik ben binnen net klaar met schoonmaken. Hebt u een sleutel, zodat u straks de deur kunt afsluiten?'

'Ik heb de sleutel in mijn zak.' Marian Dahle sloeg op haar dijbeen. 'Het ruikt lekker schoon,' glimlachte ze.

'Ja, ik zal de stofzuiger even wegzetten,' zei de vrouw. 'Dank u wel,' zei Marian Dahle, ze glimlachte en liep het halletje in. Ze trok de deur achter zich dicht.

Met kloppend hart bleef ze even staan luisteren. Stel je voor dat de bruinharige vrouw hier in het appartement was. 'Hallo?' zei ze. Geen antwoord. Het was doodstil.

Ze keek vlug even in de gele keuken, liep de kleine, verzorgde kamer in en maakte vlug een rondje om de glimmende eettafel. Een rococobank met vier bijbehorende stoelen met roze pluchen bekleding stonden op een rijtje tegen een van de wanden. Ze had geen idee waar ze naar moest zoeken. Het was meer een verkenningstocht.

De kamer was keurig opgeruimd, ondanks de overdaad aan meubelen. De vloer kraakte. Het was overduidelijk dat Carlsson oorspronkelijk uit een grote woning kwam. Ze dacht aan Södergatan 12.

Op een klein tafeltje naast een fauteuil lag een stapel biografieën en boeken over nationale helden en oorlogsschepen. Vanaf de rand van de tafel was een leeslamp over de zwartleren Stressless-stoel gebogen. In een schaaltje op de ovale salontafel lagen de autosleutels. Het Fiat-embleem was duidelijk te zien.

Boven de bank hing een oud zilveren kruis. Daaronder een ovaal geborduurd schilderij. *De rook van die pijniging zal opstijgen tot in eeuwigheid. Wie het beest en zijn beeld aanbidden, of wie het merkteken van zijn naam draagt, ze krijgen geen rust, overdag niet en 's nachts niet.* Het viel Marian op dat de tekst in het Noors was, ze draaide zich om naar de lange wand waaraan een paar al te grote schilderijen in zware gouden lijsten hingen. De familiefoto's hingen bij elkaar aan de korte wand tegen de keuken. Op een laag kastje van mahoniehout dat tot de rand gevuld was met oude boeken, stond een lange rij zwart-witfoto's. Marian liep naar het kastje toe, bukte zich en bekeek de foto's. De middelste foto was een trouwfoto. De bruid was gekleed in een korte, witte jurk, ze droeg een bril, een sluier en een groot jaren vijftig bruidsboeket met hangende anjers. Haar ogen hingen aan de bruidegom, een jonge, donkere uitgave van Oluf Carlsson. Andere familiefoto's hingen dicht naast elkaar. Op een ervan stond Carlsson met zijn ouders, een broer en een knappe zus. Ze keek naar de zus, voor ze haar blik weer afwendde.

De grootste foto op het kastje was een kleurenfoto van de vrouw die zojuist in het restaurant was geweest. Hij was genomen op een strand. Ze glimlachte, een haarlok hing half voor haar gezicht. Ze droeg een domineestoga.

Marian vestigde haar blik op een klein, onduidelijk footootje van twee jonge vrouwen in een bos met kale bomen. Ze stonden arm in arm op een pad. Ze hadden vast bewogen op het moment dat de foto werd genomen, want de jas van de een vervaagde aan de zijkant van de foto. De foto was ingelijst in een klein metalen lijstje met een patroon. Het stond naast een hoge glazen vaas. Hoewel de foto onduidelijk was, was gemakkelijk te zien dat het ene meisje de jonge Britt Else Buberg was. Zonder erover na te denken pakte Marian de foto op, stopte hem in haar zak en schoof de andere foto's iets dichter naar elkaar toe.

Ze draaide zich om. Een certificaat dat bevestigde dat Oluf Carlsson tot een of ander soort van ridder was geslagen voor zijn lange en trouwe werkzaamheden ten dienste van de psychiatrie, hing eenzaam boven een ronde tafel met een witte vaas met verse bloemen. Een ordelijke man, dacht Marian Dahle huiverend. Ze bleef even staan kijken naar het zilveren kruis boven de bank. Ze was niet kapot van psychiaters. Ze keek op haar horloge en liep naar een grote ladekast, trok de bovenste twee laden open en doorzocht snel een enorme hoeveelheid papieren, albums en postzegelverzamelingen. Dit was absurd, dacht ze, ze zocht niet naar iets speciaals, maar er morde iets in haar onderbewustzijn. Samarkand, dacht ze. *Als je ooit aankomt in Samarkand.* Oluf Carlsson had het aan zichzelf te danken, verdedigde ze zichzelf in gedachten. Soms ging het gewoon zo, dat processen op gang werden gebracht door details die niet klopten. Een manier van doen, gedrag, dingen die ze opving als negatieve signalen. Foute manier, dacht ze snel en ze opende de deur naar de kleine slaapkamer. Ze trok een kastdeur open. Kostuums en overhemden hingen keurig naast elkaar. Ze keek naar de laden in het kleine nachtkastje, maar bukte zich en keek in plaats daarvan onder het bed. Er stond een kartonnen doos, met een dik touw eromheen. Ze trok hem naar voren. Het touw was bovenop aan elkaar geknoopt met een stevige knoop. Ze kwam overeind en liep snel naar de keuken. Ze opende een lade en pakte een broodmes. Snel terug naar de slaapkamer. Ze bukte zich en sneed het touw door.

*

Cato Isaksen zette zijn ellebogen op de tafel en boog naar Oluf Carlsson toe. 'Waar was u op 23 juli?'

'23 juli? Vorige week dus.' Hij grinnikte kil. 'U denkt toch niet...'

Cato Isaksen onderbrak hem. 'Negen dagen geleden, op een maandag, ja.'

'Ik was hier. Mijn vriendin, Ann, die net hier was, kan dat bevestigen.'

'Kunt u haar halen?'

'Ze is weggegaan.'

'Dan moet u mij haar volledige naam en telefoonnummer geven. Hoe bent u gewond geraakt?'

'We maakten een wandeling, Ann en ik. Een paar dagen geleden. Ik struikelde en rolde een helling af.'

Cato Isaksen ging rechtop op zijn stoel zitten, hij keek naar de oude man en zei: 'Er is mij tijdens ons gesprek iets opgevallen. U hebt niet een keer gevraagd wat er met Britt Else Buberg is gebeurd. Wilt u niet weten hoe ze is vermoord?'

Oluf Carlsson keek op toen Marian Dahle naar de tafel terugkeerde en ging zitten. Ze schoof de lege vaas aan de kant.

'Nee,' zei hij kil. 'Ik heb begrepen dat ze van een balkon gevallen is.'

'Hebt u een foto van haar, uit de tijd dat ze bij u woonde?'

'Nee, helaas.'

'Britt Else heeft een kind gekregen,' zei Marian Dahle. 'Hebben jullie het daar al over gehad?'

Cato Isaksen schudde zijn hoofd en Oluf Carlsson leek ineens verward.

'Wat zegt u? Heeft ze een kind gekregen? Wanneer?'

'Dat vragen we aan u,' zei Cato Isaksen. 'De sectie heeft uitgewezen dat ze een kind heeft gebaard.'

'Mijn hemel, dat wist ik niet. Weten jullie... wanneer?'

Marian nam het weer over. 'Nee, we kunnen nergens iets over dat kind vinden. Er klopt iets niet,' zei ze en ze keek naar zijn arm. 'Is uw arm gebroken?'

'Ja,' zei hij, 'hij is gebroken. Kan ze zwanger zijn geraakt... tja, ze is alleen naar Oslo gegaan. Maar kan het zijn dat ze een abortus heeft gehad?'

'De patholoog zegt dat ze een kind heeft gebaard, maar we weten niet of het kind leeft of niet.'

Oluf Carlssons gezicht kreeg een andere uitdrukking. Hij leek plotseling ongelukkig. 'Het is allemaal zo verschrikkelijk. Het spijt me, maar nu kan ik niet meer.'

Hij stond op. 'Jullie moeten maar bellen, als jullie nog meer willen weten.' Hij reikte hen om beurten zijn linkerhand. 'Succes met het onderzoek. Ik hoop dat jullie de zaak kunnen oplossen. Ik merk dat ik het er erg moeilijk mee heb, zelfs al heb ik Britt Else al in geen jaren gezien.'

Ze liepen samen naar buiten. Cato Isaksen wierp een snelle blik op Marian Dahle, maar ze vermeed oogcontact.

Buiten was het stil. Het blad bewoog aan de bomen. De vrouw in de sportieve kleding stond bij een rode auto te wachten op Oluf Carlsson.

'Dat is Ann.' Oluf Carlsson knikte naar de vrouw.

Cato Isaksen liep naar haar toe.

Oluf Carlsson en Marian Dahle bleven naast elkaar staan.

'Nog één ding,' zei ze en ze wierp een blik op een vrouw die langzaam met een loopstoel naar hen toe kwam. 'Britt Else Buberg had contact met een oude vrouw, Astrid Wismer, weet u daar iets van?'

'Nee,' zei Oluf Carlsson en hij groette de vrouw met het looprek. 'Daar weet ik niets van.'

*

'Doe het raampje open, dan tocht het door.' Marian haalde weer een stapeltje papier onder haar broeksband vandaan, opende het portier aan de passagierskant en liet zich op de stoel vallen.

Cato Isaksen draaide de contactsleutel om.

'Wat zei die Ann, toen je haar vroeg naar Oluf Carlssons alibi?'

'Ze hadden samen een wandeling gemaakt. En ik geloof niet...' Cato Isaksen keek naar haar. 'Wat heb je daar?' Hij knikte naar de papieren. 'Niet weer, hè! Verdomme! Marian, wat heb je daar?'

'Dat weet ik eigenlijk niet, maar het zijn wat papieren en dossiers van het

Västerborre-ziekenhuis. We moeten ook het alibi van die zoon, Tomas Carlsson, natrekken en uitzoeken of het klopt dat hij in de gevangenis zit. En waarom hij daar dan zit.'

'Ben je bij Carlsson binnen geweest? Ben je helemaal gek geworden?' Boos sloeg hij met zijn hand op het stuur en zette de auto in zijn achteruit.

'Ik heb hier iets wat is gedateerd in 1970, dus vrij oud. Carlsson heeft trouwens een auto. Een Fiat.'

'Je bent gek,' herhaalde hij woedend.

'Ik lijk gek,' zei ze rustig. 'Het is een manier om onrust te beheersen. Het zijn de resultaten die tellen, Cato.'

'Je bent goed op de verkeerde manier. Dat kan ik je wel vertellen.' Hij keek in het achteruitkijkspiegeltje. 'Als je zo doorgaat, ben je binnen de kortste keren weer vertrokken van de afdeling. Ik kan die James Bond-toestanden van jou niet meer verdragen. Het is gewoon pathetisch.'

'Kijk. Nu stapt Carlsson met zijn vriendin in de auto.' Marian draaide zich om en keek ze na. 'De deur van zijn appartement stond open. Wijd open. Ze waren met de schoonmaak bezig. Je kunt het geen inbraak noemen als de deur openstond. Heb jij trouwens foto's van je kinderen in de woonkamer?'

'Natuurlijk heb ik foto's van mijn kinderen in de woonkamer. Waarom vraag je dat?'

'Carlsson had massa's familiefoto's aan de wanden en op de boekenkast. Trouwfoto's en foto's van ouders en broers en zussen en dat soort dingen. Ook van Britt Else Buberg, als jong meisje, maar niet van zijn zoon. Is dat niet merkwaardig?'

'Had hij een foto van Buberg? Hij zei dat hij die niet had.'

Marian duwde haar achterste een stukje van de stoelzitting omhoog. De lijst van het footootje dat ze in haar broekzak had, knelde tegen haar dijbeen.

'Heb je nog meer?'

'Nee, Cato. Meer niet.'

Marian staarde naar een van de formulieren. 'Luister eens wat hier staat.' Ze las: 'Op de een of andere manier moet worden voorzien in woonruimte en onderhoud voor de patiënt. Bla, bla, bla, enzovoorts. Conclusie: de afdeling kan de patiënt geen goede verzorging bieden. En hier is een ander document uit 1972. "De patiënt heeft zich aangepast aan de routines op de afdeling... ze heeft zich nu helemaal afgesloten, bevindt zich in haar eigen wereld. Ze reageert positief op het gezelschap van anderen, maar zelfstandige woonruimte wordt afgeraden omdat ze zichzelf niet verzorgt en geen blijk geeft van interesse in haar persoonlijk hygiëne."'

Cato Isaksen keek haar snel even aan, voor hij zijn hoofd weer afwendde en naar de weg keek.

*

Het was al bijna zeven uur toen de civiele politiewagen het centrum van Oslo binnenreed. Cato Isaksen en Marian Dahle namen beleefd afscheid. Hun wegen scheidden zich in de parkeergarage. 'Morgen gaan we verder,' zei Cato kortaf en hij hief zijn hand even op. Marian keek zijn rug na toen hij verdween in de lift.

Ze drukte haar grote tas tegen haar buik, liep naar haar witte bestelauto, zette de tas op de passagiersstoel en reed in volle vaart de parkeergarage uit. 'Wat een reis!' mompelde ze tegen zichzelf. Op dat moment schoot haar te binnen dat Securitas in haar appartement een alarm had geïnstalleerd.

Tien minuten later was ze thuis. Ze draaide de deur van het slot, liep naar binnen en toetste Britt Else Bubergs geboortejaar, 1951, in op het toetsenbord van het alarmsysteem. Een lange beltoon en een groen knipperlichtje vertelden dat het alarm was uitgeschakeld. Ze smeet de deur dicht en schopte tegen een stuk karton. 'Ik zal opruimen. *First thing in the morning,*' zei ze hardop tegen zichzelf en ze gooide haar tas op de grond.

Het was een opluchting om weer thuis te zijn. Cato Isaksen was de hele reis naar huis knorrig en chagrijnig geweest. Alleen toen ze de zin over persoonlijke hygiëne las, had hij enigszins geïnteresseerd geleken.

Ze zuchtte en liep de kamer in. Het was er warm en bedompt.

Ze keek naar alle papieren op het nieuwe bureau en op de kopieermachine die ze had gekregen van Irmelin Quist. Naast de kopieermachine lagen het vouwblad van Britt Else Bubergs begrafenis en de beide dossiers die de secretaresse voor haar uit het archief had gehaald. Ze haalde haar tas uit de gang, pakte de documenten die ze had meegenomen uit het appartement van Oluf Carlsson en bij de Dienst voor Verpleging en Verzorging en legde ze boven op de andere papieren. Toen stopte ze haar hand in haar zak en pakte het kleine, ingelijste fotootje. Haar lies was helemaal beurs op de plek waar het lijstje bijna vijf uur klem had gezeten.

Ze liep de kamer door en zette het raam open, draaide zich weer om en keek nog een keer naar de stapel documenten. Beneden op de binnenplaats schopten twee jongetjes een voetbal tegen een muur.

Ze kreunde zacht en voelde zich heel even bang. Stel je voor dat Cato alles aan Myklebust zou vertellen? Als Myklebust op de een of andere manier in de gaten kreeg waar zij mee bezig was, zou ze op staande voet worden ontslagen. Ze wist maar al te goed dat als het uit zou komen dat zij de mappen uit het Rijksarchief had gekopieerd en haar eigen privéarchief opbouwde, de poppen aan het dansen zouden zijn. Ze sloot haar ogen en zag de krantenkoppen al voor zich. En het zou dagenlang de journaals en actualiteitenprogramma's op tv beheersen. Politierechercheur neemt tegen de regels in documenten mee naar huis. Was bezig met een eigen onderzoek naast het officiële onderzoek.

Een koude rilling liep over haar rug. Was Cato Isaksen een vriend of een vijand? Wilde hij haar kwijt, of wilde hij dat niet?

Ze liep naar de keuken en nam een bekertje yoghurt uit de koelkast. Ze pakte een theelepel en at de yoghurt terwijl ze terugliep naar de kamer. Daar bleef ze staan luisteren naar de geluiden uit het appartement beneden. Een huilend kind, een tv die veel te hard aan stond en iemand die iets naar een ander riep.

Toen ze Oslo naderden was Cato's humeur tot ver onder het minpunt gedaald. Hij beweerde dat het kwam door dat idiote terras waar hij mee bezig was. Ze hadden op de radio gehoord dat het weer zou gaan regenen. Maar daar leek het nog niet op. Het was bijna vijf over zeven. Het was een grijze zomeravond. De telefoon ging. Marian keek ernaar, maar ze nam niet op. Toen de telefoon zweeg, vibreerde de klank van het geluid nog lang in haar hoofd na.

Er waren niet veel mensen die haar privénummer hadden. Ze nam aan dat het oom E was. Maar ze had nu geen zin om Birka op te halen. Ze was al een hele tijd van plan haar vaste telefoonabonnement op te zeggen.

De lila honden-chaise longue stond volkomen misplaatst naast het nieuwe bureau. Ze moest een van de Stressless-fauteuils terughalen. Alsof ze ook maar een seconde had geloofd dat Birka op dat paarse ding zou willen slapen.

Ze zette de yoghurtbeker op het bureau, pakte haar mobiel en stuurde een sms naar oom E en vroeg hem Birka de volgende ochtend om acht uur naar het politiebureau te brengen. Het kon geen kwaad als ze nog een nacht bij hem bleef. Hij antwoordde snel. Hij had toch al een afspraak met Myklebust, schreef hij.

Toen ze met de lege beker naar de keuken liep, nam ze de tekst van Britt Else Bubergs begrafenis mee. Ze plofte neer op een keukenstoel, vouwde het blad open en bleef kijken naar de tekst van het lied. Elk couplet eindigde met dezelfde woorden, dezelfde naam. Samarkand... *als je ooit aankomt in Samarkand. Licht en geluid beloofden de zomer, in het kussen stond de afdruk van jouw wang.*

Lilly Rudeck deed haar ogen open. Er werd voorzichtig op haar deur geklopt. Bijna geluidloos, een klein klopje. Het geluid deed haar eerst bevriezen. De schaduw van de boom buiten bewoog achter de half doorzichtige gordijnen. Ze keek even naar het rooster. Ze zag geen schaduw, niets. Ze lag bijna naakt, ze had alleen haar witte slipje en lichtblauwe bh aan. Er werd nog een keer voorzichtig geklopt. Ze kwam snel overeind, haar hart bonkte in haar keel. Ze had een akelig gevoel in haar buik. Ze wist het. 'Morris,' zei ze zacht. 'Soma?'

Ze zette haar voeten op de vloer. Ze liep naar de stoel en trok snel haar gebloemde zomerjurk aan. Toen ze uit het water kwam... ze had zich stevig afgedroogd, met een handdoek die ze ten slotte om haar lichaam wikkelde en met een omslag rond haar borst vastzette.

Toen ze naar de camping liep, keek hij haar na. Ze had er niet aan gedacht om te draaien, maar na tien stappen deed ze het toch. Ze gooide haar haar naar achteren en draaide zich om. Hij was zo lief, zo zacht, zo fatsoenlijk.

Er werd nog een keer geklopt. Ze schuifelde naar de deur, legde haar oor tegen de kier. 'Soma,' fluisterde ze.

*

Hij had een sleutel. De deur vloog open. Ze schreeuwde. Het was zover. Hij greep naar haar met beide handen, pakte haar polsen vast. Hij siste dat ze haar mond moest houden. Trok haar ruw naar zich toe. Ze voelde de pijn in haar ruggengraat. De waarheid legde de echte pijn bloot. Ze herinnerde zich plotseling de kamer uit haar jeugd, die ze deelde met haar moeder en broer. De kamer loste op en leek op water. Nu had ze alleen zichzelf. Ze zou sterven.

Zijn bewegingen waren pijlsnel. Ze had het fout gehad. Een verandering zette zich vast in haar bewustzijn. Rode stippen dansten voor haar ogen, haar zicht werd geblokkeerd door angst. Hij sloeg haar met zijn vuisten. Dreef haar naar het bed toe. Het raam was dicht. Het was toch te klein.

Hij begon te praten, anders dan eerst. Zijn woorden overspoelden haar als een golf koud water.

Lilly Rudeck haalde de ongekende kracht uit haar eigen duisternis. Ze

187

schopte hem en stormde naar de deur. Hij greep haar weer. Trok haar mee. De wanden kwamen op haar af.

Ze sloeg zo hard ze kon. Steeds maar weer. Ze raakte hem. Raakte hem. Hij liet haar los. Ze vloog naar buiten. Viel over de drempel. Stond weer op. Trapte op een scherpe steen. Voelde een stekende pijn in haar voet, steunde met haar handen tegen de houten wand, liep snel de hoek om. Ze rende verder. De schaduw achter het rooster had plotseling een naam. Nu wist ze wie hij was.

De woorden flikkerden over het beeldscherm. *Samarkand, stad in Oezbekistan. Katoen- en zijde-industrie, machinefabrieken. Talloze prachtige bouwwerken. Timur Lenks mausoleum en grootste moskee gebouwd in 1399. Samarkand is een van de oudste steden in Centraal-Azië. De stad werd in 712 veroverd door de Arabieren, in 1500 door de Oezbeken en in 1868 door de Russen.*

Marian Dahle kwam geïrriteerd overeind. Ze keek naar de lege hondenchaise longue. Birka haatte het ding. De onrust brandde in haar binnenste. Op dit moment was ze ervan overtuigd dat het lied over Samarkand niets te betekenen had. Dat het gewoon een mooi lied was en niet meer dan dat.

*

Hij duwde zijn stalen bril verder op zijn neus. 'Hallo,' zei hij en hij keek haar vragend aan. Marian Dahle droeg een spijkerbroek en een versleten blauw T-shirt.

'Ik moet de stoel terug hebben,' zei ze en ze schraapte met haar voet over de klinkers.

De jongen grijnsde. 'Het is twaalf uur,' zei hij. 'Je belt midden in de nacht aan.' Hij keek de binnenplaats op. 'Moet ik je weer ergens mee helpen?'

'Ik bel aan omdat mijn hond weigert op het nieuwe hondenbed te liggen.' Marian keek hem boos aan. 'Bovendien is het mijn stoel.'

'Je hebt hem aan mij gegeven. We hadden een afspraak. Ik heb de aanhanger voor je teruggebracht naar Ikea en al dat soort dingen.'

In het appartement hoorde ze gelach. 'Daar heb ik je voor betaald,' zei ze kortaf. 'Ik wil de Stressless stoel terug.'

'We zitten met wodka en lime te genieten van de zomeravond. De andere twee die hier wonen en ik. Kom binnen.'

Marian verplaatste haar gewicht van het ene naar het andere been. 'Het spijt me, maar die hond van mij is een vreselijke prima donna. Ze beheerst mijn hele leven. Een echte *pain in the ass.* Jullie mogen dat nieuwe ding hebben dat ik heb gekocht, een honden-chaise longue.'

'Is dit een geintje? Wat bedoel je?'

'Je weet toch wat een chaise longue is? Zoals ze in... Versailles hadden.'

'Ja, natuurlijk. Maar nee, dankjewel. Ik wil hem niet hebben.'

Marian keek langs hem heen het appartement in. Ze zag dat er haast geen meubels stonden. Ze hoorde stemmen.

'Natuurlijk willen we geen hondenbed,' zei de jongen. 'Maar kom binnen, uiteraard krijg je de stoel terug.'

Ze liep de gang in.

'Hoe oud ben je eigenlijk en wat voor werk doe je?' De jongeman keek haar nieuwsgierig aan.

Marian glimlachte even en sloeg haar armen over elkaar. 'Wat denk je?'

Hij krabde aan zijn spitse kin. 'Vijfentwintig, misschien? Vier jaar ouder dan ik.'

Marian glimlachte. 'Ik ben tweeëndertig,' zei ze. 'En ik werk bij de politie.'

'Echt waar? Cool. Kom, ik zal je voorstellen aan de anderen met wie ik samenwoon. Wil je iets drinken?'

Marian haalde diep adem en voelde hoe moe ze was. Ze stond op het punt om nee te zeggen. Ze zei altijd nee. Cato Isaksen zei dat ze gek was. Hij was een zuurpruim. 'Ja,' zei ze snel, 'graag. Ik kan wel een wodka gebruiken. Als jij daarna de Stressless voor mij naar boven draagt?'

Ze hoorde zijn voeten tegen de grond dreunen. In de duisternis was het gras zwart. Het was glad van de dauw. Lilly rende. Al haar spieren waren gespannen. Ze verloor bijna haar evenwicht, maar wist zich te herstellen. Ze voelde de pijn niet toen een scheerlijn tegen haar enkel sloeg. De stilte was over de tenten neergedaald. De mensen sliepen. Hij was vlak achter haar. Ze schreeuwde, maar er kwam geen geluid. Ze zou iemand wakker kunnen maken, naar het groepje mensen toe rennen dat voor een caravan zat, maar ze werd verder gedreven door zijn geluid.

Ze struikelde bijna over een omgevallen poppenwagen. Ze sprong eroverheen. Ze hoorde de ritmische bewegingen van haar achtervolger. In een korte flits zag ze hem voor zich, zoals ze hem een paar uur geleden had gezien. Ze was een dier. Hij was vlak achter haar.

De paden liepen alle kanten op. Ze viel toen ze het pad naar het water op liep. Ze stond weer op en sprong over de boomwortels die leken op gekromde vingers die zich vastklampten aan de droge bodem. Een stel jongeren had een kampvuur gemaakt op het strand. De rook dreef met de wind naar haar toe. Ze draaide zich snel om, ze zag hem niet. Ze moest verder. Weg.

Het schuim van de golven vormde een vieze rand op het zand. Ze sprong over de plek waar het zeewater een kleine poel naast het pad had gevormd en sprong in één beweging op de grote platte stenen.

Ze draaide zich nog een keer om. Rende verder, rond de met gras begroeide landpunt, langs de rand over de gladde stenen. Ze rende alsof haar lichaam een machine was zonder remmen. Op haar netvlies stond het beeld van de transparante samensmelting van hemel en aarde.

De stenen waren glad en donker. Ze zag de spleten niet, alleen de droge bloemen die er hier en daar tussenuit staken. En de meeuwenstront, als witte glazuur op de vlakke ondergrond.

Haar hart bonkte zo hard dat ze een bloedsmaak in haar mond kreeg. Ze ging op de stenen zitten en liet zich naar beneden glijden naar de rand met wilde bloemen en gras. Helemaal beneden, waar de parkeerplaats voor de jachthaven begon, verbrokkelde de asfaltrand.

Een glasachtig grijze golf met een schuimrand langs de bovenkant sloeg op de stenen. Koude druppels spatten op haar benen. Ze schaafde haar zij open en schreeuwde in paniek naar de grijszwarte hemel. Het geluid verdween in het lied van de golven.

Toen zag ze hem. Hij stond op haar te wachten, hij had vast de korte weg genomen, langs het bord met JACHTHAVEN. Hij wachtte. Omgeven door een vuil, donker aura. Hoewel ze het niet wilde, gleed ze over de gladde steen naar hem toe. Toen ze haar mond opende om te schreeuwen, stroomde een vieze, zoute zeelucht in haar gezicht.

Marian Dahle struikelde over de bovenste traptrede en sloeg met haar hoofd tegen de deur. Ze viel op de deurmat en lachte gniffelend. De wodkanevel lag als een golvend kleed over haar gedachten. Ze moest zich concentreren. Ze moest zien dat ze in haar appartement kwam.

Zover ze zich kon herinneren had de jongen met het stalen brilletje zo-even de Stressless voor haar de trap opgedragen. Ze hadden gelachen tot ze er buikpijn van kregen. Hij had de stoel bij haar achter de deur gemanoeuvreerd. Maar toen was hij handtastelijk geworden en had ze hem een dreun op zijn kin gegeven. Zover ze zich kon herinneren was dat wat er was gebeurd.

Ze keek naar de Stressless. Ja, daar stond hij. Wat een lelijk ding! Ze lachte, liep er langs, trok de deur achter zich dicht en wist op de een of andere manier in de kamer te komen. Het blad van het nieuwe bureau deinde op en neer. Het ingelijste zwart-witfotootje van de beide meisjes op het pad stond naast de kopieermachine. Kon het nu niet even stil blijven staan! De foto loste op en leek wel van water. Ze pakte met beide handen de rand van de tafel vast, boog voorover en concentreerde zich op de papieren die ze uit de grijze A4-envelop van dossier nr. 1026 had gepakt. Dat nummer stond er op. Dat wist ze nog. Of zoiets.

Ze pakte een dossier op en liet het weer op het bureaublad vallen. De papieren fladderden alle kanten op, een stapeltje viel op de vloer. Een overlijdensadvertentie viel eruit en kwam vlak voor haar voeten terecht. De overlijdensadvertentie had met een stukje tape op een wit vel papier vastgezeten. De tape was verbrokkeld en bijna helemaal vergaan.

Ze viel op haar knieën en pakte de advertentie op. De letters zwommen heen en weer, gingen uit elkaar en kwamen weer samen. Uit elkaar en weer samen. Er stonden een W, een i en een s. En nog een m en een e en een r. Wismer. De naam probeerde zich vast te zetten. Helisabeth Wimer. Wimer. Wismer, stond er. Hwismer. Waarom stond dat daar?

Marian tilde haar arm op en legde het vergeelde krantenknipsel weer op het bureaublad. Had de jongen met het stalen brilletje iets gebroken? Had hij zijn arm in een mitella? Nee, Carlsson had zijn arm gebroken. Waarom had hij zijn arm gebroken? Ze hikte, kroop op handen en voeten naar de honden-chaise longue en legde haar wang op de gladde stof. Jezusmaria! Had hij iets gebroken?

Beëlzebub. Wie het beest en zijn beeld aanbidden, of wie het merkteken van zijn naam draagt. De rook van die pijniging zal opstijgen tot in eeuwigheid. Ze krijgen geen rust, overdag niet en 's nachts niet. Samarkand. Afdruk op het kussen. De meeuwen op de balustrade. De arm in een mitella. Onhygiënisch. Wat je me gaf, herinnert me aan jou.

Haar hart sloeg een slag over. De misselijkheid steeg als een gele massa door haar keel omhoog. Ze stond op, liep snel de kamer door, de gang in. Twee stappen, de wc in. Haar knieën kwamen met een dreun op de vloer terecht toen ze voor de toiletpot dubbelsloeg. Steeds opnieuw gaf ze over. Het koude zweet brak haar uit en ze bleef op de vloer liggen. De hele tijd drukte ze haar hand tegen haar voorhoofd.

Kon alles om haar heen zich niet rustig houden? Ze stond op en concentreerde zich op de spiegel boven de wastafel. Ze slingerde terug naar de kamer, over de drempel en viel weer op haar knieën. Ze kroop naar de hondenchaise longue. Ze legde haar hoofd erop. Waarom was dat ding zo verschrikkelijk klein?

Lilly lag muisstil onder de varens. Haar borst ging als een blaasbalg op en neer. De bladeren boven haar lichtten groen op. Donkergroen en giftig. Onder de bladeren hing nog een restje warmte. Ze hield haar adem in, luisterde. Ademde daarna weer uit. Haar kapot gescheurde jurk hing in stukken om haar heen. Haar lichaam was geschaafd en deed pijn. Een insect ging op haar gezicht zitten. Ze sloeg het weg en dacht hoe ze zich uit zijn greep had los geworsteld, als uit een spiraal. Toen hij haar zo-even bij de jachthaven te pakken kreeg en haar met zich meetrok naar het bos, was het haar plotseling gelukt zich met een ruk om te draaien en haar arm uit zijn greep te trekken. Ze had met haar vuisten tegen zijn borst geslagen en zich snel omgedraaid. Ze hoorde dat hij op de grond viel. Ze rende, zacht gekreun kroop door haar keel omhoog, over haar tong en uit haar geopende mond. Ze graaide met haar armen om zo snel mogelijk het pad op te komen en plotseling herkende ze de tafel op de picknickplaats. En de houten boot die daar lag aangemeerd. Ze rende langs het water, naar het gebladerte. Het bos was dicht begroeid. Ze was eerst op haar buik gevallen, had zich over de bosgrond verder gesleept, maar had zich toen op haar rug gedraaid. Nu lag ze met een hazenhart te luisteren. Ze rook de zoete geur van aarde. De verrotte stank van het mos op de steen naast haar oor prikkelde haar neusgaten. Haar achterhoofd boorde zich in de vochtige modder. Ze keek op naar de donkere stipjes aan de onderkant van de bladeren. Het leken net ogen. Duizenden ogen.

Ze wachtte op hem, ze had het moeten begrijpen. Julie en Shira waren de politiewagen nagelopen, maar er gebeurde niets.

Ze had weten te ontsnappen. Ze had het gered.

Ze had het niet gered. Nu kwam hij eraan. Ze hoorde zijn aarzelende voetstappen op het pad. Hoorde zijn adem. Ze sloot haar ogen. Hij bleef staan. 'Lilly!' schreeuwde hij ineens. 'Lilly,' siste hij. 'Lilly, Lilly, Lilly!'

Ze draaide zich voorzichtig op haar zij. Ik ben al dood, dacht ze en ze zag de sporen van kleine vogeltjes in de zachte aarde. Haar ogen waren wijd open. Ze wachtte.

De misselijkheid was terug. Ze kroop op handen en voeten over de vloer van de woonkamer, kwam in de deuropening overeind en liep de keuken in. De klok op het fornuis stond op 03.42 uur. Ze draaide de kraan open, boog voorover en vulde haar mond met water. Het lukte haar het zuigende gevoel in haar maag te stoppen, ze zette het raam open, trok de keukenla open en pakte haar sigaretten. Met trillende vingers peuterde ze een sigaret uit het pakje. Ze stopte hem in haar mond en stak hem met de wegwerpaansteker aan. Ze inhaleerde diep en blies een wolk rook de kamer in. Er was niets gebeurd op die verrekte boerderij. Cato Isaksen had gewoon onder die idiote tekening van een knuffelbeer gelegen. Ze moest eerlijk zijn tegen zichzelf, een gevoel van teleurstelling liet haar niet los. 'Er is niets gebeurd,' mompelde ze. Opeens barstte ze in lachen uit. 'Birka,' riep ze, maar op hetzelfde moment schoot haar te binnen dat de hond er niet was. Ze zweette, maar even later kreeg ze het koud.

Diep in haar geheugen begon iets te rommelen. Een overlijdensadvertentie. Had ze net geen overlijdensadvertentie gevonden? Ze stond op en deed het raam dicht, ze liep de kamer in, naar het bureau. Daar lag hij, een klein vergeeld stukje krantenpapier. Ze staarde naar de advertentie, focuste haar blik.

Hanne Elisabeth Wismer. Onze geliefde dochter, nicht en mijn kleinkind. Astrid en Rolf. Astrid? Het moest Astrid Wismers dochter zijn. Ze had een dochter gehad. Ze las snel verder. Januari 1956, vrijdag 29 september 1972 in de kerk van Halden. *Hoewel ik je mis, kan niets me nog raken. Wat je me gaf, herinnert me aan jou.* En de andere namen: Oma, Ola en Kari.

Ze begon te trillen. Het bloed bonsde tegen haar slapen. Ze liep de kamer door en zette het raam open, keek naar de lege binnenplaats. Hanne Elisabeth... Wismer. Wat had ze precies ontdekt? Welk verband ontging haar? En wat had de zaak op de camping, vijfendertig jaar geleden, met... alles te maken? Met Britt Else Buberg...

Ineens kwam de misselijkheid in alle hevigheid op. De onrust joeg door haar heen, in het slib van haar bewustzijn. Ze kneep de overlijdensadvertentie samen in haar klamme hand en rende naar het toilet, gooide haar sigaret in de wasbak en viel weer op haar knieën. Ze boog over de toiletpot heen en gaf over, steeds opnieuw. Ze klemde haar handen om de rand van de toiletbril. Het stukje krantenpapier viel in de pot. De overlijdensadvertentie was binnen een paar tellen doorweekt van water en braaksel.

'O, nee,' riep ze en ze gaf nog een keer over.

Ze kwam wankelend overeind en spoelde alles door, boog over de wasbak en liet het water stromen, over haar handen, haar gezicht en in haar mond.

Ze hoorde een kind gillen in het trappenhuis en schrok toen het duidelijk een ferme trap tegen de balustrade gaf. Een kind midden in de nacht, schoot door haar heen. Het metalen geluid verplaatste zich naar boven en beneden. Toen hoorde ze een boze vrouwenstem.

Terug in de kamer pakte ze de afstandsbediening en zette ze de tv aan. Op het scherm verscheen een groep mannen in mooie kostuums. Een of andere bijeenkomst van parlementariërs. Van die mannen die dachten dat zij het in de hele wereld voor het zeggen hadden. Er moest toch een kopie van die overlijdensadvertentie te vinden zijn? Of niet? Natuurlijk niet, daarom was het ook niet toegestaan de dossiers mee naar huis te nemen. Omdat er originele documenten in zaten.

Een windvlaag kwam plotseling door het open raam. Het gordijn en de losse papieren op de vloer wervelden alle kanten op. Ze liep naar het raam en sloot het, ze trok de gordijnen goed dicht.

Hoe laat was het nu? De wijzers en getallen op haar horloge waren zo afgrijselijk klein. Zou ze Cato bellen? Maar stel je voor dat hij sliep. Natuurlijk sliep hij, het was vier uur 's nachts. En wat zou er gebeuren als ze zou verraden dat ze alle documenten mee naar huis had genomen? Hij had in Zweden toch kunnen zien hoe zij te werk ging. Maar Zweden was een ander land, dacht ze en ze glimlachte even. 'Een heel ander land,' zei ze hardop en ze probeerde de namen in de overlijdensadvertentie weer naar boven te halen. Hanne Elisabeth, Astrid en Rolf, Ola en Kari en oma.

Het ging er alleen maar om dat je je grenzen verplaatste, stukje bij beetje. Het ging erom dat je een zaak oploste. Je volledig concentreerde. Alle mogelijkheden gebruikte. Ze had vannacht niet plotseling de overstap gemaakt van eerlijk naar oneerlijk. Zo was het niet. Vroeger had ze in een conflict nog wel eens met beide partijen rekening gehouden, voor de zekerheid. Dat deed ze niet meer. Ze had zichzelf gecorrigeerd. Gebrek aan eigendunk kon ze zichzelf niet verwijten. Ze kon net zolang blijven liegen tot het waar werd. Ze zou zichzelf bewijzen dat ze was wie ze wilde geloven dat ze was.

Astrid Wismer staarde naar het witte plafond. Er zat een smalle kier tussen de gordijnen. Het licht van de zomernacht ging langzaam over in daglicht en viel in drie brede strepen op het plafond. Ze speurde het helemaal af, zocht naar oneffenheden in het schilderwerk. De strepen deden denken aan de wijzers van een klok. Het plafond was een filmdoek. De melodie gonsde door haar hoofd. *Wat je me gaf, herinnert me aan jou. Als je ooit aankomt in Samarkand.* Ze wachtte tot de letters 'The end' zouden verschijnen. Geen tekens aan de wand, maar tekens aan het plafond. Je kon de tijd toch niet terugdraaien, dacht ze.

De pijn in haar armen en heup werd erger door de druk van de matras. De verpleegsters dwongen haar twee uren op te zitten, maar langer hield ze niet vol. Het was allemaal weer teruggekomen. Alles, van toen.

Ten langen leste was hij gekomen. Een koude rilling trok door haar heen. Ze had hem gebeld. Een van de verpleegsters had haar geholpen. Arme stakker. Net nu alles in orde zou komen.

Hoewel het nog nacht was, kwam de ochtendlucht al door de kier van het raam binnen. Aan het plafond zag ze Hannes kinderkamer, de poppen op een rij op de roze sprei. Ze herinnerde zich het patroon, gele paraplu's en witte bloemen, en de felle roze kleur, die de hele kamer leek te domineren.

Ze draaide zich om naar het nachtkastje, tilde haar arm op en knipte het licht aan. Maar licht zou hoe dan ook niet helpen. De ademhaling van de vrouw in het andere bed rees en daalde. Oppervlakkig en triest, als een blaasbalg zonder opening.

Hanne Elisabeth was als tiener enorm koppig geweest. Niet tegen haar, maar tegen haar vader. Want hij nam de beslissingen, hij bepaalde altijd wat er moest gebeuren of niet moest gebeuren. Echtgenoten gingen 's morgens naar hun werk en kwamen 's avonds terug. Maar alles viel in duigen toen dat verschrikkelijke op de camping gebeurde. Toen was alles begonnen en alles gestopt. Ze zag het huis in Halden voor zich. De lege kamers. Aanvankelijk was Rolf de sterkste geweest, met zachte stem had hij met haar gepraat. Later huilde hij als een klein kind, lag ze tegen hem aan en streelde ze hem. Astrid Wismer keek naar het plafond, zag de scène voor zich.

Toen negen dagen geleden de politieman in de deuropening verscheen, was het allemaal teruggekomen, Alle beelden, al het vreselijke.

Rolf was veranderd toen Hanne opgroeide. Op een gegeven moment vond hij het geloof. Hij werd christen, ging naar de kerk. Sprak over haat en liefde en vergeving. Zijn geloof groeide evenredig met de borsten van Hanne, als ze haar hoofd in de nek gooide en zich kleedde in mooie jurken.

'Lieve God,' fluisterde Astrid Wismer en ze voelde hoe haar verdriet werd verdrongen door een razende woede. Hier lag ze als een fossiel dat enkel en alleen een afdruk in het beddengoed naliet. Ze was al heel lang moe, maar deze vermoeidheid was anders. Een felle pijn schoot door haar hoofd. Hij kwam uit haar nek en bleef steken in haar voorhoofd.

Ze sloot haar ogen en probeerde het punt in haar voorhoofd te laten verdwijnen. Ze mompelde zacht het Matteüs-evangelie. 'Want niets is verborgen dat niet onthuld zal worden en niets is geheim dat niet bekend zal worden. Wat ik jullie in het duister zeg, spreek dat uit in het volle licht, en wat jullie in het oor gefluisterd wordt, schreeuw dat van de daken. Wees niet bang voor hen die wel het lichaam maar niet de ziel kunnen doden. Wees liever bang voor hem die in staat is én ziel én lichaam om te laten komen in de Gehenna.'

Ze begon zachtjes te zingen. *Licht en geluid beloofden de zomer, in het kussen stond de afdruk van jouw wang. Ik wist het toen ik mijn ogen opsloeg, ik las het teken aan de wand.*

Toen ze het volgende couplet wilde zingen, ontdekte ze een punt, een klein vierkantje op het plafond, waar de witte kleur verdween. En in dat kleine vierkantje zat het verdriet als een harig dier. Met slagtanden. Zijn bek stond open en grijnsde naar haar. De pijn in haar hoofd was allesoverheersend, alsof iemand met een hamer op haar slaap timmerde. Alsof iemand haar sterren kapot sloeg. De glazen sterren. Ze opende haar mond om te roepen, maar de woorden raakten verstrikt in het beddengoed en dreven als wolken om haar heen.

'Ik ben sprakeloos, weten jullie wat er vanochtend gebeurde?' Afdelingschef Ingeborg Myklebust hield haar witte koffiemok stevig vast en keek de rechercheurs een voor een aan. Ellen Grue haalde een dossier uit haar tas.

'Nee, wat dan?' Cato Isaksen had nog grijze verfvlekken aan zijn vingers. Hij was tot middernacht bezig geweest met het terras.

'Martin Egge kwam de hond van Marian Dahle terugbrengen.' Ingeborg Myklebust keek hem strak aan en zette de mok met een klap op tafel. 'Wat zeggen jullie daarvan? Hij zei dat hij op haar had gepast terwijl zij in Zweden was.'

Cato Isaksen glimlachte. Hij had lachrimpels rond zijn ogen. 'Waarom kijk je zo beschuldigend naar mij? Ik heb daar niets mee...'

Randi trok haar wenkbrauwen op. Roger Høibakk keek hem aan en schudde zijn hoofd. 'Marian is gek.' Hij lachte. 'Maar dat is niets nieuws.'

'*The* Martin Egge dus, de chef van de landelijke recherche in hoogsteigen persoon,' herhaalde Ingeborg Myklebust. 'Hoe heeft Marian hem in vredesnaam weten te strikken om op haar hond te passen? Heeft ze daar tijdens de reis iets over gezegd?'

Cato Isaksen schudde zijn hoofd.

'Egge kwam weliswaar om wat papieren af te geven over de nieuwe instructies van het Politiedirectoraat, maar hij had de hond dus meegenomen. En Marian had hier moeten zijn, maar is er nog niet, dus ligt de hond in mijn kantoor. Waar is ze, Cato?'

'Ingeborg, we waren gisteravond rond half zeven terug. Daarna heb ik Marian niet meer gezien. Zullen we doorgaan met ons werk?'

'Ging het goed in Zweden?'

'We hebben een aantal rapporten en bijzonderheden weten te achterhalen, maar ik weet niet of die wel of niet iets met de zaak te maken hebben. We hebben uiteindelijk ook Oluf Carlsson te pakken gekregen. Ik zal er straks een rapport over schrijven, dan kunnen we er verder mee werken. Er zijn een paar dingen die niet kloppen. Zo zou Carlssons vrouw op haar tweeënveertigste een kind hebben gekregen. Ik zal nagaan waar dat kind is geboren. Met betrekking tot Buberg gaan er bij mij alarmbellen rinkelen.'

Ingeborg Myklebust keek hem aan. 'Hoezo?'

'Weet ik nog niet,' zei hij. 'En dat Astrid Wismer Bubergs appartement betaalde, is erg vreemd. Wat kan dat te betekenen hebben?'

'Tja, wat kan dat betekenen?' Ellen Grue schoof haar stoel een stukje bij de tafel vandaan. 'Ik kan nog vertellen dat Britt Else Bubergs DNA is geïdentificeerd op de sigaretten op het balkon. Zij was dus degene die heeft gerookt op de avond dat ze werd geduwd.'

'Dan kan het dus kloppen dat ze erg gespannen was. Dat er iets is gebeurd wat haar bang maakte, want Wismer beweert dat ze absoluut niet rookte.' Cato Isaksen vouwde zijn met verf besmeurde handen achter zijn hoofd en liet zijn blik iets te lang op haar buik rusten.

Roger Høibakk tekende met een pen krullen op zijn notitieblok. 'Randi en ik zijn gisteren naar Nordberg geweest en hebben met een oude buurvrouw van Astrid Wismer gesproken. We proberen te achterhalen waar Buberg heeft gewoond, voordat ze naar Stovner verhuisde. We moeten contact opnemen met de Sociale Dienst in Zweden.'

Randi nam het over: 'Ik heb zo-even met een verpleegster van het bejaardencentrum in Stovner gesproken en zij vertelde dat het slecht gaat met Wismer, dat het haar waarschijnlijk te veel is geworden. Ze heeft vannacht een lichte beroerte gehad en is naar het ziekenhuis overgebracht. Dat met die huurder zijn alleen veronderstellingen, en ik weet niet wat het met de zaak te maken heeft, maar Wismer verhuurde het souterrain aan een vrouw. Weliswaar een blonde vrouw, maar... Wismer en Buberg verhuisden zes jaar geleden ongeveer tegelijk naar Stovner. Zij ging in het bejaardencentrum wonen en betaalde het appartement voor Buberg. Er kan natuurlijk een voor de hand liggende verklaring zijn. Misschien heeft ze de huuropbrengsten niet opgegeven aan de belastingdienst?'

'Maar verhuur van de helft van je eigen woning is hoe dan ook belastingvrij,' zei Roger. 'En ze heeft geen erfgenamen, dus...'

'Ik heb ontdekt dat Wismer een dochter had,' zei Randi Johansen. 'Ze stierf in 1972. Misschien werd Buberg een soort substituut? Maar waarom heeft ze er niets over gezegd? Hebben jullie trouwens monsters van haar haar genomen?' Ze keek naar Ellen Grue.

Ellen Grue trok haar vinger over het DNA-rapport. 'Van Britt Else Bubergs haar?'

'Ja.'

'Natuurlijk.'

Randi keek haar gespannen aan. 'Was het geverfd?'

'Dat geloof ik wel. Ik meen me te herinneren dat professor Wangen daar iets over heeft gezegd.'

'Kun je uitzoeken of Buberg eigenlijk blond was? Wat haar oorspronkelijke haarkleur was?'

'Ja,' zei Ellen. 'Ik zal Wangen direct na de bespreking bellen.'

Randi Johansen keek naar Ellen Grue. 'Wanneer hoor ik het?'

'Snel. Als Wangen dienst heeft, hoor je het over een uurtje. Snel genoeg?'

'Natuurlijk, zo'n haast heeft het ook weer niet.'

Ingeborg Myklebust onderbrak hen. 'Wie neemt Birka? Ik ben met die afschuwelijke aanpassingen van de instructies bezig. Een van jullie moet het beest ophalen.'

'Ik niet,' zei Cato Isaksen.

Roger schoof zijn schrijfblok een eindje van zich af. 'Bel Marian maar en vraag of zij komt.'

'Waar is Marian eigenlijk mee bezig?' vroeg Randi.

'Ik bel haar direct.' Cato Isaksen pakte zijn mobiel en belde haar nummer. 'Haar mobiel staat uit,' zei hij.

Myklebust was al bij de deur. Ze klemde haar aktetas tegen zich aan. 'Roger, jij haalt Birka op uit mijn kantoor. Onmiddellijk,' voegde ze eraan toe.

Roger Høibakk klapte zijn mond dicht. Iedereen stond op. De stoelpoten schraapten over het linoleum.

Roger streelde Ellen even over haar bovenarm, voor hij zachtjes pratend met Randi de ruimte verliet.

Ellen Grue bleef staan. Cato Isaksen veegde wat onzichtbare kruimels van de tafel.

'Ellen, hoe gaat het eigenlijk met je?'

'Goed,' zei ze en ze keek hem plagend aan.

'Ik kan me Roger niet als vader voorstellen.'

'Onzin!'

'Hij is...'

'Hij wordt een goede vader. We hebben gisteren een echo laten maken.'

'O, dat heeft Roger niet verteld. Dus jullie weten wat het wordt?'

'Ja.'

'En?'

Ellen Grue schudde haar hoofd. 'Dat is geheim,' zei ze.

Een zonnestraal drong door de spleet tussen de gordijnen. Plotseling scheen hij de kamer binnen. De zonnestraal werd weerkaatst in de spiegel aan de wand en vormde ruiten en prisma's in alle kleuren van de regenboog op het behang.

Marian Dahle werd wakker op de bank. Haar wang zat vastgeplakt aan de gladde stof. Het koude zweet dreef van haar nek langs haar rug naar beneden. Ze had al haar kleren nog aan. Haar haar viel voor haar ogen. Ze had het gevoel dat er een metalen band om haar voorhoofd zat. Ze zette haar handpalmen neer en duwde zich op. Verward keek ze om zich heen. Geen hond, alleen maar karton en plastic en lichtvlekken op de wanden.

Plotseling schoot het haar weer te binnen: de overlijdensadvertentie van Hanne Elisabeth Wismer. Onze geliefde dochter, nicht en mijn kleinkind. Astrid en Rolf. *Hoewel ik je mis, kan niets me nog raken. Wat je me gaf, herinnert me aan jou.*

Jemig, wat had ze gisteren eigenlijk ontdekt? En waar was de advertentie? Ze liep naar het bureau, gleed uit over een stuk plastic, maar wist haar evenwicht terug te vinden. De hoofdpijn bonkte tegen haar schedel, alsof er daarbinnen een mannetje met een hamer zat. Ze liep naar de keuken. Er lagen wat papieren op tafel. Rekeningen en een verslag van een huurdersvergadering waar ze niet bij aanwezig was geweest. De klok op het fornuis wees 10.47. 'Jezusmina,' riep ze en ze sloeg haar hand voor haar mond. 'Birka!' Ze haalde een hand door haar haar. Oom E zou haar om acht uur op het politiebureau afleveren. Dat hadden ze afgesproken, en dat was bijna drie uur geleden. Haar telefoon lag op het aanrecht. Ze had hem uitgezet. Ze kon niet rijden. Ze draaide haar hoofd een klein stukje naar links, zodat het gebonk in haar hoofd wat minder zou worden.

In de badkamer draaide ze de koudwaterkraan open en boog haar hoofd over de wasbak. Ze maakte een kom van haar handen en gooide met kracht het water in haar gezicht. Ze richtte zich weer op en herinnerde zich ineens dat de overlijdensadvertentie in de wc-pot had gelegen, dat hij helemaal oploste en op water leek. Ze pakte een handdoek en droogde haar gezicht. Astrid Wismer kende Britt Else Buberg, die ook was vermoord. En Ewald Hjertnes, de beheerder van Rødvassa, woonde in hetzelfde trappenhuis.

Maar hoe... wat was het verband? Het bleef malen in haar hoofd. Ze probeerde haar gedachten te ordenen. William Pettersens alibi was niet waterdicht. Hij zou genoeg tijd gehad kunnen hebben om haar te duwen... Maar waarom zou hij...

De beide meisjes op het pad hadden verteld over de moord die vijfendertig jaar geleden was gepleegd. Julie en Shira heetten ze. De een had een roze en de ander een rode bikini gedragen. Plotseling herinnerde ze zich hun stemmen, helder en iel. Als zilveren draden. En hun lach, toen ze over Ewald Hjertnes spraken.

Ze draaide de kraan weer dicht en liep de gang in, ze dacht aan Birka. Een gevoel van onmacht overviel haar. Het was hoe dan ook te laat. Roger had haar vast onder zijn hoede genomen. Ze pakte met beide handen de Stressless beet, trok hem de kamer in en zette hem bij het raam. Daarna tilde ze de hondensofa op en droeg hem de gang in. Ze kwam weer overeind, probeerde zich te vermannen en liep de kamer weer in naar het bureau. Ze zocht tussen de papieren, maakte ze los uit de plastic mappen waarin ze zaten en strooide ze in het rond. Het was een eindeloze hoeveelheid documenten over de rechtszaak. Laat die overlijdensadvertentie ook maar zitten! Ze pakte een willekeurig vel papier. *De jury van het gerechtshof heeft de twintigjarige Lennart Hoen schuldig bevonden aan verkrachting van en moord op de zeventienjarige Hanne Elisabeth Wismer. Zowel de twintigjarige als het Openbaar Ministerie hadden hoger beroep aangetekend nadat de rechtbank van Heggen og Frøland vorig jaar maart een straf van dertien jaar als gerechtvaardigd beschouwde.*

Waarom had Astrid Wismer in vredesnaam Britt Else Bubergs appartement in Stovner betaald? Ze liep weer naar de badkamer, trok haar kleren uit en draaide de douche helemaal open. Haar blik viel op een blauwe plek op haar onderarm, ze trok het douchegordijn beter dicht, boog haar hoofd achterover en liet het water over zich heen stromen.

Ze droogde zich stevig af met een handdoek, trok ondergoed aan, een schone broek en een schoon T-shirt. Ze liep naar de keuken en zette water voor thee op. Terwijl ze wachtte tot het water aan de kook kwam, opende ze de deur van de koelkast en pakte er een droog stuk brood uit. Ze moest boodschappen doen. Ze zette thee en at een snee brood met kaas. Toen zette ze haar mobiel aan. Er kwamen drie sms'jes binnen. Allemaal van Cato Isaksen. *Waar ben je in vredesnaam. Waar blijf je. Kom naar je werk.*

Ze wiste ze alle drie. Ze stuurde een sms naar het inlichtingennummer en ontving direct het nummer van het bejaardencentrum in Stovner. Ze belde en vroeg of ze Astrid Wismer kon spreken. De stem van de verpleegster klonk kil. Ze vertelde dat Astrid Wismer was opgenomen in het Aker-ziekenhuis. 'Het is haar te veel geworden,' zei ze.

*

De taxichauffeur staarde naar haar in de achteruitkijkspiegel. De honden-chaise longue stond op zijn zijkant naast haar op de achterbank. Marian Dahle ving de blik van de chauffeur op, maar zag hem ook weer niet. Wat was er met Astrid Wismer gebeurd? 'Breng me naar het politiebureau,' zei ze.

Ze ontving nog een sms-je van Cato. Ze pakte haar mobiel en verwijderde het. Waar had ze die blauwe plek opgelopen?

Ze stuurde nog een sms naar Inlichtingen en vroeg het nummer van Margareth Jørp in Oslo. Plotseling was haar de naam weer te binnen geschoten. Ze herinnerde zich dat Astrid Wismer had gezegd dat ze maar één oude vriendin over had. Jørps telefoonnummer kwam retour. Ze sloeg het op in haar telefoon. De taxi maakte een bocht en de honden-chaise longue viel tegen haar aan. Weer een sms van Cato Isaksen. *Waar ben je? Waar ben je mee bezig? Je kunt je telefoon niet uitzetten als we midden in een zaak zitten.*

Ze keek afwisselend naar haar mobiel en door de voorruit, terwijl ze probeerde het hondenbed van zich af te houden. Ze toetste een antwoord in. *Ik voel me niet goed.*

Het antwoord van Cato kwam onmiddellijk. *Dat vroeg ik niet.*

De taxi remde af voor de auto die voor hen reed terwijl zij het antwoord toetste. *Ik ben onderweg om Birka op te halen. Nu zet ik mijn mobiel uit.* Ze keek naar het hondenbed en bedacht dat ze het geld terug kon krijgen, maar dat idee schoof ze onmiddellijk weer terzijde. Ze had geen zin om er hele-maal mee terug te gaan naar Ikea. Ze kon de buurjongen met het stalen bril-letje wel vragen om dat voor haar te doen. Ze glimlachte even. Hij had vast genoeg van haar. Had ze hem een dreun gegeven? En waar had ze die blau-we plek op haar arm aan te danken? Verdorie, ze moest het niet te gek maken. Cato had haar doorzien. Hij had begrepen dat ze niet zo goed in de gaten hield waar de grens liep, dat ze alleen aan het einddoel kon denken.

De mobiel van de taxichauffeur ging. Hij nam snel op en sprak zacht in een vreemde taal. Dat kwam mooi uit. Marian toetste Margareth Jørps num-mer in. Hij ging drie keer over voor een oude vrouw opnam.

'Hallo,' zei Marian Dahle en ze presenteerde zich met zachte stem. 'Ik moet helaas heel kort zijn, want ik zit in een taxi. Maar u bent toch een vriendin van Astrid Wismer?' De vrouw aan de telefoon bevestigde dat. 'We zijn oude vrienden,' zei ze.

'Oké, ik zal er niet omheen draaien.' Marian keek naar de chauffeur. 'Wij zijn bezig met het onderzoek van een zaak en willen in verband daarmee graag meer informatie over de dood van haar dochter. Astrid Wismer heeft een beroerte gehad en kan niet worden verhoord.'

Het bleef stil aan de andere kant van de lijn.

'Kende u Wismer toen haar dochter stierf?'

'Ja. Is het ernstig, die beroerte?'

'Dat weet ik niet. Ze ligt in het Aker-ziekenhuis. Bent u naar de begrafenis van haar dochter geweest?'

'Natuurlijk was ik bij haar begrafenis,' zei Jørp. 'Maar eigenlijk was het geen begrafenis, het was een herdenkingsbijeenkomst.'

'Een herdenkingsbijeenkomst? Waarom?' Marian streek met een hand over haar kin.

'Nou ja, ze werd nooit gevonden.'

'Wat zegt u nu? Werd ze niet gevonden?'

De taxichauffeur beëindigde zijn gesprek en keek weer naar haar in de achteruitkijkspiegel. 'Een moment, mevrouw Jørp.'

Marian boog zich naar voren en vroeg de chauffeur uit te voegen en te stoppen. Ze gaf hem een teken dat hij moest wachten, en stapte uit. Op het trottoir ging ze verder: 'Hoe was de herdenkingsbijeenkomst, kunt u zich iets bijzonders herinneren?'

'Alleen dat de dienst heel mooi was en natuurlijk ook heel verdrietig en... dat...'

'Ja?'

'Tja, Rolf Wismer gedroeg zich vreemd.'

'Rolf Wismer, de vader. Hoezo?'

'Hij hield een toespraak waarin hij sprak over haat. Het werd een beetje pijnlijk. Het is verschrikkelijk lang geleden, maar dat viel heel veel mensen op.'

Marian zag ineens het geborduurde schilderijtje in Oluf Carlssons appartement voor zich. *Wie het beest en zijn beeld aanbidden...*

'Maar hij had zijn dochter verloren,' zei ze. 'Het was misschien niet zo vreemd dat hij boos was.'

'Nee. Misschien niet,' antwoordde Margareth Jørp.

Marian Dahle voelde de zon in haar nek branden. Ze wendde zich af van een groep jongeren die langsliep. Hun stemmen verstoorden haar. 'En Astrid Wismer,' zei ze. 'Hoe lang kent u Astrid Wismer al?'

Margareth Jørp dacht even na. 'Sinds ze in Halden woonde. We zaten op dezelfde school.'

'Hoe ging zij met de dood van haar dochter om?'

'Ze was vanzelfsprekend gek van verdriet,' zei de zachte vrouwenstem aan de andere kant. 'Het was haar enige kind.'

'Ja, dat is waar. Astrid is ongeveer zes jaar geleden naar het bejaardencentrum in Stovner verhuisd. Daarvoor woonde ze toch in Nordberg, in het huis waarin zij en haar man hadden gewoond?'

'Ja.'

De taxichauffeur boog naar voren en keek haar kwaad aan. Ze hief haar hand op ten teken dat ze op het punt stond weer in te stappen en ze zette een paar stappen in de richting van de auto. 'En u bezoekt haar af en toe in het bejaardencentrum, heb ik begrepen,' ging ze verder.

'Ja, soms. Ik sukkel zelf ook een beetje, dus ik ben ook niet meer zo goed ter been.'

'Wist u dat ze Britt Else Buberg kende?'

'Wie is Britt Else Buberg?' De vrouw aan de andere kant van de lijn klonk verward.

'Weet u niet wie dat was?'

'Nee. Ik heb nog nooit van haar gehoord,' zei Margareth Jørp.

Irmelin Quist glimlachte aarzelend. 'Je ziet er niet echt gezond uit,' zei ze en ze borg een loonlijst op in haar keurig opgeruimde kast. Aan de wand boven haar bureau hing een foto van haar samen met Cato Isaksen en Roger Høibakk. In uniform.

'Ik voel me ook niet zo goed.' Marian Dahle hield de honden-chaise longue in haar armen geklemd en keek strak naar de rode bril van de secretaresse. Ze voelde ineens hoe rillerig ze was. 'Je moet nog een paar dossiers voor mij uit het archief halen,' zei ze. 'En het probleem is dat ik ze direct nodig heb. Het is nu echt *action*.'

'Juist, maar...'

'Weet je wat we doen...' Marian zette het hondenbed op de vloer en liet hem tegen haar been leunen. 'We gaan samen naar het Rijksarchief, of liggen er ook nog dossiers hier in de kelder?'

'Als het dezelfde zaak is waarvoor ik laatst ook dossiers heb gehaald, is er niets meer in het Rijksarchief. Als er al meer zijn, dan zijn ze hier op het bureau.'

'Mooi. Het is dezelfde zaak. Als jij dan even een handtekening voor mij zet. Ik heb een dossieroverzicht van de rechtszaak. Het moeten twee mappen zijn: Rødvassa 1026/72 A en B.'

Irmelin Quist pakte twee kaarten uit haar archieflade en keek naar de lila honden-chaise longue. 'Wat is dat eigenlijk?' Marian Dahle keek haar aan. 'Een kleine chaise longue,' zei ze. 'Voor Cato Isaksen.' Irmelin Quist vatte de ironie niet. Ze legde een van de kaarten op de rand van haar bureau. Marian pakte hem snel op. 'Ik kan ze zelf wel ophalen. Kun jij geen briefje schrijven, dan loop ik direct naar dat mannetje van het archief.'

'Nee, dat kan niet.' Irmelins stem klonk ineens heel bits. 'Dan moeten we ze samen ophalen. Zo zijn de regels. Mag ik de kaart terug?'

'Oké. Hier. Maar neem dan wel alles mee wat er te vinden is over zaak 1026, en als toch blijkt dat niet alles hier in het archief ligt, dan moet je het uit het Rijksarchief halen.'

'Ja, natuurlijk,' antwoordde Irmelin Quist sarcastisch. 'Maar er is niet meer dan wat zich hier in het archief bevindt.'

Marian Dahle deed een poging om te glimlachen. 'Oké,' zei ze. 'Ik kom de spullen over een kwartier bij je halen. Ik ga alleen het hondenbed even in mijn kamer zetten. En de hond halen. Als ik haar kan vinden,' voegde ze eraan toe. 'En, trouwens. Praat hier met niemand over. Je hebt toch zwijgplicht?'

*

Nadat ze een tijdje had gewacht op een taxi die bereid was een hond mee te nemen, was Marian Dahle een uur later weer terug in de Hesselberggata. Ze betaalde, liep naar de binnenplaats en vervolgens de trappen op met de archiefstukken in een draagtas van de Rimi-supermarkt in haar ene hand en Birka's riem in de andere.

In het gangetje liet ze allebei los en deed de deur zorgvuldig achter zich op slot. Roger had gezegd dat Cato boos was. Waarschijnlijk omdat hij het hele rapport van de reis naar Zweden zelf moest schrijven, dacht ze. Niemand vond het leuk om rapporten te schrijven. Ze pakte haar mobiele telefoon, zette hem aan en toetste een sms voor Cato Isaksen in: *Ik heb Birka opgehaald. Voel me nog steeds niet goed. Zal je helpen met de rapporten. Ik heb immers de documenten uit Zweden. Bel je later.* Ze verstuurde het bericht en schakelde de telefoon weer uit. Ze voelde zich helemaal bibberig van de honger.

In de keuken opende ze de deur van de koelkast en vond een pakje gehakt. Ze moest de afwas doen die in de gootsteen stond opgestapeld. Ze nodigde nooit iemand bij zich thuis uit. Ze wilde het liefst alleen zijn, maar merkte toch hoe haar hele bestaan op instorten stond. De tekst van de overlijdens-advertentie kwam haar plotseling weer haarscherp voor de geest. Het was het lied dat Astrid Wismer had gekozen voor Bubergs begrafenis. *Hoewel ik je mis, kan niets me nog raken.*

'Hier, Birka. Gulzig meisje. We gaan dit delen. Jij krijgt jouw deel rauw. Alsjeblieft. Niet alles tegelijk. Moet je je eten nu altijd zo naar binnen schrokken?'

Ze schudde een paar pilletjes vitamine C uit een busje direct in paar mond. *Wat je me gaf, herinnert me aan jou. Als je ooit aankomt in Samarkand.*

Ze slikte. Was het een of ander religieus woord voor de hemel? Het kon toch niets met dat land in Verweggistan te maken hebben? *Wie het beest en zijn beeld aanbidden...*

Ze pakte de koekenpan en zette de kookplaat op de hoogste stand. Ze deed er een stuk boter in en daarna de rest van het gehakt. Margareth Jørp had gezegd dat Rolf Wismer vol haat zat. Ze bakte het gehakt tot het bruin was en strooide er wat gedroogde peterselie over. Birka zat bedelend naast haar. 'Nee, Birka. Genoeg. Jij hebt je deel gehad. Ga liggen! Ga naar je stoel. Ik heb de Stressless weer voor je opgehaald. Tiran dat je bent!'

Ze nam het bord met het gebakken gehakt mee naar de kamer. Ze ging zitten op de bank en at haar eten aan de salontafel met een stuk droog brood en een glas melk. Birka kroop op de lichtbruine stoel en ging met een diepe zucht liggen.

Toen ze had gegeten voelde ze zich veel beter. Ze was opgelucht dat ze een dag rust zou hebben. Als ze alles op een rijtje had gezet, zou ze natuurlijk Cato Isaksen en de anderen op de hoogte brengen van wat ze had ontdekt. Ze wisten zelfs niet dat de dochter van Astrid Wismer dood was. Morgenvroeg zou ze op de ochtendbespreking alles uit de doeken doen, of misschien zelfs iets later op de dag, zodat ze zouden denken dat ze het dan ontdekt had. De hond gaapte, rekte zich uit en zette haar voorpoten op de vloer en sleepte zich weer uit de stoel.

'Kun je niet rustig blijven liggen,' zei ze boos. Ze bracht het vieze bord naar de keuken en zette het boven op het andere gebruikte serviesgoed op het aanrecht.

Het was merkwaardig dat de hond haar ritme volgde, haar manier van doen. Het was haast griezelig wat het dier allemaal bespeurde.

Ze ruimde een deel van het karton op dat op de vloer van de woonkamer lag. Ze ging naar de gang, pakte de Rimi-draagtas en liep vlug naar het bureau. Ze gooide de inhoud op het werkblad. Ze legde alle papieren die ze al had op een stapel en sorteerde ze op inhoud. 'Allemachtig, wat een rotzooi maak ik ervan,' zei ze hardop. Hoe moest ze weten wat waar thuishoorde?

Ze las snel de papieren uit de eerste map door die Irmelin Quist uit het archief had opgehaald. Het waren meer dan vijftig dichtbeschreven pagina's. Eindeloos veel details. Over de plek waar Hanne Elisabeth Wismer vermoedelijk werd vermoord, over de boot die de dader had gebruikt om haar het water op te brengen. Het tijdstip waarop de moord waarschijnlijk was gepleegd, bladzijden vol. En foto's van het slachtoffer als kind en als tiener. Op een ervan had ze haar haar in een strakke paardenstaart.

Marian Dahle stond op en keek geërgerd naar Birka, die al voor de derde keer uit de stoel kroop. Een dikke spin liep over de vloer. Birka sprong blaffend opzij. 'Laat maar lopen, spinnen brengen geluk.' Ze bukte zich en wreef met haar handen over haar in spijkerbroek gehulde dijbenen. 'Waarom kan ik nooit eens rustig werken,' riep ze door de kamer en op hetzelfde moment zag ze haar eigen spiegelbeeld in het grijsbruine televisiescherm. 'Ik ben gek. Net als mijn moeder in de rolstoel, die niet mijn moeder is.' Ze praatte hardop tegen zichzelf. 'Is het erfelijk of is het mijn opvoeding? Mijn opvoeding, natuurlijk.' Ineens schoot een gedachte door haar hoofd. De foto's van Hanne Elisabeth Wismer. Op een van de foto's had ze haar haar strak in een paardenstaart. Het moest de foto van haar confirmatie zijn. Op een andere foto hing het bruine haar los over haar schouders.

Marian Dahle stond op en liep de kamer in. Ze pakte de foto. Waar had ze Hanne Elisabeth Wismer eerder gezien? Op de een of andere manier kwam ze haar bekend voor. Het lukte haar bijna het verband te zien, maar het ontglipte haar ook weer. 'Die verdomde wodka ook!' riep ze. Ze liep snel door de kamer en plofte weer neer op de bank.

Ze vond twee krantenknipsels en een anonieme brief die de krant VG had ontvangen. Ze hield het origineel in haar handen. *Lennart Hoen vermoordde Hanne Elisabeth in het bos, bij de picknickplaats. Daarna heeft hij haar in een boot meegenomen en in het water gedumpt. Hij heeft een maillot vol stenen om haar middel geknoopt.*

Aftenposten, 8 augustus 1972.
Gisteren is de politie een nieuwe zoekactie in het water begonnen naar Hanne Elisabeth Wismer. Er werd een minionderzeeër ingezet en ook duikers van de brandweer namen deel aan de actie. De verdediger van de aangeklaagde Lennart Hoen bevestigt dat hij de avond van de verdwijning van de vrouw met een boot op het water was om te vissen.

In een ander artikel stond dat het lichaam nooit was gevonden, maar dat Lennart Hoen, nadat alles in overweging was genomen, werd veroordeeld op grond van aanwijzingen. Na verschillende rechtszaken slaagde de openbaar aanklager er in het voorjaar van 1974 in de rechters ervan te overtuigen dat Hanne Elisabeth Wismer werd verkracht, vermoord, meegenomen in een boot en in het water gedumpt. Wismers met bloed besmeurde jurk werd gevonden onder een grote boomstam op een open plek in het bos, niet ver van de aanlegplaats van Hoens boot. In de boot vond de politie een knoop en op de knoop zaten Hoens vingerafdrukken. Hoen had de moord nooit toegegeven. Marian bladerde door de papieren en vond een formulier waarop met pen de bloedgroep van Hoen was genoteerd. PCR stond er. In 1972 bestonden er nog geen mogelijkheden om DNA te vinden. Lennart Hoen. Bloedgroep 0, rhesus negatief, stond er. Daarna de geboortedatum en zijn persoonsnummer. Zie bijlage A en B, behorend bij 1026/72.

Bijlagen? Welke bijlagen? Marian Dahle smeet het dossier geïrriteerd neer. Wat zou Irmelin Quist zeggen als ze nog een keer zou komen? Zou ze het doorgeven aan de afdeling? Zou ze Cato Isaksen bellen en vragen waar zijn mensen mee bezig waren? Ze keek naar de bon die naast haar op het bureau lag. Ze moest nog een uitleenkaart zien te krijgen. Verdomme. Irmelin was van mening dat Cato Isaksen het zevende wereldwonder was.

Ze stond op, liep de gang in en keek in de Rimi-tas. Er lag nog iets in. De bijlagen. Ze pakte de op een map lijkende zak en opende hem. Ze stak haar vingers er voorzichtig in en trok er langzaam iets uit. Het was Hanne Elisabeth Wismers gebloemde zomerjurk.

Karin Carlsson was thuis in de Södergatan 12 bevallen van haar zoon Tomas. Cato Isaksen zat in zijn hoekkantoor, achter het grote bureau aan de telefoon te praten met een collega van de politie in Stockholm. Volgens het bevolkingsregister was Tomas Carlsson geboren op 10 maart 1973. De Zweedse politieagent vertelde dat Carlsson vastzat voor een gewapende overval, in een gevangenis in de buurt van Stockholm. Hij moest nog een klein deel van zijn straf uitzitten en mocht regelmatig met verlof, maar op 23 juli had hij achter slot en grendel gezeten. Dat stond buiten kijf. Daarentegen had hij een week eerder drie dagen verlof gehad.

Cato Isaksen bedankte de Zweedse rechercheur, beëindigde het gesprek en belde Oluf Carlsson. De telefoon bleef overgaan. Hij keek naar het glimmende bureaublad, pakte een pen en tikte er zachtjes mee op tafel. Hij keek even naar de klok. Waar bleef Marian? Een theorie begon in zijn hoofd vorm te krijgen. Stel je voor dat Britt Else Buberg het kind had gekregen en niet Karin Carlsson? Stel je voor dat Oluf Carlsson de vader was. Stel je voor dat hij zijn psychiatrische pleegkind zwanger had gemaakt?

Cato Isaksen voelde een koude rilling door zich heen gaan. Misschien had de psychiater haar al zwanger gemaakt toen ze nog in het ziekenhuis lag. Misschien moest ze daarom uit het systeem verwijderd worden, moest ze verdwijnen en moesten haar medische dossiers worden gewist. Het zou een enorm schandaal veroorzaken en verklaarde ook waarom Buberg naar Oslo vertrok of werd gestuurd.

Cato Isaksen stond op en verliet het kantoor. Dit moest hij aan de anderen vertellen. Hij liep op een draf naar Roger Høibakks kantoordeur en keek naar binnen. Roger was er niet.

Hij keek bij Randi naar binnen. Ze zat aan de telefoon. Toen ze de uitdrukking op zijn gezicht zag, brak ze het gesprek onmiddellijk af. 'Wat is er?' vroeg ze.

'Ik geloof dat ik iets heel belangrijks heb ontdekt,' zei hij.

*

Toen hij weer belde werd er opgenomen aan de andere kant van de lijn. Het was een vrouwenstem. Cato Isaksen stelde zich voor en begon met zijn verhaal. De vrouw onderbrak hem. 'U bent toch hier geweest?'

'Ja,' zei hij, 'kan ik...'

'Ja, een moment,' zei ze vriendelijk.

Oluf Carlssons stem klonk donker aan de telefoon. 'Wat is er nu weer?' vroeg hij geïrriteerd.

Cato Isaksens ogen bleven hangen bij een vlek op de wand. Hij deed zijn best om zo rustig mogelijk te spreken. Hij confronteerde hem met de informatie die hij had gekregen.

Het was een ogenblik stil. 'Wat heeft dat met de zaak te maken?' vroeg Oluf Carlsson kortaf. 'Waarom is het van belang om te weten of mijn vrouw thuis is bevallen. Waar zijn jullie eigenlijk mee bezig? Moet ik contact opnemen met mijn advocaat?'

'Was het de bedoeling dat ze thuis zou bevallen?' vroeg Cato Isaksen rustig.

'Nee, het kwam onverwacht. De weeën begonnen. Alles ging heel snel.'

'Ik dacht dat dergelijke snelle bevallingen vooral bij jonge vrouwen voorkwamen,' zei Cato Isaksen en hij liet zijn pen op de vloer vallen. Hij rolde onder het bureau.

Aan de andere kant van de lijn was duidelijk te horen dat Oluf Carlsson boos werd. 'Bent u arts?'

'Naar welk ziekenhuis is uw vrouw na de bevalling gebracht? Naar Västerborre?'

'Nee, ze is thuis gebleven. Ze stond onder controle van een vroedvrouw en een arts. Herinnert u zich dat ik heb verteld dat het in Västerborre extreem chaotisch was? Onderbezet en wanordelijk?'

'Dat gold toch alleen voor de psychiatrische crisisopvang?' zei Cato Isaksen.

'Dat gold helaas voor het hele ziekenhuis,' zei Oluf Carlsson kil. 'Nu moet ik gaan.'

*

Ellen Grue voelde plotseling het kind in haar buik bewegen, met een visachtige schok. Alsof iemand haar vanbinnen beschilderde met een zacht penseel. Ze volgde de beweging met haar hand.

'Wat is er zo leuk?' Randi Johansen nam een slok uit haar koffiemok.

'Het bewoog.'

'Het?'

'Hij of zij.' Ze glimlachte toen de andere rechercheurs de vergaderkamer binnenkwamen.

Cato Isaksen ging vlug zitten. 'Neem plaats,' commandeerde hij. 'Laten we beginnen.' Roger Høibakk plofte naast Ellen neer.

'Het kind zwemt,' glimlachte ze.

'Natuurlijk, ik ben tenslotte de vader.'

Cato Isaksen trok een stoel bij voor Asle Tengs. 'Waar is Tony?'

'Hij komt eraan,' zei Randi en ze schopte onder tafel haar schoenen uit.

'Zoals jullie weten, zit er beweging in de zaak,' begon Cato Isaksen. Hij las voor uit de aantekeningen op het papier dat voor hem lag. 'Randi, jij probeert uit te vinden naar welke verloskundige Karin Carlsson ging toen ze volgens zeggen zwanger was. Het is belangrijk. Volgens mij begin ik de contouren van iets te onderscheiden. Buberg en Carlsson, daar moeten we mee verder. Mijn theorie is dat de psychiater haar zwanger heeft gemaakt en dat hij dat verborgen hield door te doen alsof zijn vrouw een kind kreeg.'

Tony Hansen kwam de vergaderruimte binnen. 'Maar waarom heeft hij geen abortus geregeld?' Hij pakte een stoel en ging zitten.

Cato Isaksen keek zijn collega's aan. 'Ik geloof niet dat Karin Carlsson kinderen kon krijgen. Ze deden alsof het kind van hen was.'

'Ik ga direct na de vergadering aan het werk,' zei Randi. 'Ik zal proberen te achterhalen wie haar zwangerschapscontroles heeft gedaan. Maar het is vijfendertig jaar geleden. Heeft iemand trouwens al iets van Marian gehoord?'

'Marian heeft de hele nacht overgegeven,' zei Roger.

'Dan moet ze maar mooi thuisblijven. We hebben nu geen tijd om aangestoken te worden,' zei Tony.

'Ze heeft om een uur of half twaalf de hond opgehaald en is direct weer vertrokken,' zei Roger Høibakk. 'In een taxi. Ik zag het vanuit mijn raam.'

'In een taxi? Waarom eigenlijk?' Cato Isaksen draaide een flesje water open. 'Ze heeft haar mobiel uitgezet,' zei hij kwaad en hij nam een slok.

'Ze had een kater. Dat zag je zo. Heb jij haar in Zweden dronken gevoerd?'

Cato Isaksen schraapte zijn keel. 'Herinneren jullie je nog die ketting die Buberg droeg toen ze van het balkon werd geduwd?'

'Nee. Welke ketting?' Randi Johansen leunde over de tafel naar voren.

'Die groene. Ellen, jij hebt hem gefotografeerd, samen met haar kleren.'

'Ja?' Ellen Grue bladerde door een map en pakte een foto van het chenille pak, het ondergoed en de ketting die het slachtoffer had gedragen. Ze schoof de foto samen met de beschrijving over de tafel.

Cato Isaksen pakte hem op. *Het slachtoffer droeg een wijnrood chenille huispak, bestaande uit een jasje en een capribroek (maat 38). Ketting: groene glazen steen. Horloge: merk Swatch (bruin bandje). Diamanten ring: karaat onbekend. Wit ondergoed. Opmerking: open sandalen, met bruine leren riempjes, teruggevonden op het balkon.*

'Astrid Wismer had oorbellen met precies dezelfde stenen als die ketting,' zei hij. 'Ze droeg ze toen Marian en ik haar meenamen voor de identificatie. Volgens mij horen ze bij elkaar en waren het heel oude sieraden.'

'*So what?*' Roger zuchtte en schoof zijn stoel hard achteruit.

Cato Isaksen keek hem iets te lang aan, voor hij zijn blik verplaatste naar Ellen Grue. 'Weet je al iets over de haarkleur? Niet dat ik denk dat het belangrijk is, wat zegt haarkleur, maar er is iets...'

'Britt Else Buberg had oorspronkelijk bruin haar,' zei Ellen Grue. 'Het begon een beetje grijs te worden. Ze gebruikte een donkere kleurspoeling.'

Cato Isaksen noteerde iets op zijn papier. 'Dus ze was van zichzelf donker?'

'Tamelijk.'

'Dat zegt niet zoveel,' zei Asle Tengs.

Randi Johansen keek hem aan. 'Niet per se, maar ik heb ontdekt dat Buberg voordat ze naar Stovner verhuisde een fictief adres had. Een postbus in het winkelcentrum van Tåsen.'

Cato Isaksen staarde haar aan. 'In het winkelcentrum van Tåsen?'

'Ja. Ze had daar een postbus gehuurd, maar er hoorde geen adres bij. En het winkelcentrum van Tåsen is niet ver van de Nordbergveien.'

'Astrid Wismer had een dochter die is gestorven, maar die is geboren in 1956. Buberg in 1951,' zei Cato Isaksen. 'Wismer had een bijzondere relatie met Buberg. Er is iets wat ze ons niet vertelt. We moeten het Aker-ziekenhuis bellen.'

'Astrid Wismer mag nog steeds geen bezoek ontvangen,' zei Randi Johansen.

Ellen Grue veegde een haarlok van haar wang. 'Buberg had in elk geval bruin haar,' zei ze.

'Maar Ellen,' zei Cato Isaksen, 'heb je er ook bij nagedacht dat het omgekeerd kan zijn?'

'Omgekeerd?'

'Dat de huurder van Wismer in Nordberg eigenlijk donker was, maar haar haar blondeerde. Dat is natuurlijk ook een mogelijkheid. Maar wat heeft het in vredesnaam met de zaak te maken?'

Cato Isaksen schudde teleurgesteld zijn hoofd. 'Ik heb nog nooit eerder een zaak meegemaakt waarin iemand haast niet bestaat. We vinden helemaal niets, behalve uit de tijd voordat ze naar Noorwegen kwam. Het heeft allemaal iets onwaarschijnlijks. We zijn eraan gewend het leven van iemand helemaal in kaart te kunnen brengen.'

'Over het algemeen is het gemakkelijk om iemands leven na te trekken,' zei Ellen Grue. 'Het is mijn taak om vingerafdrukken te vinden, haren, sporen op de plaats delict, dat soort dingen. De verklaringen en het in kaart brengen van een leven is jullie werk.'

'Ik zal morgen een bijgewerkt rapport presenteren,' zei Cato Isaksen geïrriteerd. 'Ik ben nog bezig met het rapport van de reis naar Zweden, maar Marian heeft de kopieën van de documenten van alle openbare instanties. Waar blijft ze verdomme?'

'Zal ik erheen rijden en ze ophalen?' Roger Høibakk keek hem aan.

Cato Isaksen keek op zijn horloge. Het was vijf over twee. 'Ik doe het zelf wel,' zei hij en hij stond op. 'Ik rij ook nog even naar de Nordbergveien, waar Astrid Wismer woonde. Gewoon om me een goed beeld te kunnen vormen.' Hij keek naar Randi. 'Laat het me weten als je iets weet over die zwangerschapscontroles.'

Irmelin Quist woonde in Grefsen. Ze had de dahlia's die hij mocht hebben in twee kratten achter de garage staan. Ze fietste altijd naar haar werk en kon de kratten niet meenemen. Dit was een mooi excuus om de bloemen nu te halen. Dan kon hij op de terugweg bij Marian langsgaan. Om de een of andere reden had hij het gevoel dat ze ergens mee bezig was. Irmelin had terloops iets gezegd over verschillende dossiers, maar was daarna snel over de dahlia's begonnen.

De jurk was van een dunne, soepele stof met rode bloemen. Marian vouwde hem voorzichtig uit en legde hem boven op de documenten op het
bureau. In een klein, apart zakje zat het slipje met het opgedroogde zaad en
in een ander zakje de grote, rode knopen. De spullen waren genummerd
met 1, 2 en 3.

Haar hart klopte in haar keel. Dit was de jurk van een verkracht en vermoord meisje. Van een lichaam dat nooit werd gevonden. Er trok een onbe-
haaglijk gevoel door haar heen. Ze voelde voorzichtig aan de stof. Ze bukte
zich en rook eraan. Hij rook heel vaag naar terpentijn.

Langs het voorpand had de jurk een dubbel stiksel. Hij was aan één kant
gescheurd en toen ze hem uitvouwde vielen er kruimels bruin, verdroogd
bloed op de papieren. Deze jurk had Hanne Elisabeth Wismer gedragen toen
ze werd verkracht en vermoord.

Ze streek met haar vinger over de dunne, chiffonachtige stof en peuterde
een sigaret uit een pakje dat op het bureau lag, deed hem in haar mond en
voelde zich ineens duizelig, alsof al het bloed uit haar hoofd was gestroomd.

Een beeld van haarzelf, in een geruite zomerjurk, sloop ongevraagd haar
bewustzijn binnen. Ze was vijf jaar en zou naar een verjaardagsfeestje. Haar
moeder was boos en had haar de jurk van het lijf gerukt. Jurken stonden
haar niet. Moeder zei dat jurken haar niet stonden.

Waarom had de politie de jurk gevonden, maar geen lichaam? In een aparte plastic map lagen de aantekeningen van de bloedanalyse, geschreven met
inkt: PCR-*analyse. Bloedgroep: O, rhesus negatief. Het dient te worden opge-
merkt dat de verkrachter / moordenaar en het slachtoffer dezelfde bloedgroep
hadden.*

Ze keek naar de onscherpe foto in de geruite lijst, die ze had meegenomen
uit Oluf Carlssons appartement. Ze schoof de jurk opzij en keek naar de
andere foto. Die van Hanne Elisabeth Wismer met een paardenstaart.

Het fotootje in het lijstje was onscherp. Het was genomen in een bos. Ze
boog zich over de foto's. De onaangestoken sigaret wipte tussen haar lippen
op en neer. Ze pakte de bosfoto op. Ze zouden het alle twee kunnen zijn.
Britt Else Buberg en Hanne Elisabeth Wismer. 'Maar het is Buberg,' zei ze
hardop tegen zichzelf.

Ze had hier thuis geen foto van het lijk. Van Bubergs dode gezicht. Een doodsmasker verandert altijd de uitdrukking, vervlakt de trekken. Het gezicht lijkt anders.

Ze keek op haar horloge en pakte de onaangestoken sigaret uit haar mond. Het was half drie. Ze moest het toilet schoonmaken en ze had geen eten in huis. Ze moest naar haar werk.

Ze stond op en liep naar de slaapkamer. Het was een kleine, langwerpige ruimte, tegen de ene wand stond haar bed en voor het raam hing een dik wollen kleed. Dat was het enige wat het licht buiten hield. Ze was bang om te slapen: een idiote, irrationele angst die haar zolang mogelijk uit bed hield. Soms sliep ze op de bank in de kamer.

Ze trok haar broek en T-shirt uit en ging op haar rug op het dekbed liggen. Toen zwaaide ze haar voeten weer op de vloer en liep snel de koude keuken in. Haar blote voeten kletsten op het linoleum. Ze draaide de kraan open en dronk wat water. Door de deuropening naar de kamer zag ze hoe Birka vanuit de stoel naar haar lag te gluren. 'Ja, ja, ik weet dat je er nog niet uit bent geweest.' Ze liep in haar slipje en bh de kamer in. 'Geef me een minuut, dan gaan we naar buiten.' Ze pakte de foto van Hanne Elisabeth Wismer en zette hem naast de laptop. Een gedachte speelde door haar hoofd. *Zoek uit wat er van Hanne Elisabeth Wismers moordenaar is geworden.*

*

Cato Isaksen nam de telefoon op en keek op zijn horloge. Hij stond voor de garage van Irmelin Quist. Het was Randi. Ze vertelde dat het moeilijk zou worden om het dossier van de zwangerschap te achterhalen. De huisarts was al lang dood en niemand wist waar de oude dossiers waren gebleven.

'Verdomme,' zei Cato Isaksen en hij keek naar de dahlia's die keurig in de kratten achter de garage stonden, zoals Irmelin Quist had gezegd. 'We moeten Carlsson en Tomas aan een DNA-test onderwerpen. Als ik terug ben zal ik contact opnemen met de instanties,' zei hij en hij beëindigde het gesprek.

Hij droeg de kratten met de grote dahlia's naar de civiele politieauto. Hij zette er een voorin en een op de achterbank. De planten waren bijna een meter hoog en hadden felgroene bladeren. De bloemknoppen hadden verschillende kleuren. Rood, oranje, geel. Irmelin Quist had gezegd dat ze 's winters moesten worden opgegraven en in de kelder bewaard.

Cato Isaksen voelde zich een beetje dom toen hij op de bestuurdersstoel plaatsnam. Het leek wel een oerwoud in de auto. Een wilde jungle die het uitzicht naar rechts versperde.

Hij reed naar de Nordbergveien en keek daar snel even rond. Daarna reed hij vlug naar de Hesselberggata en vond een parkeerplaats vlak bij het adres waar Marian woonde. Hij stapte uit. Hij sloot de auto af en keek langs het trottoir. Het woonblok met Marians appartement lag vlak bij een klein park-je. Hij liep de binnenplaats op. Hij bleef staan en keek langs de gevel naar boven. Hij vroeg zich af welke ramen van haar waren.

Ze keek in de spiegel terwijl ze de jurk voorzichtig over haar hoofd trok. *Wat is er van de moordenaar geworden?* De jurk rook toch niet naar terpentijn. Hij was reukloos en had een dubbel stiksel rond het borstpand. *Waar bevindt de moordenaar zich nu?* Ze trok de jurk voorzichtig over haar heupen. Ze staarde naar de lege vlek van haar gezicht. Ze hoorde het zachte, donkere geluid van haar hart, het suizen in haar oren. De stilte viel van het plafond. Ze keek in de spiegel. Op sommige plaatsen was het verzilverde oppervlak van de spiegel bruingevlekt. Van ouderdom. Door de tijd. Haar beeld verspreide zich als gif door haar bewustzijn. Haar handen, borst, mond en ogen. De jurk. Ze streek met haar vingers over de dunne rok. Hij was aan één kant gescheurd, van de zoom tot aan de taille. Restanten van het bruine, opgedroogde bloed verkruimelden en vielen op haar blote benen. Van alle zieke dingen die ze had gedaan, was dit het ergste, het bewijsmateriaal van een dode persoon aantrekken. Ze voelde geen schaamte, maar verdriet. De herinnering schemerde vuil door haar gedachten. De spieren in haar rug spanden zich. Ze werd zich bewust van het suizen van haar eigen bloed, haar hart dat bonkte in haar keel. Haar borst deed pijn. Een zin gleed door haar bewustzijn. Als dingen zo eenvoudig zijn dat de politie ze niet ziet, dan ben je geniaal.

Plotseling hoorde ze haar mobiele telefoon in de keuken. Het geluid sneed door haar heen. Ze sloeg de handen voor haar gezicht en drukte ze tegen haar wangen, ze wierp een donkere blik op haar opengesperde ogen in de spiegel, voor ze zich abrupt omdraaide en snel naar de keuken liep.

Ze stootte haar grote teen tegen de drempel en strompelde verder. Ze greep de rand van de keukentafel vast en pakte de telefoon. Toen ze hem eindelijk naar haar oor bracht, was ze te laat.

Het geluid bleef door haar hoofd klinken. Het was grotesk. Dat ze de jurk had aangetrokken... dat ze bewijsmateriaal vernielde. Dat haar instincten zo ziek waren, haar ziel zo verrot. Ze moest in bescherming worden genomen. Ze wist alleen dat Cato contact met haar probeerde te krijgen. Ze keek naar de display. Híj had gebeld.

Ze vermande zich, slikte een keer en toetste zijn nummer. Ze hield haar hand tegen haar hals. Toen hij antwoordde, zei ze: 'Ik was te laat.' Ze hoorde hoe vreemd opgewonden haar stem klonk, alsof hij haar groteske beeld door de telefoon kon zien.

'Marian,' zei hij bits, 'waar ben je eigenlijk mee bezig?'

'Nergens mee.' Ze voelde de kraag van de jurk in haar hals snijden. 'Ik voel me niet goed.' *Astrid Wismers dochter is vermoord.* Haar huid prikte. Haar handpalmen waren vochtig. 'Ik...'

Hij onderbrak haar. 'Ik denk dat Astrid Wismer ons niet alles vertelt. Maar ze heeft een beroerte gehad, dus we kunnen niet met haar praten. Ze...'

'Ik weet het.'

'Weet je het? Hoe weet je het? Je bent vandaag toch niet op je werk geweest?'

'Ik heb gebeld...'

'Ben je thuis aan het werk? Waar ben je mee bezig.'

Cato Isaksen keek langs de gevel omhoog. 'Welke verdieping woon je?'

'Dat doe ik niet,' zei ze haastig. 'Ik werk niet...' *Het lichaam werd nooit gevonden.*

'Er is veel nieuwe informatie opgedoken, Marian. Ik vertel het je als ik boven ben.' Ze moest haar best doen om haar stem gewoon te laten klinken. 'Ik heb ook iets ontdekt... welke verdieping? Je komt naar boven? Wat bedoel je?'

Ze hief haar hoofd op, staarde naar haar matte spiegelbeeld in een metalen kan die op tafel stond.

'Nee,' riep ze. 'Eerste verdieping, maar nee.'

'Gaat het niet goed?' vroeg hij.

Ze keek naar de jurk, wreef er met haar ijskoude vingertoppen over. *Astrid Wismers dochter is vermoord. Het lichaam werd nooit gevonden.* Een diepe duisternis spreidde zich over haar uit. 'Ik ben niet ziek,' zei ze, 'maar...'

'Mooi,' zei hij. 'Ik sta nu op de binnenplaats. Ik kom naar boven.'

'Ik wil graag met die donkere politieagente spreken,' zei het blonde meisje en ze keek hem nerveus aan. Asle Tengs bleef staan. Hij was juist door de gang onderweg naar Irmelin Quist om een aantal documenten op te halen die hij de volgende dag mee moest nemen naar de rechtbank.

Hij keek naar de twee jonge meisjes, gekleed in jeans en kleine topjes. Ze hadden allebei een Chaneltas over de schouder. Namaak, dacht hij.

'Hoe zijn jullie hier gekomen? Deze afdeling is eigenlijk gesloten voor publiek.'

'Ik heet Julie Thyvik,' zei het blonde meisje. 'We hebben de receptionist verteld dat het met een moord te maken heeft, en dat we met die donkere agente hebben gesproken, die met die scheve ogen. Ze nam de telefoon niet op toen hij probeerde te bellen.'

'Dat moet Marian Dahle zijn,' zei Asle Tengs glimlachend. De meisjes hadden te veel make-up op en hun lippen glansden van de roze gloss-lippenstift. 'Welke moord hebben jullie het over?'

Ze gaven geen antwoord. Het donkere meisje stak haar hand uit. 'Ik heet Shira Skah,' zei ze. 'Die twee politieagentes waren een paar dagen geleden op Rødvassa, op de camping. We hebben de politiewagen aangehouden toen ze weg wilden rijden...'

'Dat waren vast Randi Johansen en Marian Dahle.'

Asle Tengs knikte tegen een agent die langsliep.

'Het gaat over Lilly, een Pools meisje dat op de camping werkt.' Het blonde meisje trok de riem van haar tas wat hoger over haar schouder.

'Wij werken daar ook,' zei het donkere meisje.

'Over welke moord hebben jullie het?' herhaalde hij. 'De moord op die vrouw in Stovner?'

Julie Thyvik en Shira Skah keken hem aan. 'Ze zag een schaduw achter het luik,' ging het blonde meisje verder. 'Er gluurde iemand naar Lilly.'

'En nu is ze weg,' maakte het donkere meisje het verhaal af. 'En daarom dachten wij aan de Hanne Elisabeth-zaak van heel lang geleden. Zij woonde namelijk in dezelfde kamer als Lilly. We vinden het een beetje geheimzinnig.'

'Een schaduw achter een luik? De Hanne Elisabeth-zaak? Het spijt me, maar ik begrijp niet waar jullie het over hebben,' zei Asle Tengs. 'Jullie moeten niet denken dat die moord in Stovner iets met Rødvassa te maken heeft. Alleen de huismeester in dat gebouw...'

De meisjes keken hem vragend aan.

'De huismeester woont 's zomers op de camping, in een caravan.' Asle Tengs haalde een hand door zijn grijze haar.

'Dat is alles?' Het blonde meisje keek hem aan. Haar blik was leeg.

'Ja,' zei hij. 'Hoe heet Lilly trouwens van achternaam?'

'Lilly Aniela Rudeck,' zei Julie Thyvik. 'Aniela is zo'n mooie naam. Er is vast iets gebeurd, want Lilly is weg en ze was ontzettend bang.'

'Hebben jullie geprobeerd haar te bellen?' Asle Tengs keek hen om beurten aan.

De meisjes keken naar elkaar. Het blonde meisje haalde haar schouders op. 'Ik geloof niet dat ze een telefoon had. Ik heb haar nooit met een mobiel gezien. Ze is een beetje ouderwets. Ze wilde niet samen met ons eten en dat soort dingen. Wij zitten meestal op de bank aan het water. Zij verstopte zich op de wc.'

'Verstopte ze zich op de wc? Jullie zeggen dat ze uit Polen kwam, ze kan toch vertrokken zijn?'

'Vertrokken?' Het donkere meisje keek haar vriendin aan.

'Ja, naar huis,' zei Asle Tengs.

'Maar haar kleren liggen nog in het huisje.' Het blonde meisje keek hem aan alsof hij een debiel was.

'Ze heeft niet eens haar loon opgehaald,' zei Shira Skah. 'Ze zou nooit weggaan zonder haar loon. Ze wilde kleren kopen. En het is al augustus. De camping gaat al snel dicht. Nog maar een paar dagen.'

Tony Hansen kwam door de gang naar hen toe. Asle Tengs draaide zich naar hem om. 'Hier zijn meisjes van Rødvassa,' zei hij.

Tony bleef staan. 'Komen jullie daar nu vandaan?'

'Ja, we hebben de bus genomen,' zei het blonde meisje.

'Ze willen met Randi of Marian praten.' Asle Tengs keek ongeduldig op zijn horloge. 'Ik moet er eigenlijk vandoor,' zei hij. 'Ik moet morgenvroeg met een gedetineerde naar de rechtbank. Ik moet me voorbereiden.'

Tony Hansen grijnsde en voelde met zijn hand aan zijn oorring. 'Ewald Hjertnes is toch de beheerder van die camping?' Hij draaide het ringetje rond. 'Hebben jullie met hem gesproken?'

'Hij zegt alleen maar dat Polen niet te vertrouwen zijn,' zei het blonde meisje. 'Mogen wij het telefoonnummer van Marian Dahle?'

'Jazeker,' zei Tony Hansen. 'Ze is ziek vandaag, maar morgen is ze er weer.'

Ze opende de deur een klein stukje en keek door de kier. 'Wat duurde dat verschrikkelijk lang voordat je opendeed,' zei Cato Isaksen. 'Hoe gaat het?' Marian Dahle keek hem boos aan en opende de deur een stukje verder. Haar hart ging tekeer. 'Waarom kom je hier?'

Cato Isaksen keek haar aan. 'Je haar staat alle kanten op. Het is statisch. Ik was op de terugweg van Grefsen, ik heb wat planten opgehaald bij Irmelin Quist. Je ziet er helemaal verhit uit. Heb je koorts?'

'Nee, dat niet.' Ze slikte snel en streek met haar hand over haar haar. Ze zag ineens dat ze haar T-shirt achterstevoren aan had.

'Mag ik binnenkomen?'

Ze staarde hem aan. 'Nee,' zei ze. Plotseling stond Birka proestend en kwispelend in de deuropening. Ze hield de deur tegen met haar knie. Ze dacht snel na. Als ze hem niet binnen liet, zou hij zich afvragen waarom. 'Het is hier een verschrikkelijke bende, de hele gang ligt vol karton en andere rommel,' zei ze.

'Dat geeft niet. Ik ben gewend aan rommel. De hond is in elk geval wel blij om me te zien.'

'Ze is blij met iedereen. Zelfs een inbreker zou ze verwelkomen. Moet je niet naar huis om je planten in de grond te zetten?'

'Dat doe ik vanavond.'

Ze zwaaide de deur helemaal open. Cato Isaksen stapte over de drempel. Het kleine gangetje was in een donkere kleur geschilderd. De vloer lag vol karton en plastic. Birka boorde haar snuit in zijn hand en sprong tegen zijn heup op. 'Karin Carlsson heeft haar zoon thuis gebaard aan de Södergatan 12, op 10 maart 1973,' zei hij en hij zag de afgebladderde verflaag op de ladekast tegen de wand. Hij keek haar aan. Ze leek afwezig. 'We moeten het DNA van Tomas Carlsson in de gevangenis testen. En ik zal ook om een DNA-test van Oluf Carlsson vragen. Al ze thuis is bevallen... Er kan iets inzitten. Randi heeft tevergeefs geprobeerd het dossier van Karin Carlssons zwangerschapscontroles te achterhalen.'

'Misschien is híj het kind dat Britt Else Buberg heeft gekregen,'zei Marian en ze liet haar schouders zakken. Ze had de jurk snel uitgetrokken en hem in de kast gegooid. 'Carlsson kan de vader zijn. Bedoel je dat?'

'Tomas Carlsson zit vast,' zei Cato Isaksen. 'Hij is op een bepaalde manier

Bubergs halfbroer… maar misschien ook haar zoon. Hij komt over een poosje vrij. Maar 23 juli zat hij in de gevangenis, dus we kunnen hem afschrijven als moordenaar. We hebben de reis naar Kristinehamn nog helemaal niet doorgesproken.'

'Waarom zit hij vast?' Marian bukte zich en pakte een van de kunststof strips op.

'Gewapende overval. Geen moord, alleen een gewapende overval.' Cato Isaksen duwde de hond resoluut naar beneden en probeerde zijn voeten tussen de stukken plastic en karton te zetten. 'Waar ben je eigenlijk mee bezig?' Door de deur van de kamer zag hij in de spiegel boven de bank tegen de andere wand een bureau met een laptop staan. Het blauwe scherm flikkerde. Overal lagen stapels papier. 'Ben je hier thuis aan het werk?' vroeg hij.

'Nee,' zei ze vlug. Ze deed de kamerdeur dicht. Haar hart sloeg een slag over toen ze een klein stukje van Hanne Elisabeth Wismers jurk onder een van de schuifdeuren van de garderobekast uit zag steken. 'Ga maar mee naar de keuken,' zei ze en ze legde de kunststof strip op de ladekast. Hij liep achter haar aan. 'Gezellig,' zei hij en hij had op hetzelfde moment al spijt van zijn opmerking. De keukeninrichting stamde uit de jaren zestig. Het mosterdgele linoleum liet bij de plinten los. Het raam zat vol opgedroogde regendruppels.

'Ga zitten.' Ze pakte een keukenstoel en schoof een stapel afwas van het aanrecht in de gootsteen. Alles wat ze wist, dreunde door haar hoofd. 'Wat was jij chagrijnig toen we uit Zweden terugkwamen,' zei ze beschuldigend.

'Ik was moe. Buberg had een postbus in Tåsen. En de huurder van Wismer kan haar haar hebben geverfd.'

'Wil je iets te drinken?' *Astrid Wismers dochter is vermoord.*

Hij knikte. 'Ja, graag,' zei hij.

'Ik heb alleen water.' Marian opende een kast, pakte een glas en draaide de kraan open. Ze vulde het glas met water en zette het met een klap voor hem op de oude tafel. *Het lichaam werd nooit gevonden.*

Hij keek naar het glas. Het water was wit en leek lauw.

'Dankjewel,' zei hij en hij liet het glas staan. 'Ik heb ook ontdekt dat Astrid Wismer en Britt Else Buberg dezelfde sieraden droegen.'

'O. Hoezo?' Ze nam de laatste sigaret uit het pakje en stak hem in haar mond.

'Buberg had de halsketting en Wismer de oorbellen.'

'Wismer en Buberg waren goede vriendinnen. Ze kan haar de ketting hebben gegeven.' Ze stak de sigaret aan. *De overlijdensadvertentie is verdwenen in het toilet.*

Cato Isaksen wuifde demonstratief de rook weg. 'Ik ben langs de Nordbergveien gereden,' zei hij. 'Waar Astrid Wismer woonde voordat ze naar Stovner verhuisde, gewoon om even te kijken.'

'Ja, en?' *Wat is er van de moordenaar geworden? Waar is Hoen nu?*

'Randi en Roger denken dat Buberg in het appartement in Wismers huis woonde. De buurvrouw daar zegt dat er een vrouw heeft gewoond, maar dat ze blond was. Bovendien stierf Astrid Wismers dochter toen ze zeventien was.'

'O ja?' zei ze snel en ze voelde de klauw in haar maag. Ze trok gulzig aan de sigaret en tikte een beetje as op een wit schoteltje. 'Hoe hebben ze dat ontdekt?'

'Randi kwam erachter toen ze onderzoek deed naar Astrid Wismer en die zaak met dat geld.'

'Ik wist het al. Ik had het ook al ontdekt.'

'O, ja?' Hij glimlachte. 'Misschien moeten we toch het archief eens doornemen? Die oude zaken, zoals jij zei.'

'Waarom? Wat heeft dit met archieven te maken?' Marian Dahle stond op, legde haar sigaret op de rand van de gootsteen, opende de koelkast en pakte er een fles cola uit. Zo gauw Cato weg was, zou ze Lennart Hoens persoonsnummer op internet natrekken. Ze draaide de dop van de fles en zette hem aan haar mond. 'Ik wil proberen de werkinstructies te veranderen.' Ze droogde haar mond af met de rug van haar hand.

'Je wilt wat?'

'Zo gaat het niet, Ingeborg Myklebust begrijpt het niet. Ik heb er met Martin Egge over gesproken. Waarom moeten wij eerst naar het kantoorpersoneel als we een dossier willen hebben?'

'Wat? Je hebt hier met Egge in hoogst eigen persoon over gesproken? Hoe krijg jij de chef van de landelijke recherche trouwens zo gek om op jouw hond te passen?'

Marian Dahle lachte even.

Cato Isaksen pakte zijn glas en nipte van het lauwe water. 'Je hebt hier toch niet echt met de chef van de landelijke recherche over gesproken?'

'Natuurlijk wel.'

'Myklebust ontploft,' zei hij.

'Maar dan ben ik al ergens anders en kan ik al iets concreets laten zien. Wacht maar af. Wat zeg jij, Birka? Kom hier, meisje. Heb jij trouwens dat rapport over Zweden al geschreven?'

'Doe je daarom alsof je ziek bent, zodat je dat niet hoeft te schrijven?' Hij zag ineens dat ze haar T-shirt achterstevoren aanhad.

'Ik doe niet alsof ik ziek ben, Cato. Ik heb de hele nacht overgegeven. Als je bewijzen wilt, kun je even in het toilet gaan kijken.'

'Nee, dank je. Ik moet terug.' Hij stond op en liep de gang in. 'Wanneer kom je terug?'

'Later,' zei ze. 'Ben je klaar met het rapport?'

'Jij hebt toch de documenten.' Hij legde zijn hand op de deurklink en draaide zich naar haar om. 'Misschien wordt het tijd...'

Marian voelde het zweet vanaf de haargrens in haar nek naar beneden sijpelen.

'Ja, ja,' zei ze. 'Je krijgt de papieren uit... Zweden. Wacht hier even. Dan pak ik ze even.'

Marian Dahle staarde naar het computerscherm, de naam van de moordenaar vervulde haar met angstaanjagende zekerheid. Allemachtig, dit was waanzin. Er moest een verband zijn. Die naam. In 1972... en nu? De signalen kwamen van alle kanten. Haar hersenen probeerden de draden aan elkaar te koppelen, de informatie samen te voegen. Hoe zat dit in elkaar?

Ze greep haar mobiel en toetste het nummer van Cato Isaksen in. Ze schoof de lege zak waar de jurk in had gezeten opzij, draaide haar rug naar het bureau en ging op de rand zitten. Hij ging één keer over, twee keer. Toen nam hij op.

Ze voelde een pijnscheut door haar rechterslaap. 'Ik weet dat je pas een kwartier weg bent,' begon ze gejaagd. 'Ben je al terug op kantoor?'

'Ja,' zei hij. 'Is er iets gebeurd? Wat is er?'

Aan de ritselende geluiden op de achtergrond hoorde ze dat Cato wat papieren verschoof. 'Ben je bezig met die documenten uit Zweden?'

'Ik ben net gaan zitten,' zei hij. 'Is er iets?'

'Ja,' zei ze. 'Inderdaad.' Marian voelde hoe de spieren in haar gezicht zich aanspanden. Ze bracht haar hand naar haar keel. Tegelijk flitste er iets door haar hoofd, iets wat in de overlijdensadvertentie had gestaan die ze door de wc had gespoeld. *Astrid en Rolf, Ola en Kari. En oma.*

'Wat dan?'

Ze slikte vlug. 'Ik heb de namen van Bubergs buren in Stovner vergeleken met het strafregister.' Ze stond op, draaide zich om, boog naar voren en pakte de print die ze had uitgedraaid. Ze hoorde Cato Isaksen ademhalen. 'Het antwoord ligt niet in Zweden, Cato.' Ze staarde naar de print.

'Hoe bedoel je?'

'Ewald Hjertnes, Bubergs buurman op de eerste verdieping staat weliswaar niet in het strafregister...'

'Nee, hoe... de beheerder van de camping?'

'Ja.'

'Wat dan, wat is er met hem?'

'Hij staat niet in het strafregister, maar zijn broer wel.' Marian sloot haar ogen een ogenblik en zag hem voor zich.

'Zijn broer?'

'Ja, zijn broer, ik heb met hem gesproken. Op Rødvassa.'

Cato Isaksen stond langzaam op. De warme lucht hing trillend onder het plafond. De morsige ramen waren bedekt met zonlicht. Hij keek geconcentreerd naar de boom, een tak bewoog zachtjes op en neer. In de verte hoorde hij Marians stem: 'Die dochter van Wismer die is gestorven... je weet, dat meisje van zeventien...'

'Ja, Randi zei... Wat is daarmee?'

'Astrid Wismers dochter stierf geen natuurlijke dood. Ze werd vermoord, Cato. Op de Rødvassa-camping. En Lennart Hoen heeft haar in 1972 verkracht en vermoord. Hoen kreeg dertien jaar. Hij is nu vijfenvijftig. En hij gebruikt nu een andere naam.'

'Hoe heet hij nu dan? En hoe heette hij eerst? Hoe heb je dit allemaal ontdekt?'

'Lennart Hoen heet tegenwoordig Hjertnes,' zei ze. 'Lennart is de broer van Ewald Hjertnes, die woont in hetzelfde blok als Buberg, in Stovner. Snap je? Hij woont in de camper vlak aan het strand.'

*

Cato Isaksen voelde hoe de informatie zich een weg baande door zijn hersenen en uiteindelijk als een klauw in zijn borst bleef zitten. 'Nee,' zei hij, 'ik begrijp niet...'

Marian ging verder: 'Ik eigenlijk ook niet. Maar... de moord op Buberg...'

'Hjertnes?' Cato Isaksen schudde zijn hoofd. Zijn gedachtegang werd onderbroken toen er op de deur van zijn kantoor werd geklopt. 'Nu niet!' riep hij luid.

'Hij kreeg dertien jaar, Cato. Hij werd veroordeeld in januari 1974,' ging Marian gejaagd verder. 'Hetzelfde jaar veranderde Ewald Hoen zijn naam en werd Ewald Hjertnes. Dat is de meisjesnaam van zijn moeder. Lennart Hoen heeft tien jaar gezeten en toen hij in 1984 uit de gevangenis kwam, veranderde hij ook van naam. Je kunt je wel voorstellen dat de naam Hoen beladen was, na alle krantenberichten in verband met de Hanne Elisabeth-zaak. Waarschijnlijk wilden ze niet langer zo heten.'

De deur van zijn kantoor ging open en plotseling stond Sigrid daar met hun zoon aan de hand. 'Hallo, Cato,' zei ze. 'We reden langs en zagen dat je raam openstond, dus dachten we...'

Cato Isaksen hief afwerend zijn hand op. Marian praatte door. 'Ewald Hjertnes is nu op Rødvassa. Misschien zijn broer ook wel.'

Georg rende de kamer door, om het bureau heen en stortte zich op zijn vader. Cato Isaksen glimlachte even en sloeg zijn vrije arm om het jongetje heen. 'We moeten onmiddellijk naar die camping,' zei hij.

'We kunnen beter Ewald Hjertnes voor een verhoor oproepen,' zei Marian Dahle. 'Laten we er niet meteen heen rijden. We kunnen beter voorzichtig te werk gaan om uit te vinden of Lennart Hjertnes echt betrokken is bij de moord op Buberg, of hij op het tijdstip van de moord in Stovner is geweest en dat soort dingen. Er is ook nog iets anders, Cato,' zei Marian Dahle.

'Iets anders? Wat dan?' Hij hief zijn gezicht op en keek naar Sigrid.

'Dat wil ik niet over de telefoon bespreken,' zei ze. 'Ik hoor dat je bezoek hebt. Ik kom later naar het bureau.'

'Astrid Wismers dochter werd nooit gevonden,' zei Marian Dahle. 'Dit is een foto van haar. Hanne Elisabeth. Waarschijnlijk genomen bij haar confirmatie.'

Cato Isaksen zat recht tegenover haar aan de glimmende tafel. 'Maar in... Marian. Astrid Wismer? Verdomme! Waarom ben je gisteren niet gekomen? Ik heb op je gewacht. Het kan toch geen toeval zijn dat de broer van Ewald Hjertnes...'

Ze hield zijn blik vast. 'Ik ben er nu toch.'

Cato Isaksen liep naar het raam en drukte op de knop van het zonnescherm. De markies schoof zacht zoemend uit. Hij draaide zich weer naar haar toe.

'Marian...'

'Alsjeblieft, Cato. Ik kreeg migraine. Ik heb geen zin om me te verantwoorden.'

'Maar...'

'Nu niet. Laten we verdergaan. Luister.'

Ze gaf hem een vel papier. 'Kijk eens heel goed naar deze print van een overlijdensadvertentie. Er was namelijk geen begrafenis of bijzetting, Cato. Er was alleen een herdenkingsdienst.'

'Werd het lichaam nooit gevonden? Is Hanne Elisabeth Wismer niet gevonden?'

'Nee. Herinner je je dat mooie lied nog dat het koor zong op de begrafenis van Buberg? Ik heb de overlijdensadvertentie gevonden in het archief van *Aftenposten*. Ik heb ze vanochtend gebeld en gevraagd hem voor me op te zoeken. Ze hebben hem naar me toe gefaxt. Ik heb Hanne Elisabeth Wismers overlijdensadvertentie vergeleken met het vouwblad dat we kregen bij de begrafenis van Britt Else Buberg. Kijk, herinner je je dat mooie lied nog?'

'Ja. Werd het lichaam nooit gevonden?' herhaalde hij en hij haalde een hand over zijn kin.

'Nee. Het is hetzelfde lied, in de overlijdensadvertentie. Maar twee regels. Samarkand is een plaats, dat heeft vast niets met de zaak te maken. Het is een lied. De fax is niet al te best, het is niet zo gemakkelijk om zo'n klein krantenknipsel te printen. Maar je ziet de naam van Hanne Elisabeth Wismer en je kunt de beide zinnen zo ongeveer lezen.'

'Dus jij denkt...' Hij pakte de fax, kneep zijn ogen samen en las hardop. 'Hoewel ik... je mis, kan niets me nog raken. Wat je... me gaf, herinnert me aan jou. Beetje moeilijk te zien, maar het is uit dat lied, ja. Maar dat hoeft toch niets bijzonders te betekenen? Het is alleen wel duidelijk dat Wismer het een mooi lied vindt.'

'Hanne Elisabeth Wismer zou nu eenenvijftig zijn, Cato. En het is geen gewoon lied. Niet in Noorwegen.'

'Ik had het nog nooit gehoord,' zei hij en hij keek naar de foto. 'Ik heb het gevoel dat ik Hanne Elisabeth Wismer eerder heb gezien.'

'Ja. Er is nog iets anders, iets waar we geen vinger op kunnen leggen. Weet je wat ze bij de FBI zeggen?'

'Bij de FBI?'

'Ze zeggen: je weet niet precies wat je zoekt, maar als je het vindt, weet je het. Maar de informatie klopt op de een of andere manier niet.' Ze hield zijn blik vast. 'Die vrouw die bij Oluf Carlsson was...'

'Ann, die vrouw in die sportieve kleding?' Cato Isaksen streek met zijn wijsvinger over het tafelblad.

'Ja.'

'Was er eigenlijk niet iets vreemds aan haar? Ze verdween als een schaduw. Ik voelde dat ze zich wilde verbergen. Oluf Carlsson had een foto van haar in zijn appartement. Ze droeg daarop een paarse domineestoga.'

'Een toga van een dominee? Maar ze waren toch een stel? Ze was toch zijn vriendin?'

Marian dacht zo diep na dat haar hersenen kraakten. 'Ik moet mijn best doen om tactisch te denken. Misschien leeft Astrid Wismers dochter nog, Cato. Misschien had Astrid Wismer haar geheim aan Britt Else Buberg verteld, was zij op de hoogte van het geheim. Begrijp je?'

'Ja, maar je vergeet iets belangrijks. Hoe kent Astrid Wismer Oluf Carlsson? En dat met Zweden... wat is het verband? En de broer van Ewald Hjertnes...'

'Dat moeten we uitzoeken. En je zult het misschien niet geloven, maar er is nog veel meer.'

'Wat dan?'

Marian Dahle legde een krantenknipsel op de ovale tafel. Ze leunde naar voren en zette haar ellebogen op haar dijen.

'Je bent thuis bezig geweest?' Cato Isaksen keek naar het krantenknipsel. 'Waar ben je verdomme mee bezig geweest?'

Marian richtte zich weer op. 'Laat nu maar. Hanne Elisabeth Wismer werd dus volgens zeggen vermoord op de Rødvassa-camping.'

'Ja, en?'

'Ze werd door haar ouders in juli als vermist opgegeven, en een van de zonen van de toenmalige eigenaar van de camping, Lennart Hoen, werd zoals gezegd later veroordeeld voor de moord. Hij woont tegenwoordig in Moss, in de Verksgata, een oude arbeidersbuurt met houten woonblokken.'

'Rukken we direct uit, of moeten we wachten?' Cato Isaksen sloeg zijn armen over elkaar.

Marian zuchtte. 'We moeten nu tactisch nadenken. Alles op zijn tijd. Er werd een anonieme brief bezorgd bij VG. Ik heb er hier een kopie van. Hij is geschreven op een typemachine.' Ze pakte een opgevouwen blad papier uit haar zak.

'Maar hoe heb je...'

'Lees maar...' Marian Dahle schoof de kopie van de brief naar hem toe.

Cato Isaksen keek ernaar.

Lennart Hoen vermoordde Hanne Elisabeth in het bos, bij de picknickplaats. Daarna heeft hij haar in een boot meegenomen en in het water gedumpt. Hij heeft een maillot vol stenen om haar middel geknoopt.

Hij schoof onrustig op zijn stoel naar voren. 'Wie zou dat geschreven kunnen hebben?'

Marian keek hem aan. 'Ik heb aan de mogelijkheid gedacht dat het Ewald Hjertnes zou kunnen zijn, die toen nog Ewald Hoen heette. Misschien dat hij doorhad waar zijn broer mee bezig was. William Pettersen komt ook elk jaar op Rødvassa, al sinds zijn jeugd. Maar...'

'Alleen al dat Astrid Wismer de moeder van dat vermoorde meisje is.' Cato Isaksen schudde zijn hoofd. 'Het is ook vreemd dat Astrid Wismer dat niet heeft verteld. Weet je nog wat ze zei tijdens de identificatie?'

Marian Dahle keek hem ernstig aan. 'Wat bedoel je?'

'Ik weet het niet. Ik denk gewoon hardop. Maar ze zei dat ze nog maar één keer eerder een dode had gezien.'

Het onderzoek had een compleet andere wending genomen. Cato Isaksen liep op een draf door de gangen en riep iedereen bijeen voor een spoedvergadering in het hoekkantoor. 'Bij mij, onmiddellijk!' riep hij en hij keek naar Randi die in haar kantoor van haar stoel omhoog schoot.

'Waar zijn Asle en Tony?' Randi keek hem verschrikt aan.

'Asle is op de rechtbank en Tony moest zijn dochter ophalen uit de crèche. Ze is ziek geworden. Moet ik hem bellen?'

Cato Isaksen schudde zijn hoofd. 'We kijken het wel even aan, we kunnen eerst vergaderen. Ze komen later wel. Laten we beginnen. Zeg het ook tegen Roger.'

*

'Wat? Dat is nog eens iets.' Roger Høibakk stak zijn duim op. 'En dat de dochter van Astrid Wismer... dat ze werd verkracht en vermoord.'

'Iets? Ik vind het anders nogal wat.' Randi zette vlug de koffiekopjes op tafel en een glazen schaal met bolletjes in het midden. 'Mijn hoofd zit er helemaal vol van. Wat heeft het allemaal met elkaar te maken?'

'De broer van Ewald Hjertnes is dus veroordeeld.' Roger Høibakk pakte een bolletje, nam een hap en schreef iets in zijn notitieblok.

'We moeten in kaart brengen waar hij de avond van de drieëntwintigste was.' Randi schonk koffie in.

'Natuurlijk,' zei Cato Isaksen. 'Maar ik wil niet dat we gaan bellen en iemand voorbereiden op onze komst. Direct na de vergadering rijden we naar Rødvassa. Randi en Roger, jullie gaan erheen zo gauw we alles hebben doorgenomen. Neem Ewald Hjertnes mee terug en probeer uit te vinden of zijn broer er ook is. Maar maak hem alsjeblieft niet bang. Marian, jij gaat met mij mee. Wij rijden naar het Aker-ziekenhuis, naar Astrid Wismer. We moeten maar hopen dat het beter met haar gaat. Maar eerst nog even een korte samenvatting.'

Marian Dahle nam het over: 'Ik heb hier het dossier van de moordzaak. Hanne Elisabeth Wismer werd dus door Hoen, alias Lennart Hjertnes vermoord.'

Roger Høibakk had een tijdje zwijgend zitten luisteren. 'Ewald Hjertnes had dit moeten vertellen. En dat had William Pettersen ook moeten doen. Hoe is die broer van Hjertnes, heeft iemand hem gezien? Is hij jonger of ouder?'

'Hij is jonger,' zei Marian en ze nam een hap van een broodje.

'We hebben met hem gesproken toen we op Rødvassa waren,' zei Randi Johansen. 'Hij gaf Pettersen een soort alibi.'

'Hij is vijfenvijftig, twee jaar jonger dan zijn broer.' Marian Dahle legde haar hand vlak op tafel.

'Ik heb niet zo goed naar hem gekeken,' zei Randi.

'Hij had een moedervlek op zijn wang. Er zijn veel oude archieffoto's van hem. Hij was toen vijfendertig, maar er zijn geen nieuwe foto's. Hij leidt een teruggetrokken leven. Heeft een schoenenwinkel in Moss.'

Roger Høibakk maakte aantekeningen. 'Een man van middelbare leeftijd, met andere woorden. Ik zit natuurlijk te denken aan wat die getuige zei over de man die Buberg zo ongeveer van het balkon tilde.'

'Ga door,' zei Cato Isaksen. 'Wat denken jullie? Waar zijn we naar op zoek?'

'Ik denk zo hard ik kan,' zei Roger Høibakk. 'Wat voor verband kan er zijn? Ik zie geen logisch verband. Lennart Hjertnes kwam in 1984 vrij en heeft zich, voor zover wij weten, sinds die tijd gedeisd gehouden. Zo lijkt het in elk geval. De buurvrouw van Buberg heeft haar op de bank voor de winkel gezien met een grijze man. Kan dat Lennart Hjertnes zijn geweest?

'Zou kunnen, ja,' zei Marian en ze keek naar Roger.

'Hij is vijf jaar ouder dan ik,' zei Cato Isaksen.

'Een oude man.' Roger Høibakk glimlachte even en slikte het laatste stukje van zijn broodje door.

'Oud genoeg om te passen bij de beschrijving van de getuige,' zei Randi Johansen. 'Marian, herinner jij je dat Ewald Hjertnes vertelde dat hij op bezoek wilde gaan bij zijn broer in Moss? Toen wij op Rødvassa waren. We hadden het over tijdstippen en alibi's en dat soort dingen.'

Marian Dahle keek naar Randi Johansen en stond op. 'Nu je het zegt, zei hij ook niet dat zijn broer niet thuis was?'

'Dat heeft hij gezegd.'

Marian liep naar de wand en pakte een foto van de dode Britt Else Buberg. Het was een close-up, van het gezicht met het lege doodsmasker. De ogen waren gesloten, streepjes bloed liepen over haar voorhoofd. 'Een man met een pet,' zei ze.

Afdelingschef Ingeborg Myklebust stak plotseling haar hoofd om de deur. 'Gaat het goed?'

'Geweldig!' zei Cato Isaksen. Iedereen stond op. 'We hebben juist iets ontdekt. We zijn weg!'

Ingeborg Myklebust kwam het kantoor binnen. 'Wat hebben jullie ontdekt?' vroeg ze nieuwsgierig.

Nu moest hij opletten wat hij zei. Ewald Hjertnes zat in de kleine verhoorkamer. Op tafel lag een foto van zijn broer uit 1972. Ernaast lag een oud krantenknipsel. Het was kwart over elf. Wat wisten ze? Lilly Rudecks naam was niet gevallen. 'Ik moet zo snel mogelijk terug,' zei hij en hij keek op naar de donkerharige politieman. 'De camping regelt de dingen niet zelf.'

De deur van de verhoorkamer ging open en Cato Isaksen kwam binnen. Hij knikte even tegen Ewald Hjertnes en keek naar Roger Høibakk. 'Marian en ik nemen het verhoor over,' zei hij. 'We kwamen het Aker-ziekenhuis niet binnen. Wil jij Asle en Tony op de hoogte stellen?' Hij knikte naar de deur. 'Marian komt straks.'

Cato Isaksen keek naar de man die voor hem zat. Ewald Hjertnes zat met zijn handen in zijn schoot, op zijn wang had hij een netwerk van kleine bloedvaten. Hij zag er moe uit. Op zijn hand zat een diepe schram. Hij had een onsympathieke uitstraling, ondefinieerbaar, alsof hij klaar zat om uit te halen.

'Wat is er met uw hand gebeurd?' begon Cato Isaksen.

Marian Dahle kwam de verhoorkamer binnen. Ze hield een flesje water in haar hand. 'Hallo,' zei ze.

'Goedemorgen,' zei Ewald Hjertnes.

'Uw hand,' herhaalde Cato Isaksen bars.

'Dat was de zeis. Het gras achter het washok stond verschrikkelijk hoog. Ik moest er met de zeis langs. Het werk stapelt zich maar op. Gras, struiken, grind, muizen en mensen die van alles willen.' Hij streek met zijn hand over zijn gezicht.

Cato Isaksen keek hem aan. Hij moest oppassen dat hij het verhoorobject niet opwond. 'Dat is toch het leuke met campings,' glimlachte hij. 'Hebt u trouwens contact met uw broer?'

'Natuurlijk heb ik contact met mijn broer. Lennart is mijn broer. Ik weet niet waarom jullie vragen stellen over hem, maar ik ga ervan uit dat jullie weten wat er lang geleden is gebeurd? Waarom ligt dat krantenknipsel hier?'

'Uw broer, Lennart Hoen zoals hij toen heette, is veroordeeld voor verkrachting en moord.'

'Op aanwijzingen, ja. Niet op harde feiten.'

'Het zijn wel degelijk harde feiten als er zaad van de dader en bloed van het slachtoffer worden aangetroffen. En vingerafdrukken op de knopen van de jurk. En een van de knopen lag in de boot.'

Ewald Hjertnes' gezicht stond somber. 'De politie heeft het lichaam nooit gevonden,' bracht hij er tegenin en hij likte met zijn tong over zijn lippen. 'Bovendien hadden ze toen nog geen DNA, dus het was een kwestie van gissen.'

Cato Isaksen gaf geen antwoord. Marian Dahle nam een slok water uit het flesje, pakte een stoel en ging naast hem zitten.

'Hij heeft zijn straf uitgezeten. Het is al lang geleden,' herhaalde Ewald Hjertnes zacht. 'Je kunt dat wat er nu is gebeurd niet in verband brengen met...'

'Wanneer hebt u hem voor het laatst gezien?'

Ewald Hjertnes zuchtte diep. 'Waarom zijn jullie nu zo in die zaak geïnteresseerd, zo lang na dato? Het arme meisje is al bijna vijfendertig jaar dood.'

'Dat weten we,' zei Marian. 'Maar waar is hij nu? Hij is niet in de schoenenwinkel en niet op de camping.'

'Ik heb hem al een paar dagen niet gezien. Hij neemt zijn mobiel niet op. Hebben jullie iets nieuws ontdekt? Hebben jullie stoffelijke resten gevonden, uit die tijd? Lennart rijdt vaak gewoon maar wat rond. Verder niets bijzonders.'

'We hebben geen stoffelijke resten van Hanne Elisabeth Wismer gevonden,' zei Cato Isaksen hard.

'Jezusmina,' knorde Hjertnes. 'Lennart heeft niets met die mevrouw Buberg te maken. Hij heeft de moord op dat meisje van Wismer nooit toegegeven. En waarom zou hij die vrouw van de zesde verdieping vermoorden? Hij heeft nooit iets met haar te maken gehad. Hoe had hij in haar appartement moeten komen? Er stond in de krant dat een getuige heeft gezien dat er een man op het balkon kwam terwijl zij er al zat. Dus moet het iemand zijn die ze kende. Die theorie van jullie is klinkklare onzin, bij elkaar verzonnen door overijverige politiemensen.'

'Niet alle informatie over een zaak staat in de krant,' zei Marian Dahle. 'Kan hij een moedersleutel bij William Pettersen hebben gehaald? Hij kent William Pettersen natuurlijk?'

'Hij is nooit alleen in Williams appartement.'

'Heeft hij een sleutel van uw appartement?' Marian Dahle dacht aan de sleutelkast die ze op een foto had gezien.

'Natuurlijk. Hij is in 1984 uit de gevangenis gekomen, dat is al een eeuwigheid geleden. Na de dood van vader heeft hij de schoenenwinkel overgenomen. Lennart is niet kapotgegaan aan die tijd in de gevangenis. Weten jullie waarom niet? Omdat hij onschuldig werd veroordeeld.'

'Een getuige heeft Britt Else Buberg met een man met grijs haar gezien. Op de bank voor de winkel, een week voordat ze werd vermoord.'

Ewald Hjertnes' gezicht betrok. Hij keek Cato Isaksen aan. 'Een man met grijs haar?'

'Ja.'

'Een week voordat ze werd vermoord?'

'Ja.'

'Ze zat daar af en toe met een andere vrouw. Een oude vrouw.'

Cato Isaksen kneep zijn ogen tot spleetjes. 'Zij zat er toen ook. En een man met grijs haar. Iemand die daar niet woonde. Een onbekende man.'

Ewald Hjertnes keek hen om beurten vorsend aan.

Marian Dahle nam het over. 'Toen ik met mijn collega op Rødvassa was, zei u dat u de drieëntwintigste 's avonds in Moss was geweest om uw broer te bezoeken.'

'Dat zou kunnen.' Ewald Hjertnes veegde over zijn voorhoofd en staarde naar Marian Dahle.

'U zei dat hij niet thuis was. Lennart heeft geen alibi voor 23 juli.'

'Maar hij gaat vaak vissen. Hij was vast ergens gaan vissen. Dat doen we allebei. Waarom zou hij die vrouw van het balkon duwen? Hij was die avond op Rødvassa. Ik heb de caravan van William Pettersen opgekrikt. Ik heb mijn broer later die avond gezien. Zijn camper staat vlakbij.'

'Hoe laat?' Marian Dahle stond op.

'Rond een uur of elf.'

'Was hij de dagen voor de drieëntwintigste ook op de camping?'

'Nee... dat geloof ik niet. Hij was aan het werk. Lennart is altijd wat afwachtend,' zei hij ineens. Er was niet alleen weerspannigheid in zijn ogen te lezen, maar ook een vorm van verdriet.

'Afwachtend, hoe bedoelt u dat?' Marian zette haar handpalmen op tafel en boog naar hem toe.

'Hij kan heel glad en oppervlakkig overkomen. Maar dat is hij niet. Hij heeft een stommiteit begaan. Ik geef er de voorkeur aan om te denken dat het niet zijn fout was. Hij heeft een puinhoop van zijn leven gemaakt.' Ewald Hjertnes zuchtte diep.

'Dat klinkt eenvoudig. U zei immers dat hij haar niet had vermoord. Kunt u zich Hanne Elisabeth Wismer herinneren?'

'Nee. Vader beheerde in die tijd de camping. De politie had weliswaar redenen om te geloven dat Lennart haar had verkracht, maar hij heeft de hele tijd gezegd dat ze...' Ewald Hjertnes onderbrak zichzelf. 'Verkrachting en moord zijn nog altijd twee heel verschillende dingen.'

'Goeiemiddag.' Irmelin Quist liep langs zijn deur met een dossier in haar hand. Cato Isaksen wuifde naar haar. Ineens stopte ze en kwam terug. Ze bleef in de deuropening staan, spelend met haar parelketting. 'Marian Dahle heeft gevraagd of ik een bon wilde tekenen voor nóg een dossier, maar ze zit in een verhoor.'

Cato Isaksen keek naar haar rode mantelpakje. 'Ja, met de huismeester uit Stovner, met William Pettersen.' Hij stond op. 'Je ziet er fantastisch uit. Heb je trouwens alle dossiers al teruggekregen? Ik moet die met de vingerafdrukken hebben, uit 1984. Die met de vingerafdrukken van Lennart Hoen.'

'Ik heb geen idee waar dat dossier is. Marian heeft mij de laatste tijd een hele stapel laten halen, en ze heeft ze nog niet teruggebracht. Ze zullen wel in haar kantoor liggen. Heb je de dahlia's al geplant?'

'Ja, het is prachtig geworden. Bente komt over twee dagen thuis. Dankjewel, Irmelin. Geef mij dat dossier maar. Ik geef het straks wel aan Marian.'

'Mooi.' Ze gaf het aan hem. 'Wat vind jij van die lila hondenmand?'

'Welke lila hondenmand?'

'Die ze in haar kantoor heeft staan.' Irmelin Quist duwde haar rode bril wat beter op haar neus.

Cato Isaksen glimlachte even. 'In elk geval bedankt voor de bloemen.'

'Ik ben blij dat je tevreden bent met de dahlia's.'

Hij legde het dossier op zijn bureau en sloeg het open. Hij pakte de inhoud en spreidde de documenten op tafel uit. Tussen de papieren over de rechtszaak in hoger beroep, waarin Lennart Hoen voor de tweede keer werd veroordeeld, lag een artikel uit VG uit 1972. Cato Isaksen vouwde de losgescheurde krantenpagina uit.

NIET AFHANKELIJK VAN DE VONDST VAN HET LICHAAM
Rechercheur Eldar Moen zegt tegen VG dat deze zaak vooral moeilijk is omdat de politie het lichaam niet heeft gevonden, maar benadrukt dat ze daar niet per se van afhankelijk zijn. 'We hebben haar jurk en slipje in het bos vlak bij de camping gevonden. Hoens vingerafdrukken zijn gevonden op de knopen en er zat zaad in het slipje. We hopen en geloven dat een nieuwe zoekactie in het water tot resultaat zal leiden. Het staat buiten kijf dat de verdachte regelmatig met zijn boot het water

opging. Ook laat op de avond en 's nachts. We worden in deze zaak bij-
gestaan door de landelijke recherche en diverse duikers zijn op zoek
naar Hanne Elisabeth Wismer. De ouders van het vermiste meisje zijn
ervan overtuigd dat hun dochter is verkracht en vermoord. Haar moe-
der, Astrid Wismer, vertelde vg *dat haar dochter een keer naar huis had*
gebeld en had gezegd dat ze door een luik in de kamer waar ze woonde
werd begluurd. Haar kamer lag in hetzelfde gebouw als de douche- en
wasruimtes van de Rødvassa-camping, waar het meisje werkte. Haar
dochter vertelde dat ze bang was om te gaan slapen. Ze had dit een paar
dagen voor haar verdwijning verteld. 'Mijn man zou in het weekend
naar haar toe gaan,' zegt de moeder. 'Maar het is er dus niet meer van
gekomen,' voegde ze eraan toe.

Had Marian het ook niet terloops over iets dergelijks gehad toen ze in de
auto onderweg waren naar Kristinehamn? *Ik heb je trouwens vergeten te ver-*
tellen dat een paar jonge meisjes die op de camping in Rødvassa werken Randi
en mij hebben aangehouden toen we de camping wilden verlaten. Ze dachten
dat een Pools meisje, dat daar ook werkt, door een luik in het plafond werd
begluurd. Cato Isaksen stond snel op. Hij tilde zijn hand op en streek voorzichtig met zijn wijsvinger over zijn voorhoofd. De tekening die zijn zoon
had gemaakt van de politieauto was weer half naar beneden gezakt. Hij zou
hem in een lijstje moeten doen. Wat zou de informatie die hij zo-even in het
krantenartikel had gelezen, kunnen betekenen? Hij had tijdens zijn jeugd zelf
meerdere zomervakanties op verschillende campings doorgebracht. Een keer
hadden een paar vriendjes en hij naar naakte vrouwen in de douches ge-
gluurd.

Hij liep het kantoor uit, de gang in.

*

'Ik weet niet waar Lennart is,' zei William Pettersen. 'Hij wordt een beetje
paranoia van politiemensen, denk ik. Die dag toen u met die blonde agente
op de camping was, sloop hij er als een schuwe kat vandoor. Hij zat bij ons
toen jullie kwamen. Hebt u hem niet gezien?'

'Ja, ik heb hem vluchtig gezien,' zei Marian Dahle en ze controleerde even
of de recorder werkte. 'Wanneer hebt u hem voor het laatst gezien?'

'Twee of drie dagen geleden, denk ik. Hij komt en gaat. Iedereen gaat wel-
eens in de fout. Kan er hier een raam open?'

William Pettersen rolde een sigaret tussen zijn gele vingertoppen.

'Het raam kan hier niet open. Wat bedoelt u met in de fout gaan?'

'Iedereen kan een misstap maken, zoals Lennart deed. Zo gaan die dingen.'

Asle Tengs maakte een aantekening op een vel papier.

William Pettersen keek naar de vrouwelijke rechercheur met het Aziatische uiterlijk. 'Ik zal hem niet aansteken. Ik word alleen minder nerveus als ik een sigaret in mijn vingers heb.' Hij keek snel in de richting van de politieman die bij het raam zat. 'Dingen gaan vaak fout, met huizen en met mensen. En het is mijn werk om te zorgen dat dat niet gebeurt.'

'Wanneer was Lennart Hjertnes voor het laatst in Stovner?'

'Dat weet ik niet,' zei hij vlug. 'Ik weet het in elk geval niet zeker.'

Te snel, dacht Marian Dahle. 'U weet het niet zeker?'

Hij schudde zijn hoofd.

'U hebt niets met het bejaardencentrum te maken?'

'Nee, bewaar me. Ik heb genoeg te doen.'

'Kunt u ons iets meer over Lennart vertellen?'

'We zijn opgegroeid in Moss. Onze vaders werkten bij de glasfabriek. Ja, Moss Glassverk. Ze maakten flessen. Lennart woont nog steeds in hun ouderlijk huis. Hun vader had 's zomers de camping. Dat was onze vrijplaats. Het paradijs. Dat waren gelukkige zomers. Mijn ouders gingen erheen. We waren allemaal bij elkaar.'

'Hij woont dus nog steeds in het appartement waarin hij is opgegroeid?'

'Ja, een klein, donker kot.'

'Heeft hij een sleutel van Ewald Hjertnes' appartement in Stovner?'

'Dat weet ik niet.'

'Van uw appartement?'

'Nee.'

'Maar Ewald en u hebben wel de sleutel van elkaars appartement. Dat hebt u verteld toen we op Rødvassa waren. Lennart kan uw sleutel dus bij Ewald hebben gehaald.'

*

Cato Isaksen klopte kort op de deur van de verhoorkamer en keek naar binnen. Asle Tengs zat op een keukenstoel bij het raam. William Pettersen zat met zijn rug naar hem toe. Marian Dahle, die hem verhoorde, keek geërgerd op. Cato Isaksen hield het krantenknipsel omhoog. 'Marian, kun je even komen?'

'Ik ben bezig. Ik kom straks.' Ze schraapte haar keel.

'Het is belangrijk,' zei hij kortaf.

Asle Tengs, Tony Hansen en Marian Dahle keken Cato Isaksen aan. Ze zaten in Cato Isaksens kantoor. 'Kun je dat nog een keer herhalen?' Marian Dahle voelde hoe haar hart sneller ging slaan toen het besef tot haar doordrong. Er liepen te veel dingen door elkaar. Ze spande zich in om zich te herinneren wat de meisjes precies hadden gezegd. Als ze er nu over nadacht, met een zekere afstand, hadden hun woorden zo koud als ijs geklonken.

William Pettersen was weer op zijn motor gestapt en teruggereden naar Rødvassa, nadat hij had beloofd contact op te nemen als Lennart Hjertnes weer op kwam dagen.

'In dit artikel,' Cato Isaksen hield de pagina omhoog, 'staat dat Hanne Elisabeth Wismer haar moeder vertelde dat ze werd begluurd door een luik in het plafond. Daarna verdween ze. Jij vertelde hetzelfde... dat die twee meisjes op de camping...'

'Ze waren hier gisteren.' Asle Tengs hield zijn hand tegen zijn borst. 'Tony en ik hebben met hen gesproken. Twee meisjes, Julie nog iets en een met een buitenlandse naam.'

'Waren ze hier?' Cato Isaksen keek hem aan. 'En het Poolse meisje?'

'Ze waren bang dat ze was verdwenen. Ze was al...'

'Julie en Shira,' zei Marian Dahle.

'Precies,' zei Cato Isaksen. 'Ze hadden toch verteld dat een of ander meisje bang was? Dat ze dacht dat een man naar haar gluurde door een luik.'

'We hebben ze jouw mobiele nummer gegeven,' zei Tony Hansen en hij keek naar Marian. 'Ze zeiden iets over een Pools meisje dat.... volgens mij noemden ze haar Lilly.'

'Julie en Shira,' herhaalde ze. Het gesprek met de beide meisjes vlak bij de camping zat als ijs in haar ruggengraat. 'Maar Asle, waarom heb je dat niet gezegd? En nu hebben we Pettersen laten gaan en zo. Hij moet geweten hebben van dat Poolse meisje, dat ze is verdwenen.'

'Kijk.' Cato Isaksen sloeg met zijn hand op het krantenartikel dat op tafel lag. 'Irmelin vertelde trouwens dat ze een hele stapel dossiers voor jou heeft gehaald. Klopt dat?'

'Ja, ja,' riep ze en ze keek naar de tekst. 'Hoe denk je anders dat het me gelukt is die zaak te ontrafelen? Ik ben er nog mee bezig. Ik zal ze binnenkort allemaal weer inleveren.'

'Ja, want je hebt ze natuurlijk niet mee naar huis genomen? Niet de originelen.'

'Natuurlijk niet. Hoe waren we anders verder gekomen? Als ik niet naar *Aftenposten* had gebeld en die overlijdensadvertentie van Hanne Elisabeth Wismer had ontvangen, dan...'

Cato Isaksen haalde nerveus een hand over zijn kin. 'Hoe oud is die Lilly?'

Asle Tengs keek hem aan. 'Ze zeiden dat ze negentien was.'

'Het is natuurlijk Lennart Hjertnes,' zei Cato Isaksen.

'Natuurlijk is het Lennart Hjertnes,' zei Marian Dahle. 'We moeten zo snel mogelijk naar Rødvassa.'

Ze haalde diep adem. Een beeld kwam in haar op. Ze zag de dingen in slow motion, een film die langzaam werd teruggespoeld. Plotseling wist ze waar ze iemand had gezien die op Hanne Elisabeth Wismer leek. Het Poolse meisje op de camping. Dat moest die Lilly zijn. Het bruinharige meisje in de gebloemde zomerjurk die plotseling was verschenen. Ze leek sprekend op Hanne Elisabeth Wismer. Dezelfde haarkleur, hetzelfde kapsel en dezelfde lengte. Dezelfde lichaamsbouw. Ze had hen met een hulpeloze blik aangekeken en had er in de warmte haast bevroren uitgezien.

Klaver, hoog gras en fluitenkruid vulden de greppels en verborgen de donkere bodem. Cato Isaksen reed langzaam over het grindpad. Het was stil, in het dichte bos was nergens een huis te bekennen. Aan de linkerkant lag een picknickplaats met een houten tafel en twee banken. Het stof hing als een staart achter de civiele politiewagen. Hij had gevraagd of hij alleen kon rijden. In de auto achter hem reden Marian en Asle Tengs.

De gedachten maalden door zijn hoofd. Morgen kwamen Bente en Vetle thuis. Hij moest het gras maaien, alle materialen opruimen, de kamer en de keuken stofzuigen. Door de spanning kwam het gevoel weer boven dat hij zo af en toe kreeg als hij in een patrouilleauto zat te wachten. Ineens stak het de kop op, vanaf de bodem van zijn bewustzijn. Details die plotseling in puzzelstukjes veranderden. Gespiegeld, anders, vreemd en bekend tegelijk. RØDVASSA las hij op het bord voor hem.

Hij parkeerde voor de oude, houten receptie en stapte uit. Het was 7 augustus. De geur van de zoute zee kwam hem tegemoet. Twee kinderen probeerden elkaar een *Donald Duck* af te pakken. Een gezin met kinderen was bezig de tent in te pakken. Het geluid van tentstokken die op een hoop werden gegooid, schalde over de camping. Het weer knapte op. De wolken dreven snel over de toppen van de bomen. De anderen parkeerden achter hem en stapten uit.

Cato Isaksen pakte zijn broeksband en sjorde zijn broek wat hoger. Hij keek naar het bruine receptiegebouwtje met de veranda aan de voorkant. Een zeis met een half verrotte houten steel stond tegen de wand. Een grote motorfiets stond ernaast geparkeerd. In de zwarte lak zag hij zijn gezicht uitgerekt tot een rare, ovale streep. Het moest de motor van William Pettersen zijn, dacht hij.

Marian en Asle kwamen naar hem toe. 'Ik zie dat veel mensen hun spullen al hebben gepakt en zijn vertrokken,' zei Asle Tengs.

Cato Isaksen draaide zich naar hen om. 'Marian, zoek jij die beide meisjes. Julie en Shira. Ze staan toch in de kiosk? Asle, we zoeken Ewald Hjertnes en William Pettersen op.'

*

Ewald Hjertnes kwam over het pad tussen de tenten aanlopen. Zijn schouders zakten iets naar beneden toen hij de politiemensen zag. Een hevige blos trok over zijn gezicht. Hij wierp een blik op de schrale grond langs het pad, veegde zijn handen af aan zijn broek en liep hen tegemoet.

'We zijn hier vanwege het Poolse meisje.' Cato Isaksen ging recht op zijn doel af. Asle Tengs stond vlak achter hem.

'Waarom hebt u niet verteld dat ze verdwenen is?'

Ewald Hjertnes keek naar de grond. Zijn stem klonk schor. 'Ik begrijp het,' zei hij. Hij hief zijn hoofd op en keek even naar de kiosk waar Marian Dahle voorover boog naar het loket. 'Ik kan niet zeggen dat Lilly vermist is. Ze is weliswaar een paar dagen weg...' Hij stopte zijn handen in zijn broekzakken en trok ze er weer uit. 'Een flink meisje,' voegde hij er nog aan toe.

'En waar is ze?' De meisjes waren uit de kiosk gekomen. Een van de meisjes huilde, hij zag dat haar mascara in een halve cirkel over haar ene wang was uitgelopen.

Ewald Hjertnes' gezicht kreeg een behoedzame uitdrukking. 'Hoe moet ik dat weten?'

'Waar is William Pettersen?'

'Hij is in Oslo. Jullie zouden hem verhoren.'

Cato Isaksen wisselde even een blik met Asle Tengs. 'Maar zijn motor staat hier. Hij moet al terug zijn.'

Ewald Hjertnes keek langs hem heen naar de receptie. 'Ja, u hebt gelijk. Hij zal dan wel ergens zijn.' Hij keek even naar de zeis. 'Die moet ik even wegzetten,' zei hij terwijl hij naar de lachende kinderen keek die nog steeds vochten om de *Donald Duck*.

Toen hij terugkwam zei Cato Isaksen: 'Laat ons zien waar ze woonde.'

'In een kamer in dat langwerpige bruine gebouw daarginds, voorbij de douches. Mijn vader heeft het in 1968 gebouwd,' zei Ewald Hjertnes.

'We willen graag even kijken,' zei Cato Isaksen en het knikte naar het gebouw.

Ewald Hjertnes ging hen voor. 'De tijd gaat snel.' Hij draaide zich half naar achteren, leek even heel trots. 'Ik heb een aantal platen en planken vervangen. De gebouwen worden regelmatig in de beits gezet.'

Cato Isaksen keek naar de rij kleine campinghutten aan de rand van het bos. 'Doet u het onderhoud zelf?'

'Grotendeels wel. Haar kleren liggen er nog. Ik heb niets aangeraakt. Ze komt vast terug.'

'Praat ze goed Noors?'

'Vloeiend,' zei hij. 'Ze heeft al heel vaak vakantiewerk gedaan in Noorwegen. Elke zomer, als aardbeienplukker.'

'Waar woonde Hanne Elisabeth Wismer vijfendertig jaar geleden?'

'In dezelfde kamer,' zei hij zacht.

De kamer was warm en de vaas op het nachtkastje stonk. Het was er rommelig en overal lagen kleren in het rond. Door het kleine raam keek je recht het bos in.

Cato Isaksen stond op de drempel, boog naar binnen en keek naar het plafond. Hij zag het luik. Een groot luik met een rooster ervoor. 'Ga hier niet naar binnen,' zei hij. 'We gaan de kamer verzegelen. Ellen en consorten moeten hier morgen naar toe. Hoe heet Lilly verder?'

'Rudeck,' zei Ewald Hjertnes achter zijn rug.

Cato Isaksen sloot de deur zonder de klink aan te raken. 'Haal jij even spullen in de auto om de kamer te verzegelen,' zei hij tegen Asle Tengs. Die knikte en verdween om de hoek.

Cato Isaksen wendde zich weer tot Ewald Hjertnes. 'Had ze een werk- en verblijfsvergunning?'

Hjertnes gaf geen antwoord op de vraag, wreef met zijn hand over zijn voorhoofd en zei: 'Waarschijnlijk is ze gewoon een paar dagen naar Oslo. Ze heeft volgens mij een broer... Het klopt niet dat ze bang was. Lilly was nergens bang voor.'

'Hoe weet u dat?' Marian Dahle stond plotseling achter hem.

'Lennart heeft hier niets mee te maken.' Hij keek haar aan. 'Hij kende die vrouw in Stovner niet.'

'Indirect kende hij haar wel degelijk,' zei Cato Isaksen en hij wisselde een blik met Marian Dahle. 'Hanne Elisabeth Wismer had deze kamer vijfendertig jaar geleden,' zei hij.

Ze staarde naar Ewald Hjertnes.

'Indirect, hoe bedoelt u?' vroeg hij.

'Britt Else Buberg was een vriendin van Hanne Elisabeth Wismers moeder,' zei Cato Isaksen.

*

William Pettersen gooide zijn been over het zadel van zijn motor. Marian Dahle liep op een draf naar hem toe.

'Wel allemachtig,' zei de huismeester en hij keek haar aan. 'Zijn jullie ook al hier?'

'Ja, nu zijn we hier,' antwoordde ze en ze sloeg haar armen over elkaar. 'Waar gaat u heen? Waarom vertelde u niet dat Lilly Rudeck verdwenen is?'

'Ik ga alleen maar naar het benzinestation. Het is toch niet zeker dat ze verdwenen is?'

'Wanneer hebt u haar voor het laatst gezien?' Marian verplaatste haar gewicht naar haar andere been.

'Weet u, ik let niet op dat soort dingen. Een paar dagen geleden. Lennart was boos dat iemand zijn schoenen had gestolen,' zei William Pettersen. 'Dat was het. Ik geloof dat hij is weggegaan om nieuwe schoenen te halen. Hij heeft zelf een schoenenwinkel.'

'U weet dat we hem niet kunnen vinden,' zei Marian Dahle. 'Het is toch wel een rare samenloop van omstandigheden dat Hanne Elisabeth Wismer in precies dezelfde kamer woonde als Lilly, in hetzelfde gebouw?'

'Nee, zo vreemd is dat niet. In de tussentijd hebben daar meer dan twintig meisjes gewoond. Lennart heeft nooit iets bekend en het lijk is van de aardbodem verdwenen. Wij hebben het er nooit over. Ik denk dat het niet uitmaakt als ik vertel wat ik van dit alles vind. Het voelt niet goed.'

'Hoezo niet?'

'Alsof ik roddel. En ik heb niets te vertellen.' Hij legde zijn hand op het zadel, staarde voor zich uit en zei langzaam en duidelijk: 'Ik voel dat dit nergens toe leidt. Hij doet niets verkeerd. Hij werd onschuldig veroordeeld. Hij is bitter. Ik moet bekennen dat ik hem destijds niet geloofde, vijfendertig jaar geleden. Maar nu doe ik dat wel. Hij heeft iets verbeten eerlijks en kwaads in de manier waarop hij erover spreekt. Hij had die verontwaardiging niet kunnen volhouden als er geen kern van waarheid in had gezeten,' zei William Pettersen. 'Als jullie denken dat er iets met dat Poolse meisje is gebeurd, is er één ding wat ik jullie wil vertellen.'

'Ja, wat dan?'

'Er werkt een neger bij het benzinestation. Hij was diep onder de indruk van Lilly. Hij liep hier 's avonds vaak rond. Steeds maar weer. Nogal een verdachte figuur.'

Cato Isaksen kwam hen tegemoet. 'Asle verzegelt Lilly Rudecks kamer en de elektriciteitskast ernaast,' zei hij. 'Er is geen twijfel mogelijk dat Lilly Rudeck de kamer hals over kop heeft verlaten. En er bestaat ook geen twijfel over dat het zoldertje de plaats was waar de gluurder zich bevond. We zullen om opsporing verzoeken van Lennart Hjertnes en van haar, maar we hebben waarschijnlijk geen foto van haar, dus we moeten een politietekening laten maken. De beide meisjes moeten ons helpen. En we zullen met een hondenpatrouille de omgeving naar haar afspeuren.'

De schoenenwinkel lag op een hoek en was ondergebracht in een oud, houten gebouw. Marian Dahle en Cato Isaksen stapten uit de auto. Asle Tengs zou voordat hij terug zou rijden naar Oslo bij het benzinestation navraag doen naar de donkere man.

Het gebouw met de schoenenwinkel was okergeel geverfd en lag ingeklemd tussen twee andere oude houten gebouwen. Het appartement van Lennart Hjertnes lag op de bovenverdieping. Marian keek een loslopende hond na die de weg overstak.

De beide vrouwen in de schoenenwinkel konden de rechercheur niet vertellen waar hun chef was. 'Lennart heeft vakantie,' zei een van hen. 'Kunnen wij een boodschap overbrengen?' 'Nee,' zei Cato Isaksen. 'U kunt ons bellen als hij komt,' zei Marian en ze gaf hun haar kaartje. Op het moment dat ze de winkel verlieten, ging Cato Isaksens mobiel. Het was VG, hij herkende het nummer. De journalist vroeg of het klopte dat er een meisje was verdwenen van een camping in Østfold.

'Nee,' zei hij. 'Dat klopt niet. Dan weet u meer dan ik.'

Marian liep naar de ingang van de binnenplaats achter de winkel. Cato Isaksen volgde haar langzaam. De journalist gaf niet op. 'Maar we hebben een tip gekregen,' zeurde hij door.

'Juist.' Cato Isaksen wierp een blik op de gevel. Het was druk in de stad en er liepen veel mensen op het trottoir: bejaarden, moeders met kinderwagens en jongeren met skateboards. 'Het klopt niet,' herhaalde hij en hij beëindigde het gesprek. Hij klapte zijn mobiel dicht en stopte hem in zijn zak.

Marian Dahle hield de ouderwetse houten deur voor hem open. Op de binnenplaats stond een vermolmde appelboom. 'Dit is nog echt een oude arbeidersbuurt,' zei ze.

Ze liepen de kale trap op. Op een groengeverfde deur op de eerste verdieping hing een plaatje met de naam Hjertnes erop. Marian Dahle drukte op de bel. Ze wachtten. Ze belde nog een keer. Niemand deed open.

'Ik maak de deur open.' Cato Isaksen haalde een setje gereedschap om sloten te forceren uit zijn zak.

Marian Dahle keek hem aan. 'Kun jij me leren hoe ik sloten openmaak?'

'Kijk maar. Ik weet niet zeker of het iets voor jou is.'

'Het is wel degelijk iets voor mij,' zei ze en ze rook de doordringende geur van oud houtwerk. 'Het is misschien een beetje vergezocht, toen ik zei dat Hanne Elisabeth Wismer niet dood zou zijn. Als een lijk in het water wordt gegooid, wordt het door de stroming meegenomen. Alles is nu in een ander licht komen te staan. Lilly Rudeck is waarschijnlijk ook vermoord. Ik moet niet aan dat luik denken, dat er echt... Natuurlijk leeft Hanne Elisabeth Wismer niet meer, maar we moeten wel op deze gedachtegang doorgaan, nu we eenmaal zijn begonnen, bedoel ik.'

'Kun je even stil zijn, ik moet me concentreren.' Cato Isaksens ogen vernauwden zich tot spleetjes en hij duwde de ene slothaak voorzichtig naar links.

Ze kon zich niet inhouden. 'Het is nog maar een paar weken na de zomervakantie en je bent nu al kapot.'

'Marian!'

Het slot ging met een klik open. Hij duwde de deur open en liep het kleine halletje binnen.

'Populaire mensen worden nooit afgewezen,' zei ze en ze keek om zich heen. 'Binnenkort ga ik dit ook leren.'

Hij lachte. 'Ben je nog steeds boos vanwege dat kantoor?'

'Dat kantoor? Doe niet zo banaal, Cato. Doe niet zo banaal. Wat is het hier donker. Het stinkt.' Ze keek de kamer in. 'Hij heeft alle gordijnen dichtgedaan. Alsof hij een tijd weg zal blijven.'

De geverfde houten vloer kraakte onder hun voeten. 'Dus hier woonden ze toen ze klein waren. Ewald en Lennart Hoen. Het is geen groot appartement. Het ruikt bedompt. De vloer is scheef.'

Er waren maar twee kamers. In een hoek stond een klein aanrecht. Het formicablad stond vol vuile afwas. 'Niet echt een ordelijk type.' Cato Isaksen boog over de bank die duidelijk nog uit de jaren zestig stamde en keek naar een ingelijste foto van Moss Glassverk aan de wand. 'Daar werkte hun vader dus,' zei hij.

'En hier hangt een foto van de jongens toen ze nog klein waren,' zei Marian. 'Met fluwelen pofbroeken en witte kousen.'

Cato Isaksen liep naar haar toe. 'Zo'n broek had ik ook.' Hij glimlachte even. 'Lichtblauw, met bretels.'

'Wat een schatjes. Ook de moordenaar,' zei Marian en ze wees op de wang van de jongste. 'Wat een lelijke moedervlek,' zei ze.

Op de bank lag een hoop vuile kleding. Ze pakte een kledingstuk op en rook eraan. Ze gooide het weer terug, liep door de kamer en trok de gordijnen voor een van de ramen open. Ze keek even naar een achtertuin met een grote boom. De schaduwen waren anders geworden. De zomer was haast voorbij. Het was al bijna herfst.

Cato Isaksen stond bij een grote ladekast. 'Verdomme,' riep hij ineens.

'Hier liggen een paar foto's. Twee bijna identieke foto's. Van meisjes, aan het strand.' Hij pakte ze op.

Marian voelde haar hart sneller kloppen. Ze liep snel naar hem toe en pakte een van de foto's. 'Dat is het strand bij Rødvassa, Cato. Ik herken de grote rots. Zie je?'

'Natuurlijk zie ik het.' Cato Isaksen hield zijn adem in.

'Twee bijna identieke meisjes,' ging ze verder en ze keek van de ene naar de andere foto.

'Maar, kijk eens...' barstte hij uit.

'Wat? Wat is er?'

'De caravans,' zei Cato Isaksen. 'Kijk eens naar het verschil. Op de ene foto staan ouderwetse, klein en rond. Uit de jaren zeventig.'

'Dat is Hanne Elisabeth Wismer,' zei Marian en ze pakte de andere foto. Ze herkende de jurk. Het schaamrood steeg naar haar kaken toen ze ernaar keek. Het was dezelfde jurk als die ze voor de spiegel voorzichtig over haar hoofd had getrokken. De foto was genomen voor de jurk scheurde en met bloed werd besmeurd. Ze kreeg ineens het gevoel dat ze moest overgeven. Haar eigen identiteit loste op en vervloog. De bloemen waren rood, met groene en gele harten. Zij verdween, en de jurk bleef over. 'Ik herken het half-lange, bruine haar,' zei ze met tranen in haar stem. 'Zelfs al had ze het op de foto uit het dossier in een paardenstaart, herken ik haar,' ging ze door en ze wist wat er zou gebeuren, dat de emoties haar zouden overmannen. 'En dit,' zei ze en ze pakte de andere foto, 'is Lilly Aniela Rudeck. Dat weet ik honderd procent zeker. We moeten hem aan Julie en Shira laten zien. Ze heeft haar gebloemde jurk aan. Dezelfde die ze droeg toen Randi en ik de eerste keer op Rødvassa waren.'

Cato Isaksen keek naar haar. 'Wat is er?' vroeg hij. 'Voel je je niet goed?'

'Nee,' zei ze en ze sloot haar ogen een paar tellen. Er speelde iets door haar hoofd. Perifeer, een andere foto, zwart-wit. Drie personen.

'Misschien heeft hij nog meer foto's van haar gemaakt,' zei Cato Isaksen. 'Van voren, die we kunnen gebruiken bij haar opsporing. Ik bel direct de technische recherche. Ze moeten de zaak hier afsluiten en het appartement grondig onderzoeken.'

Marian legde de foto's op de lage salontafel. Ze schoof een vieze asbak aan de kant en tilde een porseleinen figuurtje op dat een slanke vrouw voorstel-de. Het brak doormidden. In elke hand had ze een stuk. Cato Isaksen beëin-digde zijn telefoongesprek. Ze gooide de stukken porselein op de bank en sloeg de handen voor haar gezicht. Haar hele wezen voelde huidloos, iedere gedachte was een pijnlijke beroering.

Cato Isaksen was bij haar. 'Rustig maar,' zei hij. 'Je deed het niet met opzet. Je mag ook wel eens een fout maken. Het geeft niets.' Hij sloeg zijn arm om haar heen en trok haar tegen zich aan.

Ze rook de geur van zijn lichaam. Ze liet haar wang even tegen zijn schou-der rusten, voor ze zich losmaakte. 'Ik heb gewoon honger,' zei ze vlug en ze droogde haar tranen. Ze bleef maar slikken.

'Marian,' zei hij.

'Hou je mond, Cato,' riep ze. 'Je kent toch dat spreekwoord dat je je vijand onder de duim moet houden zonder te vechten. Dat is mijn strategie. Onthoud dat, hoe zwakker ik lijk, hoe gevaarlijker ik word. We beginnen opnieuw. Ik heb een porseleinen figuurtje gebroken en ik sterf van de honger. Oké?'

Cato Isaksen staarde haar aan. 'Oké,' zei hij zacht. 'We malen niet om dat porseleinen ding. Rustig maar.'

'Ik ben rustig, Cato. Ik heb lak aan dat ding.' Ze wendde zich half van hem af.

'Ik zal je leren hoe je deuren open kunt breken,' zei hij.

'Oké,' zei ze, ze zette een paar stappen in de richting van een commode en boog er overheen. Ze pakte een klein poederdoosje op en staarde er krampachtig naar.

Cato Isaksen ademde uit, hij liep door de kamer en opende de slaapkamer-deur. Hij keek snel naar binnen, zag een bed en een keukenstoel. Hij liep naar binnen. Boven het bed hing een foto van een vrouw die een straat uitliep. Het was een zwart-witfoto. De vrouw had haar tot op haar schouders, ze droeg een gebloemde zomerjurk, schoenen met hoge hakken en had een koffer in haar hand.

*

Hij pakte de foto van de wand. 'Marian, kijk eens, verdomme.' Hij liep de kamer weer in. Draaide de foto om en las: *Moeder Agnes Hjertnes Hoen vertrekt. Ze verlaat ons. Het is zondag.* Het was een kinderlijk handschrift.

'Dit is Lennart Hjertnes' moeder, Marian. De moeder van Lennart en Ewald.'

Marian staarde naar de foto. Ze bracht haar hand naar haar keel. 'Ze heeft hen verlaten. Ze neemt een koffer mee. De beide meisjes lijken op haar.' Het besef veroorzaakte een enorme druk op haar voorhoofd. 'Lennart Hjertnes moet een kick krijgen van meisjes met bruin haar in zomerjurken.'

'Het lijkt alsof hij zich jarenlang gedeisd heeft gehouden,' zei Cato Isaksen. Het viel haar op dat zijn stem net als anders klonk, alsof er niets was gebeurd.

'Totdat Lilly Rudeck opdook,' maakte Marian Dahle de zin af. 'Ze moet een oude herinnering in hem hebben opgeroepen. De pijn werd te groot.' Ze draaide de foto weer om en keek naar de rug van de vrouw. 'Agnes Hoen lijkt sprekend op Hanne Elisabeth Wismer en Lilly Rudeck.'

'Zo doortrapt. Zo vreselijk doortrapt.' Cato Isaksen begon te lachen.

'Er is niets om over te lachen, Cato.'

'Ik lach ook niet. Deze zaak is een van de meest ingewikkelde... We hebben het al eens eerder over dominostenen gehad, in andere zaken. Maar deze...'

Marian draaide hem haar rug toe. Ze wierp een blik op de boom voor het raam. Het was bijna herfst. Een akelig gevoel zette zich in haar vast. De sterren zouden wit aan de hemel staan. De bladeren zouden verwelken, en de nachtlucht zou weer koud en scherp worden.

Ze stond bij het keukenraam en keek naar beneden, naar haar eigen binnenplaats. Het was half zeven. Hier was geen boom te zien, alleen een dak. Ze liep naar de keukentafel en raakte de dingen aan die er lagen. Onbetaalde rekeningen, een asbak, een kleedje. De foto's waren verschrikkelijk geweest, alsof alles daar eindigde. In die jurken. Ergens diep vanbinnen herinnerde ze zich plotseling hoe het had geregend, die herfst toen haar moeder werd weggehaald. Week na week regende het. Ze had een foto van zichzelf samen met haar ouders. Ze was vier. Geen broers of zusjes, geen knuffelbeer. Alleen een veel te grote strik in haar haar. Ze had het koud.

Birka duwde tegen haar knieholtes. 'Ga in je stoel liggen. Ik zal het karton en plastic opruimen. Ik weet niet waar ik moet beginnen.' Ze liep de gang in, bukte zich en pakte twee grote stukken karton op. Ze gooide ze weer weg. De rusteloosheid dreef haar terug naar de keukentafel, waar een brochure lag met reizen naar het Middellandse Zeegebied. Ze keek naar de foto op de voorpagina. Twee kinderen hielden elkaar vast, een jongen en een meisje. 'Kinderliefde,' luidde de kop. De kinderfoto van Ewald en Lennart Hjertnes stond haar nog duidelijk voor de geest. Hun moeder had hen verlaten. Ze liep de kamer in, kroop op de bank en ging in foetushouding liggen. Hardop zei ze: 'Stel je voor dat je moeder je met een mes bedreigt. Probeer een zestienjarig meisje voor je te zien dat zich moet beschermen met een kussen van de bank. Stel je voor dat haar vader hulpeloos op een stoel zit te huilen. Je hoort je eigen ademhaling als een storm. Je bent zo bang, niet voor het mes, maar voor je moeder, dat je het liefst het kussen weg wil gooien om haar een eind aan je leven te laten maken.'

Een broer, dacht ze. Die had ze moeten hebben. Ze stond weer op, keek naar de stukken waar het behang lichter van kleur was. Dat Cato haar tegen zich aan had getrokken, hard, alsof hij... alsof hij haar mocht. Haar hart bonkte achter haar borstbeen. Ineens kwam een gevoel in haar op. Een nieuw verband begon vorm te krijgen. Ze bukte zich en verzamelde een aantal stukken karton. Ze deed het automatisch, stopte ze in een zwarte vuilniszak die ze uit het keukenkastje had gehaald. Ze stopte hem vol met het plastic en de metalen strips die overal in het rond lagen.

Toen de zak vol was, liep ze ermee naar de container op de binnenplaats, ze keek even naar de deur van de jongens op de begane grond, maar ze zag niemand. Ze liep snel de trappen weer op. Birka stond bovenaan op haar te wachten. Zou ze naar Deli de Luca lopen en iets lekkers kopen? Een curry-gerecht misschien, en dan een fles wijn opentrekken? Birka kwispelde. 'Ja, ja, oude zeemleren lap.' Ze ging op haar hurken zitten, zuchtte en drukte haar gezicht tegen de nek van de hond. Ze snoof de geur op. 'Lief dier. Ik hou van je. Straks gaan we wandelen.'

Ze trok de hond aan haar halsband naar binnen, sloot de deur en pakte de stofzuiger uit de kast. Daar lag de jurk. Ze bukte zich en pakte hem op. Op een deel was het bloemenpatroon haast niet meer te zien. Het strakke stiksel langs de borstpas hield de jurk bij elkaar. Hij zou nooit meer gebruikt wor-den.

Ze vouwde de jurk voorzichtig op, liep de kamer in en stopte hem terug in de dikke plastic zak. Ze knoopte de zak dicht.

Toen ze de stekker van de stofzuiger in het stopcontact stopte, verscheen er een beeld op haar netvlies, maar het verdween ook weer. Het beeld was dun als een rouwsluier.

Toen ze had gestofzuigd, maakte ze de badkamer en de wc schoon en dweilde ze alle vloeren. Daarna pakte ze een doek en liep naar het keuken-raam. Ze keek weer op het dak neer. Ze veegde vlug over het kozijn, gooide de doek weg en liep terug naar de brochure op de keukentafel. Het waren de kleine dingen. De heel, heel kleine dingen. Wat had Astrid Wismer gezegd? Een hevige kou trok door haar heen. *Mijn man had geen broers of zussen. Ik had geen neven of nichten.*

De dekbedovertrekken op de lege bedden waren van wit damast met een ingeweven patroon. Marian keek de kamer in en trok de deur achter zich dicht. Ze keek naar de lege bedden, alsof de scene een herinnering was. Boven elk bed hing een touwtje met een alarmbel.

Ze zag meteen welk bed van Astrid Wismer was. De groene oorbellen lagen op het nachtkastje en het bed was keurig opgemaakt. Naast het bed stond een soort buffetkast, een ouderwetse toilettafel met een ovale spiegel. De kast stond vol parfumflesjes en er lagen tubes en een stapel tijdschriften. Aan de wand boven de kast hingen een paar familiefoto's. Een van een dikke baby met een wit zijden lint in het haar en twee trouwfoto's uit de jaren vijftig.

Op een andere foto herkende ze Astrid Wismer als een jong, donker meisje, waarschijnlijk samen met haar ouders en broers. Eronder hingen drie kleine geborduurde rozenschilderijtjes in bruine lijstjes op een rij.

Plotseling hoorde ze stemmen op de gang. Eerst werden de stemmen luider, daarna steeds zachter tot ze ten slotte helemaal verdwenen en de stilte terugkeerde.

Een onaangename gedachte trof haar. Misschien had Astrid Wismer begrepen dat de politie iets wist en deed ze alsof ze ziek was. Deed ze alsof ze een beroerte had gehad. Was dat mogelijk?

Haar ogen dwaalden nog een keer over de familiefoto's aan de wand. Ze stelde haar blik scherper, alsof ze een antenne afstelde op een radiofrequentie. Wat verborg Astrid Wismer? Ze nam wat afstand van haar gedachten om de herinnering terug te halen, tot een verdwijnpunt waar alle gedachten bij elkaar kwamen. Ze sloeg kleine dingen in haar bewustzijn op. Dat had ze altijd gedaan. Patronen van stoffen, het aantal ruitjes in een raam. Hoeveel spijlen er in een hekwerk zaten. Dat soort dingen. Ze herkende twee van de foto's. De trouwfoto en de foto met de ouders en de halfvolwassen kinderen. Een moeder, een vader en drie kinderen. Het hele geslacht vernauwd tot de beide gezichten rechts beneden. Een donkere vrouw en een mooie man. Hij lang en blond, zij donker en klein. Het was de manier waarop ze hun hoofd hielden, hun identiteit droegen: trekken, gebaren, gewoonten, de manier waarop ze hun mond openden. Niets van henzelf. De overlijdensadvertentie die verdween in het toilet. Diep in haar hersenen lag iets opgeslagen. Hanne Elisabeth Wismer, Astrid en Rolf... Ola en Kari en oma. *Wat je me gaf, herin-*

nert me aan jou. Ola en Kari? Astrid en Rolf... Astrid en Rolf. Oluf en Karin. Oluf en Karin! Er had Oluf en Karin gestaan, niet Ola en Kari. Ze staarde weer naar de foto, naar de halfvolwassen kinderen. Dezelfde foto had ze in Oluf Carlssons kamer gezien.

Ze liep naar de toilettafel en opende de la. Ze keek naar de kleine dingen die erin lagen. Ze schoof een klein doosje aan de kant, en een stapel enveloppen met een elastiekje eromheen. Een oude, met parels ingelegde poederdoos lag helemaal achterin. Ze wilde net de stapel enveloppen oppakken, toen de deur langzaam openging. Ze smeet de la dicht en bleef met bonkend hart voor de commode staan.

De deur werd weer snel gesloten. Ze liep erheen en trok hem open, ze zag een grijze man door de gang verdwijnen. Hij droeg sokken in zijn sandalen en zag er een beetje onverzorgd uit. Een verpleegster hield hem tegen.

Marian hoorde slechts brokstukken van het korte gesprek. 'Aker-ziekenhuis... beroerte... ja, een oude vriend...'

De verpleegster draaide zich plotseling om en zag Marian in de deuropening staan. Ze kwam snel naar haar toe. 'Mevrouw Wismer ligt in het ziekenhuis,' zei ze.

'Cato,' fluisterde Marian in de telefoon. 'Had je je mobiel uitgezet?'

'Nee,' zei hij. 'Ik ben het gras aan het maaien. Ik hoorde hem niet. Bente komt morgen thuis.'

'Ik sta bij Deli de Luca, dus ik kan niet zo hard praten. Cato, luister: de psychiater, Oluf Carlsson, was een van drie kinderen. Hij had een broer en een zus. Raad eens hoe zijn zusje heet!'

Cato Isaksen kreeg geen kans antwoord te geven voordat Marian Dahle in de telefoon riep: 'Astrid. Snap je het?'

Astrid Wismer.

Cato Isaksen spande zich zo goed hij kon in om zijn hersenen de informatie te laten verwerken. 'Astrid Wismer? Ik begrijp niet zo goed wat je zegt.'

'Ik ben naar het bejaardencentrum geweest, naar haar kamer. Twee dezelfde familiefoto's, Cato. Ik herkende de foto bij Astrid Wismer. Oluf Carlsson had precies dezelfde foto. Drie kinderen in de jaren vijftig. Astrid heette vast Carlsson voor ze trouwde. Ik loop naar buiten. Birka zit vastgebonden op het trottoir. Wacht even.'

De auto's die aan de kant van de weg stonden geparkeerd glommen als een spiegel. Ze bukte zich en aaide Birka. De geur van de hondenvacht kwam haar tegemoet. 'Herinner jij je nog wat Astrid Wismer zei?'

'Waar denk je aan?'

'Ze zei: "Mijn man had geen broers of zussen. Ik had geen neven of nichten."'

'Heeft ze dat zo gezegd?'

'Ja, maar zíj had wel twee broers. En een van hen heet Oluf Carlsson. Waarom heeft ze dat niet gezegd?'

'Ik begrijp niet hoe jij je allerlei dingen die mensen ergens in een bijzin hebben genoemd, zo precies kunt herinneren.'

Ze onderbrak hem. 'Hij staat zelfs in de overlijdensadvertentie. Oluf en Karin.'

'O, ja?'

'Ja, maar die fax is niet erg duidelijk. Nog iets anders. Waarom heeft Astrid Wismer geen confirmatiefoto van haar eigen dochter aan de muur?'

'Dat weet ik niet,' zei Cato Isaksen. 'Heeft ze dat niet?'

'Nee.'

'Aan de andere kant. Haar dochter werd vermoord...'

'Ik geloof niet dat ze werd vermoord, Cato. Stap onmiddellijk in je auto. Kom naar mijn huis.'

Ze verborg de plastic zak met de jurk en de dossiers met de documenten in haar slaapkamer. Ze legde alles op haar dekbed en deed de deur zorgvuldig dicht. Toen dekte ze de tafel in de keuken, deed de kant-en-klare salade in een blauwe schaal, sneed het stokbrood in stukken en gooide de rijst in het kokende water.

Toen Cato Isaksen eindelijk aanbelde, rukte ze de voordeur open. 'We moeten naar het Aker-ziekenhuis,' zei ze en ze schoof met haar knie de hond aan de kant.

'Kan ik eerst binnenkomen, voordat je begint?' vroeg hij.

Ze deed de deur helemaal open. 'Het gaat me zeker lukken om haar kamer binnen te komen. Ik ga er morgenvroeg naar toe.'

Hij liep de gang in. 'Eigenlijk is het belangrijker dat we uitvinden wat er is gebeurd met Lilly Rudeck. En we moeten Lennart Hjertnes vinden. Asle vindt dat we ook nader onderzoek moeten doen naar de man die bij het benzinestation werkt.'

'Hoe heet hij?'

'Morris Soma. Hij heeft geen werk- of verblijfsvergunning en woont in een containerbarak bij het benzinestation. Hij ontkent dat hij iets met Lilly te maken heeft, maar verschillende mensen hebben hen samen gezien. We moeten ook een foto van Lennart Hjertnes zien te krijgen. We hebben alleen maar oude archieffoto's. Morgen komen we in actie. Een paar mensen van de technische recherche en de hondenpatrouille gaan naar Rødvassa.'

'Ik ga naar het Aker-ziekenhuis,' zei ze. '*First thing in the morning. Don't try to stop me.*'

Cato Isaksen haalde een hand door zijn haar. 'Ze is nog te ziek, maar ze is bijgekomen. We kunnen niet gewoon... ik geloof dat ze niet kan praten. We moeten eerst verder onderzoek doen.'

'Wat voor onderzoek?' Marian deed de deur achter hem dicht.

'Wat voor...'

'Ja, wat voor onderzoek?'

'Heb je je moeder gezien, in het bejaardencentrum?'

'Nee, dat heb ik niet. En als ik haar wel had gezien, was ik haar straal voorbij gelopen.'

'Wat was er van je terechtgekomen als zij je niet had geadopteerd? Heb je daar wel eens aan gedacht? Je bent een uitstekend rechercheur, dus niet alles kan fout zijn gegaan.'

Marian hief haar hand op en drukte hem tegen haar borst. Ze rook een misselijkmakende geur van zichzelf. Haar lichaam had te lang dezelfde kleren gedragen.

*

Ze liep naar de keuken. Hij kwam haar achterna. In de pan op het fornuis pruttelde het currygerecht.

'Je hebt opgeruimd, zie ik. En de tafel gedekt. Je hebt er zelfs servetten bij gelegd. Ik heb reuzehonger,' zei hij. 'Het ruikt goed.'

Birka sprong tegen hem op.

'Kun je niet tegen Birka zeggen dat ze moet gaan liggen?' Hij duwde de hond weg.

'Ja, ik heb wat opgeruimd. Er zit gras op je schouders.' Ze veegde een paar grassprieten van zijn jas. 'Ga zitten. Hou je je jas aan?'

Hij nam plaats. 'Het is een zomerjasje. Je moet me de foto's laten zien,' zei hij. 'Niet te geloven, hoeveel foto's er in deze zaak opduiken. Gewoon krankzinnig.'

Marian roerde in de pan en schoof de hond voorzichtig met haar voet aan de kant. 'Maar de foto's hingen aan de wand, één in Zweden en één in het bejaardencentrum in Stovner. We moeten morgen het bevolkingsregister natrekken. Ze zijn broer en zus, gegarandeerd. En dat betekent dat Buberg op een bepaalde manier Wismers niet was, omdat de pleegvader haar broer was... Dat verklaart ook dat zij het appartement in Stovner heeft betaald en...'

'Maar het kan gewoon niet kloppen, Marian.'

Ze draaide de kookplaat uit, pakte de pan, draaide zich om en zette hem op een strooien onderzetter op de tafel. 'Hoe bedoel je?'

'Oluf Carlsson is een Zweed, en Astrid Wismer is Noors. Hij spreekt Zweeds, zij Noors.'

Ze staarde hem aan, liet zijn woorden bezinken en zuchtte teleurgesteld. 'Verdorie, je hebt gelijk. Er zijn zoveel details. Maar ze moeten familie zijn.' Ze bukte zich, trok de hond mee naar de kamer en sloot de deur.

'Tast toe! Hoe zit dat met die taal? Ik snap het niet, zij moeten met z'n tweeën op die foto staan. Hier heb je salade, stokbrood en boter.'

'Toe maar! Ik ben klaar met het terras. Alles is klaar als Bente komt.'

'Mooi voor haar. Je kunt een alcoholvrij biertje krijgen. Er is eten voor vier, dus ga je gang!' Ze opende de koelkast en pakte twee biertjes. Eén met en één zonder alcohol. Ze schonk de glazen vol. Hij keek haar glimlachend aan. 'Heb je het ook gemerkt?' vroeg hij.

'Wat?'

'Hoe goed wij samenwerken?'

Ze voelde een vreugdepijl vanuit haar buik naar boven schieten, ze pakte haar glas, nam een grote slok en veegde het schuim van haar bovenlip. 'Hou je mond en ga eten,' zei ze.

'Er zijn nog meer foto's,' zei Marian en ze stond op. Ze kwam weer terug met het kleine, ingelijste fotootje. 'Laten we naar de kamer gaan.'

Birka lag te slapen in de Stressless-stoel. Cato Isaksen liep de kamer door en ging op de bank zitten. 'Dankjewel voor het eten,' zei hij en hij pakte de foto aan. 'Op een pad in een bos. Is dat Britt Else Buberg als jong meisje?'

'Ja, ik heb hem meegenomen uit Oluf Carlssons appartement. Kijk naar die bladloze bomen. De foto moet in de herfst of in de winter zijn gemaakt.'

'Kunnen de beide vrouwen van identiteit hebben gewisseld?' Hij trok een diepe rimpel tussen zijn wenkbrauwen. 'Is Hanne Elisabeth Wismer in Zweden blijven wonen en is Britt Else Buberg naar Noorwegen verhuisd? Bedoel je dat? Was het een soort ruilhandel? Je kunt goed zien dat het ene meisje Britt Else Buberg is.'

'Ja, of die andere.' Marian Dahle plofte naast hem neer. Ze wees naar Britt Else Buberg. 'Misschien is dat Hanne Elisabeth Wismer, terwijl die andere Buberg is. Ze lijken heel veel op elkaar. Maar Buberg had toch krullen? Dat hebben deze meisjes geen van beiden.'

'Heb je nog meer dingen meegenomen uit Carlssons appartement?'

'Het belangrijkste voor een rechercheur is het oplossen van een zaak.'

'Het allerbelangrijkst. Je bent goed, Marian. Deskundig, maar irritant.' Hij glimlachte even.

'We moeten Ellen vragen om de jurk naar Wangen te brengen, dan kan hij haar bloed vergelijken met dat van Buberg.'

'Jurk? Welke jurk? Welk bloed? Heb jij Wismers jurk hier?'

Ze stond op en liep naar de keuken. Ze kwam terug met twee mokken en ging weer naast hem op de bank zitten. 'Laten we ons eens voorstellen hoe het gegaan kan zijn...'

'Heb jij haar jurk?' herhaalde hij. 'Je hebt de dossiers ook thuis, hè? Ben je helemaal knettergek? Het zijn originele bewijzen. Ik zag de vorige keer, in de spiegel, dat je enorme stapels papier had liggen. Irmelin zei dat je een heleboel...'

'We kwamen niet verder. En ik lever natuurlijk alles weer in.' Ze veegde wat hondenharen van het tafelblad en bracht de koffiebeker naar haar mond.

Cato Isaksen nam even een pauze voor hij verder ging: 'Heb je ze gekopieerd? Je hebt die oude kopieermachine.'

'Gekopieerd? Ik ben niet gek. Waar zie je me voor aan? Maar oude zaken moeten in een datasysteem worden ondergebracht. Ze moeten worden opgeslagen. Die ouderwetse archieven, in de kelder van het politiebureau en in het Rijksarchief, zijn zo ontoegankelijk. Alleen al dat we zelf niets op kunnen halen. Er zou geld moeten worden vrijgemaakt om... Het moet allemaal in een systeem worden gezet.'

'Het heeft niets met geld te maken. Het gaat om de bescherming van kostbaar bewijsmateriaal. Het is niet jouw taak... Het is een taak van politici. De minister van Justitie, de afdelingschef en de chef van de landelijke recherche...'

'Martin Egge is het met me eens.'

Cato Isaksen schudde zijn hoofd. 'Zorg dat je die rommel zo snel mogelijk weer inlevert bij Irmelin. Voor ze er met anderen over praat. Ik ben tenslotte verantwoordelijk...'

'Irmelin Quist is een stomme trut,' zei Marian Dahle. 'Ze is een archiefheks van de bovenste plank.'

Cato Isaksen knipte een halfdode wesp van tafel.

Marian nam nog een slok van de warme koffie. 'Terug naar de zaak. Ik denk gewoon hardop, spui gewoon wat theorieën. Stel je voor dat Hanne Elisabeth Wismer in 1972 niet is gestorven.'

Cato Isaksen keek haar aan. 'Dat...'

'Ja, maar wacht, Cato. Laten we zeggen dat ze verborgen werd bij Astrid Wismers broer en schoonzus in Kristinehamn.'

'Dus bij haar oom en tante?' Cato Isaksen voelde hoe alles in hem in opstand kwam. 'Dat is toch... ze zijn geen broer en zus.'

'Hou je nu eens even stil. Die lieve oom Oluf is arts, psychiaters hebben een studie medicijnen gedaan. Hij kan ervoor gezorgd hebben dat haar bloed werd afgenomen, waar haar jurk mee werd bevuild. Dan wordt alles teruggestuurd naar Noorwegen en in het bos gelegd, vlak bij de camping. Er zaten vingerafdrukken op de knopen, maar dat was misschien wel pure bonus. Ook haar slipje zat verstopt onder die grote, verrotte boomstam. Eerlijk gezegd, welke verkrachter zou die dingen in het bos laten liggen? En er werd een knoop in de boot gevonden. Lennart Hoen alias Lennart Hjertnes werd veroordeeld.'

'Dat kan de bedoeling zijn geweest,' mompelde Cato Isaksen. 'Hij heeft haar waarschijnlijk verkracht en daar moest hij voor gestraft worden.'

Marian Dahle stond op en opende de deur van de slaapkamer. Ze kwam terug met de confirmatiefoto van Hanne Elisabeth Wismer. 'Kijk,' zei ze. 'Het is vergezocht, maar ik denk dat de verdwijning gepland was, in scène gezet door broer en zus, ze moeten broer en zus zijn, Carlsson en Wismer. Zij praat ook een beetje vreemd, met een beetje scherpe u. Vind je niet?'

'Kijk eens naar die foto.' Ze gaf hem aan Cato Isaksen. Hij nam hem van haar aan.

'Op wie lijkt ze, Cato?'

'Op wie ze lijkt?'

'Ja, op wie lijkt ze?'

'Tja, ik...'

Plotseling hoorden ze voetstappen in het appartement boven. Marian hief automatisch haar gezicht naar het plafond voor ze weer naar de foto keek. 'Ze lijkt op de vrouw die op Oluf Carlsson wachtte, je weet wel wie ik bedoel.'

Cato Isaksen liet haar woorden even bezinken, toen schudde hij zijn hoofd. 'Nee. Dit gaat te ver, Marian. Ik heb die Ann nagetrokken. Ze geeft catechisatie in Carlssons kerkgemeente. Ik heb naar het bejaardencentrum in Kristinehamn gebeld en het uitgelegd... zij hebben me verteld hoe ze heette. Ze zijn een stel. Ze zijn... samen.'

'Maar ze kan Hanne Elisabeth Wismer zijn,' zei Marian halsstarrig. 'Kijk eens goed naar die confirmatiefoto.'

Cato Isaksen kneep zijn ogen tot spleetjes en concentreerde zich. 'Dat die Ann een domineestoga droeg op die foto die jij hebt gezien... ze geeft immers catechisatie.'

'Draagt iemand die catechisatielessen geeft een toga?' Marian schudde haar hoofd. 'Maar dat heeft ook niets met de zaak te maken. Dat kapsel... Hanne Elisabeth Wismer heeft haar haar in een paardenstaart. Kijk eens naar haar. Ze ziet er heel erg christelijk en voorbeeldig uit.'

Cato Isaksen schudde zijn hoofd. 'We kunnen hier niet gaan zitten fantaseren. Bovendien, weet je op wie ik het meisje op die confirmatiefoto vind lijken?'

'Op Britt Else Buberg,' zei Marian. 'Maar is zij het? Nee, zij had krullen. Is er een andere foto van Buberg... en in dat geval...'

'Alleen na haar dood,' zei Cato Isaksen. 'Er is geen foto van haar toen ze nog leefde. Alleen die onduidelijke foto die jij hebt gestolen uit Carlssons appartement.'

'En als Lennart Hjertnes nu eens de vader is van Tomas? Misschien raakte Astrid Wismers dochter zwanger na de verkrachting. Begrijp je wat ik bedoel?'

'Luister nu eens... nu gooi je toch wel iets te veel theorieën door elkaar.'

Marian onderbrak hem. 'Stel je nu eens voor dat die Ann echt Hanne Elisabeth Wismer is... dat ze al vijfendertig jaar onder een valse naam leeft.'

'Nee, Marian.' Cato Isaksen stond op en gooide de foto op tafel. 'Nu heb ik genoeg van al die wilde theorieën. Jij zegt dus dat Ann Hanne Elisabeth Wismer is en dat ze is ondergedoken om Lennart Hoen alias Hjertnes te straffen.'

Marian drukte haar handen tegen haar slapen. 'Of...' Ze zuchtte en liet haar handen weer zakken, 'misschien is Carlsson een verhouding begonnen met zijn pleegkind, met Britt Else Buberg. Misschien heeft hij dat al die jaren verborgen moeten houden. Stel je eens voor dat hij een psychiatrische patiënt zwanger heeft gemaakt. Het meisje dat hij zo liefdevol uit het ziekenhuis had gehaald. Stel je voor dat hij een dubbele agenda had? Je moet ziek genoeg zijn om te slagen, maar gezond genoeg om niet te mislukken. Stel je voor dat Buberg van Tomas beviel en daarna naar Oslo werd gestuurd?'

'Nu gooi je alles door elkaar, Marian. Dit zijn twee zaken. Twee moordzaken. Wismer en Buberg. Twee dode vrouwen, met vijfendertig jaar tussenruimte. Het hoeft niet...'

'Ik dacht alleen maar. Of... ik weet het niet... Lennart Hjertnes... misschien dat Hanne Elisabeth zwanger werd na de verkrachting. Er maalt te veel door mijn hoofd.'

Cato Isaksen nam een slok koffie en zette de beker met een klap terug op tafel. 'Astrid Wismers dochter werd half juli verkracht. Tomas Carlsson is geboren op 10 maart.'

'Een maand te vroeg,' zei Marian Dahle. 'Dat klopt niet.'

'Carlssons vrouw heeft hem thuis gebaard. Zo zit het waarschijnlijk in elkaar. Wij zijn degenen die verhaaltjes zitten te verzinnen, Marian. Het lukt mij ook niet om alle draden van dit hele waanzinnige verhaal aan elkaar te knopen. Hanne Elisabeth Wismer werd vermoord. Ze is dood. Ik geloof dat er iets anders is wat we niet zien. We krijgen de komende dagen de DNA-antwoorden uit Zweden. Dan weten we of Carlsson de vader is van Tomas, zoals hij zegt. Ik denk het eigenlijk wel.'

'Ja,' zei Marian, 'maar die buurvrouw in de Södergatan vertelde dat er verschillende jonge meisjes hadden gewoond, dus wie is de moeder?'

Witte wanden, wit plafond. Twee gezichten op het kussen. Het brommende geluid. De grote metalig glanzende naaimachine met het boze pedaal. Een groot ding, zonder armen of hoofd. Met de vorm van een oorlogsmachine. Genaaide jurken. Zomen die scheurden. Past niet. Wordt niet mooi. Jouw schuld dat het niet lukt. Bloemen, rode en groene. Twee gezichten aan het plafond. Bri... E... Bub. Vijf jaar, onder het witte plafond. Västerborre, bloed. Ziek. *Licht en geluid beloofden de zomer, in het kussen stond de afdruk van jouw wang.* Tik, tak, tik, tak. Iemand stond naar haar te kijken, door een luik. Wismer... in de diepte. Ze leefde een hele dag. In het Aker-ziekenhuis. *Ik wist het toen ik mijn ogen opsloeg, ik las het teken aan de wand.*

Marian gooide zich op haar andere zij en werd wakker. Ze keek op de wekker die op het nachtkastje stond. Het was tien voor half zes. Ze gooide het zomerdekbed van zich af en stormde naar de keuken. De borden van het currygerecht en de bierglazen stonden nog op tafel. De zak met de jurk lag op het aanrecht, samen met de stapel dossiers en documenten. Ze nam alles mee naar de kamer. Gooide de zak met de jurk op de vloer. Het bloed, het bloed, het bloed, hamerde het door haar heen. Ze smeet de papieren op het bureau. Hoe moest ze alles weer ordenen, hoe kon ze weten wat in welk dossier had gezeten. Het flitste door haar hoofd, de kleine waarheid. Ze moest het niet kwijtraken. Het moest haar niet ontglippen, glad als een droom. Het wilde zich niet vastzetten. Ze bladerde snel een aantal dossiers door, voordat ze vond waarnaar ze op zoek was. Ze pakte het papier op en keek ernaar. Ze had er een aantal keren naar gekeken zonder het te zien. Het was een van de papieren die ze had meegenomen uit de doos onder Oluf Carlssons bed. Het was een medisch rapport. Bovenaan stonden Britt Else Bubergs naam en geboortedatum. In het rapport stond dat ze leed aan een levensbedreigende acute leukemie, afgekort ALL, type L2, agressief. Het rapport was ondertekend met de initialen L.H.B. Diezelfde initialen hadden ook al op een ander rapport gestaan. Marian Dahle keek op. Het duizelde haar. Ze hoorde Oluf Carlssons stem in haar hoofd. *Het was lymfatische leukemie, CLL geheten. Ze is er helemaal bovenop gekomen.*

Ze bladerde verder. Ze vond de naam van de dokter, Lars Hansson Broch. Carlsson had gelogen. Ook al kende ze elk woord al van buiten, las ze alles nog eens door. 'Idioot,' mompelde ze en ze sloeg met haar vuist op het bureau. Ze haalde een ongeopend pakje sigaretten uit de keukenlade, liep de kamer door en opende het raam. Ze neuriede. *Hoewel ik je mis, kan niets me nog raken.*

Ze pakte haar mobiel, zette hem aan en toetste het nummer van professor Wangen. Ze keek op haar horloge, drukte op de rode toets en zette hem weer uit. Zette hem toen weer aan en stuurde een lange sms over bloedtesten en bloedziektes. Het duurde een halve minuut, toen kwam het antwoord. *Natuurlijk controleren we het bloed op de jurk, maar dat duurt een paar dagen. Breng hem zo snel mogelijk hier. De bloedgroepen van de beide vrouwen zijn snel te vergelijken. Ook de leukemie. W.*

Marian antwoordde: *Dus jij bent ook al vroeg aan het werk? Ik ben onderweg.*

Morris Soma was bezig de koffiemachine met koffie te vullen toen de grijs-harige man het benzinestation binnenkwam. Het was half zeven. De man zag er vies en onverzorgd uit, alsof hij in het bos had geslapen, dacht Morris. Zijn baas had gezegd dat hij de man moest geven wat hij wilde hebben. Hij hoefde niet te betalen. Hij was al een paar keer hier geweest. Een keer samen met de man in het motorpak.

'U vroeg wakker,' zei hij glimlachend.

De man gaf geen antwoord, knikte even, staarde naar zijn witte tanden, draaide zich om en liep snel naar de koeling. Hij deed de deur open en nam er vier pakken appelsap uit. Hij zette ze op de toonbank, pakte een krant en keek hem snel door voor hij hem weer terugzette in het rek. Toen liep hij de winkel door en zocht op de plank met kant-en-klare broodjes. Hij vroeg om een draagtas. 'Ik moet er acht hebben,' zei hij. 'Ik hoop dat ze wel een paar dagen houdbaar zijn.'

Morris Soma stopte de spullen in een draagtas. De geur van frituurolie hing al dik in de ruimte. De vloer lag vol zand, hij had nog niet gedweild.

De man keek voortdurend uit het raam.

Morris Soma keek de man onzeker aan. Gisteren was er een politieman geweest. Die had gevraagd of hij Lilly had gezien. Hij had 'nee' gezegd. Hij had haar niet gezien. Ze hadden gevraagd waar hij woonde. Dat beviel hem niet. Hij woonde in een containerbarak die achter het benzinestation stond. De barak was maar acht vierkante meter en had geen echt raam, alleen een luikje boven de deur. Hij had geen werkvergunning en wilde over een paar weken terug naar Nederland, waar zijn broers woonden.

'Ik moet ook sigaretten en een paar aanstekers,' zei de man en hij hield zijn ogen gericht op een punt boven zijn hoofd. 'En wc-papier. En scheerschuim en mesjes.'

Morris kwam achter de toonbank vandaan en liep naar het schap met toi-letspullen. Hij was trots dat hij zo goed Noors verstond.

De man keek hem na. Morris pakte een pak wc-papier, scheerschuim en -mesjes en draaide zich weer om. De man staarde naar hem. Naar zijn gezicht en naar zijn voeten. Morris Soma keek naar beneden. Hij droeg de witte gymschoenen die Lilly hem had gegeven. Nikes. Maat 44.

Er waren geen andere mensen in de zaak. Bij de pomp stopte een auto.

Morris stopte de laatste dingen in de draagtas.

'Geef me mijn schoenen terug, smerige dief,' riep de man plotseling en hij hief een gebalde vuist op. 'Denk je dat ik niet heb gezien hoe je 's middags en 's avonds op de camping rondsloop?'

Het was even na achten. Cato Isaksen drukte op het knopje van de lift. Hij was al vanaf zeven uur op zijn werk. Hij had eerst het bevolkingsregister gecontroleerd. Dat was een schok geweest. Marian had gelijk. Astrid Wismer en Oluf Carlsson waren broer en zus.

Cato Isaksen en Randi Johansen hadden het opsporingsverzoek en de persberichten over Lilly Rudeck en Lennart Hjertnes al opgesteld, maar ze hadden nog geen nieuwe foto van hem kunnen achterhalen. Ewald Hjertnes had er geen, zei hij. Ze zouden hem wat meer onder druk moeten zetten, natuurlijk had hij wel een foto van zijn broer. Julie Thyvik was onderweg naar Oslo om de politietekenaar te helpen met een tekening van Lilly Rudeck. Ze had verteld dat Ewald Hjertnes erg geïnteresseerd was in Lilly en dat hij haar te weinig betaalde. Lilly had haar verteld dat ze geen paspoort had en dat niemand wist dat ze in Noorwegen was.

De spanning drukte op zijn voorhoofd. Hij moest voordat Bente vanmiddag thuiskwam nog boodschappen doen. Hij wilde haring met rauwe ui en aardappelen maken. Hij verheugde zich erop haar weer te zien, haar te kussen en aan te raken, haar het terras, de bloembakken en de tuinmeubelen te laten zien.

*

Ellen Grue stond in de lift en bekeek zichzelf in de spiegel, half met haar rug naar de deur. Ze droeg een lichtblauwe katoenen blouse en een donkerblauwe broek. Vanaf haar schaambeen naar boven vertoonde haar buik een zachte ronding.

De lift schokte en kwam tot stilstand, de deuren gingen open. Cato Isaksen kwam binnen. 'Hallo,' zei ze en ze sloeg haar armen over elkaar. 'Ik ga nu naar Rødvassa. Ik rij met de hondenpatrouille mee.'

'Roger en Tony gaan mee,' zei hij. 'Controleer dat ontluchtingsluik en het kamertje met de meterkast goed. Stel vingerafdrukken en andere sporen veilig. We kunnen ze vergelijken met Lennart Hoens vingerafdrukken uit die oude zaak. En de hondenpatrouille moet de hele omgeving afzoeken.' Hij ging verder: 'Heb jij Marian gezien? Ze heeft haar telefoon uitgezet. Ik heb net gehoord dat we in het ziekenhuis met Astrid Wismer kunnen spreken.'

'Volgens mij is ze naar het Gerechtelijk Laboratorium.'

'Naar Wangen? Met die jurk?' De lift maakte een suizend geluid.

'Niet alleen met die jurk. Er was ook nog iets met een medisch rapport uit Kristinehamn, iets over een bloedziekte. Ik wacht nog steeds op die bloedmonsters die uit Zweden zouden komen, van die Tomas Carlsson... en die psychiater. Het duurt te lang.'

Hij wierp een blik in de spiegel en zag de kromming in haar rug. 'Ik ga erachteraan,' zei hij.

*

In de kantine droeg hij het dienblad met één hand naar de tafel, zakte door zijn knieën en zette het neer. Zijn telefoon ging. Om hem heen klonk gegons van stemmen en gerammel van servies. Hij drukte op de knop en bracht de telefoon naar zijn oor. Het was Marian. Hij moest zijn best doen om te horen wat ze zei.

'Weet je nog dat Oluf Carlsson zei dat Buberg er weer bovenop kwam na die bloedziekte?'

'Ja?' Hij keek naar de weerspiegeling van zichzelf in de metalen plaat op een zuil.

'Wangen zegt dat dat niet mogelijk is. Zo'n ziekte is chronisch. Je kunt ermee leven, maar je raakt de ziekte nooit meer kwijt. Oluf Carlsson zei dat Buberg lymfatische leukemie, cll had, en dat ze er weer bovenop kwam. Dat kun je je toch nog wel herinneren?'

'Ja, dat wel.' Hij trok een stoel bij en ging zitten.

'Zit je in de kantine?'

'Ja.'

'Dus daar heb jij tijd voor?'

'Ik ben al vanaf zeven uur aan het werk. Je had gelijk. Wismer en Carlsson zijn broer en zus. We hebben toestemming om met Astrid Wismer te praten.'

'Oké, dan treffen we elkaar in het Aker-ziekenhuis, over een half uur. Of ga je naar Rødvassa?'

'Ik heb Roger en Tony naar Rødvassa gestuurd.'

'Mooi. Wangen controleert nu het bloed op de jurk. En hij zal uitzoeken of Buberg echt leukemie had. We krijgen de antwoorden vanmiddag. Ik heb begrepen dat als ze op haar negentiende cll heeft gekregen, dat het chronische lymfatische leukemie was. Dat ze daar nooit meer vanaf zou komen. Als het acute leukemie, all was geweest, had ze het niet overleefd... Ik heb een medisch rapport gevonden bij Carlsson. Hij had een aantal rapporten van haar verstopt. In een ervan stond dat Buberg leed aan de acute, levensbedreigende vorm. Snap je wat dat betekent?'

Astrid Wismers oogleden trilden licht. Ze draaide haar hoofd en zuchtte zacht, alsof het haar laatste adem was. Ze lag aan een apparaat gekoppeld dat haar hartslag registreerde. Cato Isaksen en Marian Dahle stonden aan het voeteneind van haar bed. Een verpleegster was met haar bezig. Het viel Cato Isaksen op dat de schoenen van de verpleegster scheef afgesleten waren. De deur ging open en een arts kwam binnen. 'Wat is hier aan de hand?' vroeg hij kortaf.

'We hebben toestemming,' zei Cato Isaksen en hij keek hem aan. 'Het is belangrijk. We zullen het kort houden.'

De arts liep naar het bed. Hij controleerde de aansluiting van het apparaat en keek bezorgd naar Astrid Wismer. 'Ja, ik heb begrepen dat het iets met een moord te maken heeft.'

Astrid Wismer opende haar mond en zei: 'Ik lig hier als een dood ei. Mijn schil is heel breekbaar.'

De arts knikte even naar de verpleegster. Ze pakte een stapeltje papieren van het nachtkastje en samen verlieten ze de kamer.

'De geheimen van levende mensen,' mompelde Astrid Wismer en ze keek de rechercheurs aan. 'We verspreiden gif en geloven dat het liefde is. Waarom bezoek je je moeder niet?' Ze richtte haar ogen op Marian Dahle.

'Pardon? Hoe weet u dat mijn moeder...?'

'Dat heeft hij verteld.' Astrid Wismer tilde haar hand op van het dekbed. Een infuusnaald zat met pleisters vast. Haar hand viel terug. 'Jij bent het adoptiekind.'

Marian wendde zich naar Cato. 'Waarom... dat is niet professioneel.'

Cato schudde zijn hoofd en hief afwerend zijn arm op. Astrid Wismer ging verder: 'Mevrouw Dahle is niet iemand die gemakkelijk contact maakt, weet je, maar met mij heeft ze echt gepraat. Een dag na de identificatie...' Ze tilde haar magere hand boven haar ogen. 'Niet tegen mij, maar mét mij,' zei ze zacht. 'Wil je weten wat ze zei?'

'Nee,' zei Marian Dahle kortaf. 'Daarom zijn we niet hier. U hebt een dochter gehad, Hanne Elisabeth.'

Een snik ontsnapte uit Astrid Wismers mond. Ze staarde naar het plafond, speelde met het dekbed en probeerde de herinnering aan haar dochter naar zich toe te halen. 'Ja, maar ze is dood.'

Een verpleger opende de deur en keek even naar binnen. Hij rammelde met een serveerwagen. Cato Isaksen gaf hem een teken dat hij weg moest gaan. Marian liep om het bed heen en ging aan het hoofdeinde op een stoel zitten. Ze nam de hand van de oude vrouw in de hare. 'Waarom hebt u dat niet verteld?'

'Jullie hebben het niet gevraagd.' Astrid Wismer draaide zich naar haar toe, haar mond een smalle, trillende streep. 'De meeste kinderen in onze familie waren enig kind. Mijn man had geen broers of zussen. Ik had geen neven of nichten.'

'Dus Britt Else Buberg... werd zij voor u een soort vervanging, nadat...?'

'Ja, zo was het. Als je zo'n enorm verlies hebt geleden, probeer je alles om maar verder te leven. Mijn man, Rolf, is eraan kapotgegaan. Het ging goed, totdat de moordenaar uit de gevangenis werd vrijgelaten.'

'Wat gebeurde er toen?'

'Er gebeurde niets. Het was in 1984. Het is niet gemakkelijk om ziek te zijn. Britt Else was ook ziek... Maar we leefden in extra tijd, we... wraak is een sterke drijfveer.'

'U had misschien geen neven of nichten, maar we hebben ontdekt dat Oluf Carlsson uw broer is en dat Britt Else Buberg dus in zekere zin uw nichtje was. Waarom hebt u ons dat niet verteld?'

'Tja, ik... kan het me niet zo goed herinneren. Ik kon het gewoon niet. Het was te veel. Mijn broer is gelovig. Ik haat hem. Hij is zo inhalig. Hij heeft iets van me af genomen. Iets... lang geleden.'

'Wat heeft hij van u afgenomen?'

'Rolf en hij, ze hebben hem van me afgenomen. Mijn hart. Mijn wraakengel!' De stilte daalde als een schaduw neer.

'Wraakengel? Hoe bedoelt u?'

'Mijn wraakengel heeft verschroeide vleugels. De boeman heeft hem meegenomen.'

Marian Dahle wierp een blik op Cato Isaksen die nog steeds aan het voeteneind van het bed stond. Astrid Wismer begon haar hoofd op het kussen heen en weer te draaien. 'Ik kon niet... ik kon mijn leven niet opnieuw beginnen, aan de keerzijde.'

Cato Isaksen kneep zijn handen om de rand van het ijzeren bed. 'Hoe komt het dat u zo goed Noors spreekt?'

Ze stopte met draaien. Sloot haar ogen. Een glimlach verscheen op de bleke lippen. 'Ik ben logopedist, bovendien was mijn moeder Noorse. Ik spreek beide talen even goed.' Ze opende haar ogen weer.

'Dus dat lied tijdens de begrafenis...' Marian streelde over haar hand.

'Het is Zweeds. Ik heb het altijd al een mooi lied gevonden. De melodie is prachtig, en de woorden... Mijn vader was dominee. Samarkand is een kleine plaats... als in de hemel.'

Marian Dahle voelde even een teleurstelling, ze liet de hand los en pakte de onduidelijke foto van de twee meisjes op het bospad uit haar zak. Ze hield de foto op.

Astrid Wismer tilde haar hoofd op en kneep haar ogen tot spleetjes. 'O, ja,' mompelde ze. 'Op het pad... in het bos. Ik ben er nooit geweest.'

'Bent u er nooit geweest? Waar bent u nooit geweest?'

'Hanne en Britt Else hebben elkaar ontmoet. Ze waren allebei bij Oluf en Karin, in de zomer. Daarom was het ook zo goed dat ze ondanks alles... Rolf wilde dat Hanne haar haar af zou knippen.' Astrid Wismer murmelde met haar breekbare, monotone stem. 'Hij zei dat wat er was gebeurd op de camping... dat dat was gebeurd omdat ze haar haar los droeg.'

'Wat was er ondanks alles toch zo goed?'

'Er was niets goed,' fluisterde ze. 'Het ging allemaal verkeerd...'

'Wat?'

'Alles.'

Marian ging verder: 'Maar we begrijpen het niet helemaal. Wanneer is deze foto gemaakt?'

'Ik ben in 1953 met Rolf getrouwd. We kregen Hanne, woonden in Halden. Ik werkte als lerares. Misschien in september... toen werd Hanne... ze stierf en we konden niet langer in Halden blijven wonen. We verhuisden naar Nordberg... daarna naar het bejaardencentrum. Rolf is ook dood... groot en eenzaam, ik kon niet meer...'

'We hebben gehoord dat u een kamer verhuurde.'

'Wat? Nee... misschien een tijdje. Hanne overdreef. Soms, in elk geval. Toen ze klein was, verzon ze van alles. Maar toen, die nacht, begrepen we dat ze de waarheid sprak. De politie had de ruimte gevonden... met de meterkast...'

'Hoe heette uw huurder?'

'Waren bang dat er bezoek zou komen... verbraken het contact met onze vrienden. Alleen Margareth nog. Ik herinner me niet. Ik wil niet...'

'We hebben niet kunnen ontdekken waar Britt Else Buberg heeft gewoond voordat ze naar Stovner verhuisde. We hebben alleen een postbusnummer... zodat ze haar uitkering kon ontvangen?'

'Nee,' zei Astrid Wismer helder. 'Nee. La, lade...'

'Welke lade?'

'Nee... laat me,' zei Astrid Wismer, 'laat me.'

'Het is informatie,' zei Marian. 'U weet iets. Hanne Elisabeths moordenaar heeft een broer die in hetzelfde trappenhuis woont als Britt Else Buberg.'

'Wat? Lennart Hoens broer?' Astrid Wismer wachtte, haar mond halfopen. Alsof ze wilde dat ze de woorden die ze hadden gezegd weer konden uitwissen.

'Maar hij heet nu anders,' zei Marian Dahle.

'Anders? Hoe dan?'

'Lennart Hoen heet nu Lennart Hjertnes. Zijn broer heet Ewald Hjertnes en hij woont op de eerste verdieping.'

Astrid Wismer begon te trillen. Ze tilde haar magere hand op en wuifde ermee, een teken dat ze moesten gaan. Ze sloot haar ogen, kneep haar lippen op elkaar. 'Nee,' mompelde ze. 'Nee.'

'Kunt u ons vertellen...' Cato Isaksen liet het bed los en ging naast Marian staan.

'Nee.' Astrid Wismer schudde haar hoofd en opende haar ogen. 'Morgen. Morgen zal ik alles vertellen. Alles, morgen.'

De Duitse herder trok de agent naar de varens en het hoge gras. Hij probeerde het dier wat af te remmen, zodat hij zelf niet zou vallen. De hond blafte en piepte. 'Hierheen,' riep de politieman. 'Hier ligt iets, tussen de varens.'

Hij gaf een ruk aan de riem en boog daarna voorzichtig de bladeren uit elkaar om te kijken.

Er lagen twee kledingstukken. Een jurk met een bloemenpatroon en een slipje. 'Hier ligt een jurk,' riep hij.

Zijn collega kwam op een draf naar hem toe. 'Je ziet ook duidelijke sporen in de aarde.' Hij draaide zich om naar de technisch rechercheur. 'Oké,' zei Ellen Grue. 'Ik zorg voor die jurk. Ga jij terug zodat je geen sporen vernielt. Ze keek naar de sporen in de losse grond. Een patroon van een geribbelde zool. 'We zetten de omgeving af,' zei ze en ze trok een paar gummihandschoenen aan. Toen bukte ze zich en boog naar voren, tussen de bladeren. Ze pakte voorzichtig de jurk op en deed hem in een zak.

*

'Shira Skah heeft zojuist de jurk van Lilly Rudek geïdentificeerd.' Roger Høibakk keek naar Ewald Hjertnes die achter het loket van de kiosk stond. De meisjes wilden er niet meer werken.

'Op dezelfde plek lag ook een slipje, tussen de varens,' ging hij verder. 'Als u enig idee hebt waar uw broer zich bevindt, moet u het nu zeggen. Anders bent u medeplichtig.'

Ewald Hjertnes keek hem met een duistere blik aan. 'Bij de picknickplaats? Moet ik de camping nu dichtdoen? Er komen vandaag mensen om de boot op te halen,' zei hij, 'want die is kapot. En ik heb nergens iets mee te maken.' Hij boog zijn hoofd.

'Maar u moet toch wel íets weten,' zei Roger Høibakk met een strak gezicht.

'Nee, niets. Ik heb mezelf de hele tijd voorgehouden dat het niet waar was. Hij heeft hier de eerste nacht na Lilly's verdwijning geslapen.'

'Waar?'

'Hier, in de receptie. Lennart. Hij heeft steeds gezegd dat hij dat meisje van Wismer niet heeft vermoord.'

'U bedoelt dus dat u hebt meegeholpen een nieuwe misdaad verborgen te houden, omdat u denkt dat hij meer dan dertig jaar geleden onschuldig is veroordeeld voor moord? Probeert u dat te vertellen?'

'Nee, of... William en ik, wij...' Ewald Hjertnes boog zijn hoofd weer.

'U betaalde Lilly... contant. Ze had geen bankrekening, geen paspoort, geen poste restante. Ze bestond eigenlijk niet. En u hebt er aan bijgedragen dat ze zo kon leven.'

'Nee,' riep hij. 'Nee!'

'De geschiedenis herhaalt zich,' zei Roger Høibakk en hij keek op naar twee ruziënde meeuwen in de lucht. 'Of denkt u dat hij het deze keer ook niet heeft gedaan?'

Ewald Hjertnes kneep zijn handen stevig in elkaar.

Roger Høibakk knikte in de richting van twee campingstoelen die op de veranda stonden. 'Kom naar buiten,' zei hij. 'Laten we erbij gaan zitten.'

Ewald Hjertnes opende de deur en liep de twee ijzeren treetjes af. Hij schudde zijn hoofd naar twee kinderen die aan kwamen rennen.

Roger Høibakk trok een campingstoel bij. 'Hier,' zei hij.

Ewald Hjertnes plofte neer. Roger Høibakk ging op de andere stoel zitten. 'Ik wil eerst iets vragen over uw moeder,' zei hij.

'Mijn moeder?' Ewald Hjertnes' ogen stonden donker. 'Wat heeft zij hier verdomme mee te maken?'

'Dat weet u. Hanne Elisabeth Wismer en Lilly Rudeck leken op uw moeder. We hebben iets gevonden in Lennarts appartement. Een foto.'

Ewald Hjertnes' gezicht brak.

Roger Høibakk wuifde een man weg die naar hen toe kwam om iets te vragen. 'Gebloemde jurk, schoenen met hoge hakken...'

Ewald Hjertnes slaakte een diepe zucht. 'Op een dag is ze gewoon vertrokken,' zei hij met trillende stem. 'Met een andere man, die haar in een mooie auto kwam halen. Het was snikheet. Ze is gewoon vertrokken. Lennart was veertien. Ik was zestien. Hij is haar met zijn camera achterna gelopen.'

*

Tony Hansen opende de deur van de blauwe containerbarak achter het benzinestation. Hij was leeg. Alleen een matras, een paar wollen dekens en een vieze handdoek lagen op de vloer.

De eigenaar van het benzinestation keek hem angstig aan en streek over zijn haar dat hij met water achterover had gekamd. 'Morris Soma is weg,' zei hij. 'Ik begrijp er niets van. Hij was heel plichtsgetrouw.'

'Had hij een werk- en verblijfsvergunning?' vroeg Tony Hansen.

De eigenaar ontweek zijn blik, voor hij naar het oorringetje keek en daarna zijn ogen ontmoette. 'Nee, ik moet toegeven dat dat niet het geval was.'

'Dus hij werd onderbetaald, en werkte waarschijnlijk voor twee?' Tony Hansen liep de barak in en schoof met zijn voet de handdoek aan de kant. Er lag iets onder. Hij bukte zich en pakte een in stukken gescheurde lichtblauwe kanten bh van de vloer.

Astrid Wismer tilde haar hoofd op en keek in het licht. Ze lag als bevroren onder het dekbed en hoorde het zoemen van het grote apparaat. Het tikte, alsof de tijd achterwaarts op haar af kwam. De dekbedovertrek was een doodskleed. Ze had zo veel pijn. In haar dijbenen, in haar voeten, in haar armen, in haar keel. De beelden kwamen. Het licht van zijn gezicht. Ondanks alles het licht van zijn gezicht. Ze waren samen, alle drie. Astrid Wismer sloot haar ogen, plakte ze dicht als twee enveloppen, dacht aan hem en aan haar. Aan hen alle drie toen ze op de bank voor de winkel zaten. In de zon.

Plotseling fluisterde een verpleegster tegen haar wang. Een zachte bries van woorden. Ze bedankte. Ze begreep niet wat de verpleegster van haar wilde. 'Ik zal wat zingen,' fluisterde ze. En het witte uniform verdween door de deur.

'Jaaa, dat. Trallalla... ik las het teken aan de wand. Dat je alles mag ontvangen wat je hebt gemist.'

De deur ging open en een man met grijs haar kwam de kamer binnen. Hij liep geluidloos. Hij had witte gymschoenen aan zijn voeten. Ze piepten zacht op het linoleum.

Astrid Wismer opende haar ogen. Het was net alsof er een vlies overheen lag. 'Zet het raam open,' zei ze tegen de man. 'Is het open?'

De man gaf geen antwoord.

Ze sloot haar ogen weer. 'Door het open venster op het behang. Ik wil iets zeggen. Ik wil alles vertellen. Door het open venster op het behang. In het kussen stond de afdruk van jouw wang.'

Ze opende haar ogen, keek in het hygiënisch kille licht van de tl-buis. 'Mijn wraakengel,' fluisterde ze. 'Ik wist het toen ik mijn ogen opsloeg. Als je ooit aankomt in Samarkand.'

'Hou je mond,' zei hij.

'Net als jij. Net als jij over een paar jaar,' fluisterde ze.

'Britt Else Buberg had geen leukemie. Wangen belde tien minuten geleden, net toen ik wilde parkeren.' Ellen Grue had zich omgekleed in een pruimkleurige jurk. Ze had een fax in haar hand. Ze was uitgeput na alle uren op Rødvassa en voelde het kind als een strakke knoop in haar buik zitten. Het was half vier. Ze leunde met haar handen op tafel en keek Cato Isaksen en Marian Dahle aan. 'Het was een zware dag,' zei ze. 'We hebben niet alleen Lilly Rudecks jurk gevonden maar vlakbij ook schoenafdrukken veilig gesteld en biologisch materiaal en vingerafdrukken verzameld in Lilly Rudecks kamer. De schoenafdrukken zijn waarschijnlijk afkomstig van Lennart Hjertnes' gymschoenen. Maat 44, neem ik aan. En we hebben ook de uitslag van de bloedonderzoeken.'

Marian Dahle perste haar vingers tegen haar slapen. 'Kom terzake,' zei ze gejaagd en ze boog over de tafel om niet in de namiddagzon te kijken die recht in haar ogen scheen. 'Cato, kun jij het zonnescherm laten zakken?'

'Doe het zelf,' zei hij en hij strekte zijn hand naar voren toen Marian hem een glas water aangaf en een schaal muffins over de tafel schoof. De schaal kraste over het tafelblad. Hij keek haar geïrriteerd aan. 'Dus die ziekte die ze als jong meisje heeft gehad...'

'Dat is dus onzin,' ging Ellen Grue verder. 'Ons lieve lijk heeft als jong meisje geen enkele ziekte gehad. Er was in de bloedproeven geen spoor te vinden van CLL, lymfatische leukemie of acute ALL, agressieve leukemie.'

Marian wierp haar hoofd in de nek. 'We hebben het! Wat heb ik gezegd!' Ze sprong overeind, liep naar het raam en drukte op de knop. De markies schoof langzaam uit. De schaduw viel over de vloer en gleed helemaal tot aan de tafel.

Cato Isaksen haalde diep adem. Hij ontmoette Marians blik toen ze weer ging zitten. 'Dus de milde vorm die Buberg volgens Oluf Carlsson had...'

'Ze had geen van beide,' constateerde Ellen Grue rustig en ze nam moeizaam plaats. 'Chronische lymfatische leukemie gaat nooit over. Je kunt ermee leven, maar het gaat nooit over. De agressieve vorm is al snel dodelijk. Marian, jij hebt Wangen toch dat medisch rapport gegeven... uit Zweden.'

'Dat Oluf Carlsson had verstopt,' zei Marian snel.

Ellen Grue keek haar verrast aan. 'O, hoe heb jij het dan gevonden?'

Marian gaf geen antwoord, ze veegde een paar kruimels van het tafelblad.

Een vlieg met glanzende vleugels liep over het rapport van de patholoog.

'Wangen heeft in elk geval een kort rapport gefaxt.' Ellen Grue schoof het papier naar Cato Isaksen toe.

Hij wierp er even een blik op, keek weer op en zei: 'Dus dat betekent...'

'Ja, dat betekent het,' zei Ellen Grue.

'Het uiteindelijke bewijs,' zei Marian Dahle. 'Britt Else Buberg was niet Britt Else Buberg. Britt Else Buberg was Hanne Elisabeth Wismer.'

De rechercheurs keken elkaar aan. Cato Isaksen ontmoette Ellen Grues blik. 'Heeft Wangen helemaal geen argwaan gehad over Bubergs werkelijke leeftijd? Ik bedoel, ze blijkt uiteindelijk vijf jaar jonger te zijn.'

'We moeten de kist met het lijk weer opgraven,' antwoordde ze. 'Maar Wangen zei wel dat ze jonger leek dan haar zevenenvijftig jaar. Dat heeft hij al gezegd toen hij 23 juli het lijk voor het eerst onder ogen kreeg. Ik vind het erg luguber. We hebben nog nooit eerder zo'n zaak gehad. Dit bewijst maar weer dat je een lijk nooit moet cremeren voordat de zaak is opgelost.'

'Buberg was eigenlijk Wismer,' zei Cato Isaksen zacht en hij stond op. Hij sloeg zachtjes met zijn vuist op tafel toen de deur openging en Roger Høibakk binnenkwam.

Zijn gezicht stond nerveus. 'Er is iets gebeurd,' zei hij.

'Wat?' Cato Isaksen voelde het zweet bij zijn haargrens sijpelen en over zijn voorhoofd naar beneden lopen.

'We zijn net terug van Rødvassa.' Roger bleef midden in de kamer staan.

Ellen Grue, Cato Isaksen en Marian Dahle staarden hem aan.

'Wat is er?' Cato Isaksen voelde een rilling over zijn rug lopen.

'Astrid Wismer is dood,' zei hij.

De pijn zat ineens in haar hoofd. Als een bliksemflits die achterwaarts door haar bewustzijn schoot. Marian Dahle voelde hoe een vertraagde film in haar hoofd begon te spelen. De verkeerde kant op. Eerst kwam het eind, daarna het begin. De zekerheid verspreidde zich, als gif. 'De stapel roze enveloppen,' riep ze.

De anderen staarden nog steeds naar Roger Høibakk.

'Is ze dood?' Cato Isaksen zat op het puntje van zijn stoel. 'Ze zou ons iets vertellen.'

'Ze is een half uur geleden gestorven. Ze is in alle rust ingeslapen.' Roger Høibakk keek naar Ellen. 'Ben je moe?' vroeg hij bezorgd en hij liep naar haar toe. 'Je moet je niet over de kop werken. Dit wordt te veel in één keer.'

Marian Dahle stond op en liep het kantoor uit. Ze liep regelrecht naar de lift. In de la van de toilettafel in Astrid Wismers kamer in het bejaardencentrum. De brieven die ze had willen pakken toen de deur openging en de grijze man binnenkwam. Ze moest ze halen.

*

Het was al half tien toen Cato Isaksen de civiele politiewagen voor de garage parkeerde en naar het rijtjeshuis aan Frydendal in Asker liep. Hij wist dat Bente thuis was gekomen.

Ze zat op een van de nieuwe grijze stoelen in de achtertuin op hem te wachten. In haar hand had ze een glas witte wijn.

Hij bleef in de opening van de tuindeur naar haar staan kijken. De gordijnen waren door de wind naar een kant gewaaid. Hij trok ze opzij en liep het terras op. Hij glimlachte en voelde hoe alles, voor een moment, van hem af viel.

Ze zag hem en stond op. Hij liep naar haar toe en omhelsde haar. Trok haar tegen zich aan, tilde haar korte, blonde haar omhoog en snoof de geur in haar nek op. 'Je bent zo lief,' zei hij. Haar haargrens had iets kinderlijks en onschuldigs. 'We zouden haring met aardappelen en bier hebben gehad.'

Ze glimlachte. 'Het geeft niet. Een echte dansvloer,' zei ze. 'Wat een verrassing, wat een mooi, gezellig terras.'

'Maar helaas geen welkomstmaaltijd. Je bent zo mooi, en bruin.'

'Ja, klopt.' Ze kneep in zijn hand. 'Maar,' zei ze en ze duwde hem een stukje weg, 'het is prachtig. En dan die bloembakken en je hebt zelfs het gras gemaaid. Zulke grote dahlia's hadden we thuis ook toen ik klein was. Ik heb ze al in geen jaren gezien.'

Hij glimlachte. 'Heb je een nieuwe jurk?' Hij kuste haar op haar oor. Binnenin hem klopte het warm en hard.

'Ja, mooi hè? Strepen in alle richtingen.' Ze pakte de rok vast en draaide rond. 'Ik lijk wel een zebra.'

'Je ziet er prachtig uit. Waar is Vetle?'

'Aan het eind van de straat. Bij een vriend.'

Cato Isaksens oog viel op de VG die op de tuintafel lag. POOLSE VROUW VERDWENEN, luidde de kop op de voorpagina. Er stond een foto bij van een vrouw op een strand.

Bente volgde zijn blik. 'Is dat... je nieuwe zaak?'

Hij knikte. 'Onder andere. Morgen komt er een politietekening van haar. We krijgen geen contact met haar moeder in Polen. We hebben geen goede foto van haar.'

'Maar die andere zaak is toch nog niet afgesloten? Die vrouw in Stovner?'

'Je hebt geen idee,' zei hij. 'Marian heeft vanmiddag een stapel brieven gevonden. In het bejaardencentrum in Stovner. Daarin stond het hele antwoord.' Hij vertelde kort over Karin Carlsson die had gedaan alsof ze zwanger was. De woorden stroomden zijn mond uit. 'Oluf Carlsson is arts, psychiaters hebben eerst medicijnen gestudeerd. Karin en hij hebben het kind opgenomen dat Hanne Elisabeth Wismer na de verkrachting heeft gekregen. Het kind werd een maand te vroeg geboren in het witte huis aan de Södergatan 12.'

'Wat verschrikkelijk. Ik zie het voor me. Arm meisje. Wat een verhaal. En jullie hebben geen idee waar die Lennart Hjertnes nu is?'

'Nee, maar we zullen hem vinden. We moeten wel. En we zullen Lilly vinden. Maar waarschijnlijk ligt ze in diep water.'

'Dus dat betekent dat de zaak rond is?'

Hij glimlachte even naar haar. 'Op dit moment ben ik veel meer bezig met een vrouw uit Asker. Ga je mee naar de slaapkamer?'

Bente keek hem aan, ineens bang. 'Ik moet je iets vragen. Ik... die Marian Dahle...'

'Wat is er met haar?' Hij keek haar ineens korzelig aan. 'Wat bedoel je?'

'Ben je bij haar thuis geweest, toen ik weg was?'

'Natuurlijk. Maar het is niet zoals jij denkt. Ik ben bang dat ik straks nog terug moet naar mijn werk,' zei hij.

De roze brieven lagen voor hem op het bureau. De brieven waren stukgelezen, helemaal verfrommeld. Vies en gevlekt aan de randen. Sporen van Astrid Wismer, dacht hij. Sporen van tranen en onrustige vingers. Steeds opnieuw gelezen. Regel na regel. Letter na letter, droefenis na droefenis.

Een insect krabbelde over het tafelblad, over de brieven. Met een gebroken vleugel. Cato Isaksen stond op, pakte de brief op en liep ermee naar het raam. Hij gooide het insect door de kier naar buiten, liep naar zijn stoel terug en ging weer zitten. De waanzin van deze hele absurde zaak stond hem scherp en luguber voor de geest.

Lieve mama,

Kristinehamn, 5 september 1972

Herinner jij je nog toen ik klein was en 's nachts wakker werd en bij jullie kwam en vertelde dat ik bang was voor de Boeman? Weet je mama, ik heb nu af en toe het gevoel dat oom Oluf de Boeman is. Waarom mag ik niet weer thuiskomen? Tante Karin is lief, maar ik wil naar huis. Waarom hebben papa en oom Oluf besloten dat ik hier moet blijven? We gaan elke zondag naar de kerk. Ik bid tot God. Maar wat helpt dat? Kun je me niet gewoon ophalen? Het is toch niet mijn schuld dat ik ben verkracht? Ik vind de eeuwige dood en verdoemenis over Lennart Hoen niet zo belangrijk. Ik wil mijn gewone leven terug. Het maakt toch niet uit of hij wordt veroordeeld voor verkrachting of voor moord? Papa moet hulp zoeken voor zijn psychische problemen. Het is toch niet strafbaar om een fout te maken? Of is het zo, dat als we nu alles afblazen en ik weer thuiskom, als de politie te weten komt dat ik bij mijn oom en tante in Zweden ben geweest, dat papa in de gevangenis komt? Is dat waar, mama? Of komen we alle drie in de gevangenis?
Oom Oluf heeft een vriendin voor mij gevonden. Maar ze is een beetje vreemd. We hebben een wandeling gemaakt in het bos en oom Oluf heeft een foto van ons gemaakt. Ze heet Britt Else. Maar ik ben bang, mama. Er is iets wat ik niet aan de telefoon heb gezegd, want oom Oluf en tante Karin horen alles wat ik zeg. Ik ben in verwachting. Het is het kind van Lennart Hoen. Als ik 's nachts wakker word, moet ik huilen.

Jij bent de enige die mij kan helpen. De enige. Wat moeten we doen,
mama?

Hanne

Lieve mama,

Kristinehamn, 15 februari 1973

Ik vind het heel verdrietig om te horen dat oma dood is. Arme oma, ze
hield zoveel van mij. Britt Else is hier komen wonen. Ze is vreemd. Ze
ligt alleen maar op de bank. Ze is heel bleek. Ze zeggen dat ze ziek is.
Tante Karin slaapt naast haar op een matras op de grond zodat ze
's nachts niet door het huis gaat zwerven. Ik heb oom Oluf gevraagd of
Britt Else niet snel terug kan naar het ziekenhuis. Hij vertelde dat de
afdeling is opgeheven en dat God hem de opdracht heeft gegeven om
voor haar te zorgen.
Tante Karin is lief. Vandaag heeft ze haar hand op mijn buik gelegd en
toen glimlachte ze. Haar wangen werden rood en ze zag er ineens jong
uit. Maar het is hier zo saai, mama.

Hanne

Lieve mama,

Kristinehamn, 4 maart 1973

Ik ben bang. Gisteren is Britt Else even na vijf uur op de bank gestor-
ven. Het ruikt zo vreemd in huis, zo zoetig. Ik wist niet dat je dood kon
ruiken. Ik weet dat tante Karin je heeft gebeld om het te vertellen. We
hadden niet zoveel gemeen, Britt Else en ik. Ze was zo stil en vreemd, ze
wilde zich niet wassen en haar haar niet knippen en dat soort dingen.
Maar ik geloof dat we vriendinnen zijn geworden, op een stille, vreem-
de manier. Want we waren vooral binnen. Britt Else bleef toen ze dood
was nog urenlang op de bank in de kamer liggen. Oom Oluf vroeg of ik
naar mijn kamer wilde gaan. Hij zei dat de lijkauto haar zou ophalen.
Maar ik heb urenlang bij het raam gezeten. Er is geen zwarte auto
geweest. En weet je, mama, vannacht heeft oom Oluf een groot gat in
de tuin gegraven, vlak tegen de muur voor het raam van de kamer. Ik
hoorde het geluid van de spa, hij bleef maar spitten. Hij moest ook wat
oude sneeuw weggraven. Ik heb uit het kleine raampje van de bad-
kamer gekeken. Ik geloof dat hij haar daar in heeft gelegd, mama. Dat
hij Britt Else heeft begraven. Nu zegt hij dat hij eindelijk zal beginnen

met het terras. Ik heb nog nooit iets over een terras gehoord. Wanneer kom je? Hoe lang moet ik hier nog blijven? Gisteren zei oom Oluf dat God dit kind niet haat. Dat alleen papa dat doet, maar het is toch niet mijn schuld? Waarom is papa boos op mij? Ik heb een naam gekozen, het wordt Anita of Alexander.

Hanne

Lieve mama,

9 maart 1973

Je klonk zo verdrietig aan de telefoon. Maar ik ben blij dat ik naar huis mag. Tante Karin is lief, mama. Vandaag hebben we samen de hele badkamer schoongemaakt. We hebben alle tegels geschrobd. En ik strijk voor haar, kleedjes en handdoeken, en de overhemden en doktersjassen van oom Oluf. Hij heeft een uitkering voor mij geregeld, zegt hij, die ik ook zal houden als ik naar Noorwegen verhuis, heeft hij beloofd. Een soort arbeidongeschiktheidsuitkering. Ik begrijp dat ik Britt Else Buberg heet. De uitkering krijg ik omdat ik psychisch ziek ben en niet kan werken. Ik wil graag mijn haar verven. Ik doe alles, als ik maar naar huis mag. En papa niet meer zo boos en verdrietig is.

Hanne

Aan mama,

2 april 1973

Tante Karin zegt dat jullie hebben afgesproken dat zij zolang op Alexander zullen passen. Maar dat wil ik niet. Ik geef hem toch borstvoeding. Jij hebt hem nog helemaal niet gezien, en hij is zo lief. Tante Karin vindt het heerlijk om hem te verzorgen. Gisteren tilde oom Oluf hem op. Hij keek hem aan en glimlachte. Hij glimlachte echt, mama. Maar hij zei dat ik binnenkort met de borstvoeding moet stoppen. Ik ben zo bang.
Wanneer kom je ons halen?

Hanne

De twee zaken namen alle kranten in beslag. In de tabloids en landelijke kranten werd de ene kolom na de andere gevuld met beide affaires. Er werden foto's gepubliceerd van de flat in Stovner en het witte huis in de Södergatan 12 in Kristinehamn. Het Västerborre-ziekenhuis en de psychiatrische kliniek Sahlgjärda werden steeds opnieuw afgebeeld. Ook alle Zweedse kranten brachten de zaken op de voorpagina.

GERECHTELIJKE DWALING! *VEROORDEELD VOOR MOORD OP EEN VROUW DIE LEEF-DE. VERMOORDDE DEZELFDE VROUW TWEE KEER.* PSYCHIATER BEGROEF PLEEGKIND IN TUIN. POOLSE VROUW VERDWENEN. Nam nieuwe identiteit aan. DODE VROUW LEEFDE NOG. GEPENSIONEERDE ARTS GEARRESTEERD EN VRIJGELATEN. *ASTRID WISMER DROEG VRESELIJK GEHEIM MET ZICH MEE. VAN VERDRIET GESTORVEN IN ZIEKENHUIS.* SLACHTOFFER BAARDE KIND VAN VERKRACHTER! *LENNART HJERTNES IS GEVAARLIJK!* De vijfenvijftigjarige Hjertnes wordt beschouwd als extreem gevaarlijk. Het publiek wordt gevraagd onmiddellijk contact op te nemen met de politie als de man wordt gesignaleerd.

Ook op radio en tv werd voortdurend aandacht aan beide zaken besteed. Buren en vrienden gaven interviews en spraken over een sympathieke, maar streng religieuze Oluf Carlsson. Hij verscheen zelf in het nieuws en vertelde dat hij zijn nicht Hanne Elisabeth en haar ouders alleen maar had willen helpen.

Er stonden foto's in de kranten van het oude houten huis in Moss en paginalange beschouwingen over Lennart Hjertnes. Ook verschenen ellenlange artikelen over de vermiste Poolse vrouw.

JONGE VROUW (19) VERDWENEN VAN CAMPING. *LILLY ANIELA RUDECK, VERKRACHT EN VERMOORD?* Er stonden foto's bij van de Rødvassa-camping. Opnames en vraaggesprekken met Julie Thyvik en Shira Skah die verklaarden: HIJ GLUURDE NAAR HAAR DOOR HET LUIK.

*

Ingeborg Myklebust was uitermate tevreden met de prestaties van haar team. Tijdens de eerste evaluatievergadering trakteerde ze op koffie met marsepeintaart in Cato Isaksens hoekkantoor. Het hele team zat rond de glimmende, ovale tafel. Ze waren met zijn achten: moe, blij en verontwaardigd. De DNA-testen uit Zweden waren gekomen. Ze bewezen dat Oluf Carlsson niet de vader was van Tomas Carlsson.

'Astrid Wismer heeft haar dochter twee keer verloren,' zei Ingeborg Myklebust. 'Twee keer. En beide keren werd ze vermoord. Door dezelfde man,' voegde ze eraan toe. 'Het is volkomen absurd.'

'Ja, de hele zaak is absurd,' zei Cato Isaksen. 'Vijfendertig jaar lang was alles in slaap gesust.'

'Maar toen,' ging Marian Dahle verder, 'gebeurde wat eigenlijk niet mogelijk was. Lennart Hjertnes ontdekte dat Hanne Elisabeth Wismer in dezelfde flat woonde als zijn broer, op de zesde verdieping. Toen begreep hij hoe de vork in de steel zat.'

'Hij deed wat Roald Dahl al had beschreven in zijn verhaal over de lamsbout,' zei Cato Isaksen. Hij zat te spelen met een pen.

Marian Dahle fronste haar wenkbrauwen. 'Nee, niet het verhaal over de lamsbout. Jij denkt aan het verhaal over die man die zijn vrouw in de tuin heeft begraven.'

'Ja, klopt, dat bedoel ik. De politie zoekt de hele omgeving af maar kan het lijk van de verdwenen vrouw niet vinden. Dan duikt ze weer op, de man vermoordt haar en begraaft haar in de tuin. De politie gaat niet voor een tweede keer alles opgraven en ze wordt nooit gevonden.'

'Een *copycat*,' zei Roger Høibakk en hij stopte een groot stuk taart in zijn mond. 'Van zichzelf. Hij kopieerde gewoon zijn eigen zaak. Twee meisjes, met vele jaren tussenruimte.'

'Ik vat het nog niet helemaal,' zei Asle Tengs. 'Het lukt mij nog niet helemaal alle gebeurtenissen in de goede volgorde te plaatsen.'

'Mij ook niet,' zei Ellen Grue.

'Vergeet niet dat we Lilly Rudeck nog steeds niet hebben gevonden,' zei Marian Dahle nuchter. Ze leek even afwezig, maar zei toen: 'Het begon allemaal met een moeder die in de jaren zestig op een mooie zomerdag haar kinderen in de steek liet. Ze droeg een gebloemde zomerjurk en verdween met een man in een auto. Lennart heeft er een foto van gemaakt. De pijn die hij voelde kwam weer boven toen hij in 1972 Hanne Elisabeth op de camping tegenkwam. Hij verkrachtte haar en werd aangeklaagd voor een moord die hij niet had gepleegd. Toen hij vijfendertig jaar later ontdekte wat er precies was gebeurd, en Lilly Rudeck ten tonele verscheen, kwamen alle gruwelijkheden weer boven. Het beeld van zijn moeder riep iets in hem op en ontketende de ondraaglijke pijn...'

'We moeten Lennart Hjertnes vinden,' zei Randi Johansen.

'Lennart Hjertnes is waarschijnlijk bij zijn broer Ewald in Stovner op bezoek geweest en herkende Hanne Elisabeth Wismer alias Buberg. Zelfs al had ze nu krullend haar. En...'

'Hij kon in de flat van zijn broer komen,' zei Marian Dahle. 'Daar vond hij de sleutel van de woning van de huismeester en daar lag de moedersleutel die op alle deuren past,' zei Asle Tengs.

'Natuurlijk haatte hij haar omdat hij had gezeten voor een moord die hij niet had gepleegd. Dat kun je je wel voorstellen.' Randi Johansen nam een slok koffie.

'De schoenafdrukken in Lennart Hjertnes' camper en zijn appartement in Moss zijn dezelfde als de afdrukken die zijn veiliggesteld in de gang van Buberg, alias Wismer,' zei Roger Høibakk.

'En gelijk aan de afdrukken bij de varens langs de picknickplaats. Maar goed dat er geen kleed in de gang lag, anders hadden we dat bewijs niet gehad. De afdrukken van de Nikes zijn duidelijk te herkennen. En de sporen die zijn aangetroffen op Lilly Rudecks jurk komen overeen met het sporen-profiel op Wismers jurk,' zei Ellen Grue.

'Toen Lilly ten tonele kwam, heeft hij hetzelfde nog een keer gedaan. Verkrachting... en moord,' zei Tony Hansen en hij draaide aan zijn oorring.

'De technische recherche heeft de containerbarak achter het benzinesta-tion gecontroleerd en de lichtblauwe bh is samen met Lilly Rudecks jurk en slipje voor onderzoek opgestuurd,' zei Ellen Grue. 'Die Morris Soma is van de aardbodem verdwenen.'

'Ik heb het strafregister nagetrokken.' Marian Dahle keek naar de fax die voor haar op tafel lag. 'Vier jaar geleden werd de eigenaar van het benzine-station voor het kantongerecht veroordeeld voor het illegaal in dienst nemen van twee Poolse werknemers. Hij kreeg een boete van 20.000 kronen. Hij ging bij de arrondissementsrechtbank in beroep en de boete werd verlaagd naar 10.000 kronen. De eigenaar beweerde dat hij niet op de hoogte was van de wetgeving en dat de Polen hadden gezegd dat ze bij de Vreemdelingen-dienst een verzoek om werkvergunningen hadden ingediend en dat ze wachtten op toestemming, wat alleen maar een formaliteit zou zijn.'

'Ja, en?' Cato Isaksen keek haar aan. 'Wat heeft dat volgens jou met de zaak te maken?'

'Weet ik niet. Waarom lag die in stukken gescheurde bh van Lilly in de con-tainerbarak?'

'We weten nog niet of die van haar is,' zei Cato Isaksen. 'Dit is een extreme zaak... alleen al het feit dat Britt Else Buberg op de bank aan de Södergatan 12 is gestorven aan de gevolgen van acute leukemie. Oluf Carlsson is aange-houden. De verwisseling van identiteit werd door hem en zijn zwager Rolf Wismer in scène gezet.' Cato Isaksen stond op. 'Britt Else Buberg stierf in 1973 een natuurlijke dood.'

'Toen we Astrid Wismer vroegen of ze Buberg wilde identificeren, was ze opvallend rustig,' zei Marian. 'Het was voor haar de laatste mogelijkheid om

Hanne te zien. Misschien had ze ook al het gevoel dat ze haar dochter een extra tijd bij zich had gehad. Iedereen dacht dat ze al vijfendertig jaar dood was.'

'Eigenlijk geniaal. Hjertnes neemt Lilly mee in de boot en dumpt haar. Hij roeit heel ver het water op. Het valt niet mee om de hele bodem af te zoeken. Er zit stroming in het water,' zei Ingeborg Myklebust.

'Hij had nooit een foto van de meisjes moeten maken. Aan het strand, van achteren.' Randi Johansen keek naar Marian Dahle.

'Moordenaars gaan vroeg of laat in de fout,' zei Ingeborg Myklebust.

'We plaatsen opnieuw een opsporingsverzoek voor Lilly in de landelijke pers,' zei Cato Isaksen en hij ging weer zitten. 'Maar ik wil wachten tot de duikers van de brandweer de zoekactie in het water hebben afgerond.'

Marian Dahle zag er ineens bedachtzaam uit. 'Maar de man op de bank? Over wie de buurvrouw vertelde... we moeten uitzoeken wie dat was.'

Ewald Hjertnes hoorde het tikken van de klok aan de wand. Die gaf aan dat ondanks alles de tijd doorging. Hij luisterde. De stilte kwam dreigend op hem af. De politie had hem de sleutel teruggegeven. Ze hadden het gebroken bord gevonden. Lennart was er geweest. Dáár had hij nachtmerries over gehad, al sinds de dag dat zijn moeder vertrok. Hij had een gevoel gehad dat dingen nog erger konden worden. Toen hij Lennart had verteld over de man in de lift, had hij hem zien veranderen. Het was een week voordat Buberg van het balkon was geduwd. Ewald had gezegd dat ze sprekend op elkaar leken. Het móét gewoon je zoon zijn. De man had grijs haar gehad, was een jaar of vijfendertig en de lift stopte op de zesde verdieping. Hij had het niet aan Lennart moeten vertellen, het was gevaarlijk om te wroeten in de troebele ziel van zijn broer. Hij had onmiddellijk de tekens in zijn gezicht gezien.

Ewald Hjertnes hoorde het geluid van een auto die werd gestart. Hij liep de kamer door en opende de balkondeur. Hij keek naar de vreemde auto die wegreed en moest denken aan dat moment in de straat, lang geleden. Toen de auto met moeder vertrok. Een clip, alsof iemand een filmrol in stukjes had geknipt. Hij was bang. Het seizoen was voorbij. De camping was gesloten.

Beneden op het gras hoorde hij kinderstemmen. Hij zag William ineengedoken zitten. Hij plantte tulpenbollen in het grote bloembed langs de parkeerplaats. Bloemen voor de lente, dacht hij. Het zal weer voorjaar worden. Zomer op Rødvassa. *De zeis, het gras, de struiken, het grind, de knagende muizen. De meeuwen.*

De kinderstemmen buiten verstoorden hem. Hij voelde hoe de duisternis bezit nam van zijn lichaam toen hij naar de balustrade liep, naar beneden keek en riep: 'Kunnen jullie ergens anders gaan spelen!'

Het blonde meisje droeg een rode anorak. Ze keerde haar gezicht naar hem toe. Het was het meisje van de zesde. Het meisje met het donkere haar had een roze doorgestikte jas aan die langs de gebreide manchetten rond de polsen helemaal vies was. 'Nu gaat Barbie dood, Elianne,' zei ze en ze duwde een klein roze schepje in de grond.

Het blonde meisje keek weer naar beneden. 'We begraven haar tussen de rozen. Ik zal haar jurk uitdoen.'

'Ja, want ze is van het balkon gevallen en dan helpt het niet als je een papieren vliegtuigje of een plastic auto hebt. Als je doodgaat, dan ga je dood. Het is wel stom dat het voor altijd is. Je verandert in licht en dan mag je bij God in de hemel wonen. En je hoeft geen jurk te dragen.'

'Kunnen jullie ergens anders heengaan.' Ewald Hjertnes voelde dat alles op het punt stond uit elkaar te vallen. Hij boog over de balustrade en barstte in huilen uit.

*

Er werd aangebeld. Hard en krassend. Hij liep apathisch naar de deur en opende hem. Ze stonden op de mat. De beide kleine meisjes. De blonde gaf hem een papieren vliegtuigje. 'Dat mag jij hebben.'

'Omdat je huilt,' zei het donkere meisje.

Ewald Hjertnes gooide de deur weer dicht. De knal echode door het trappenhuis. Hij staarde naar het papieren vliegtuigje. Hij vouwde het uit, liep naar de keuken, naar het aanrechtkastje en de vuilnisemmer. Hij wilde het juist in de blauwe plastic emmer stoppen toen hij het zag. De letters dansten in een mooi rond schrift voor zijn ogen. *Lennart Hoen.*

Met een gemiddelde snelheid van negentig kilometer per uur reed Tomas Carlsson in drie uur en vijfenveertig minuten naar Oslo. Het was 12 september. Hij kneep zijn vingers om het stuur en kauwde op een stukje kauwgom met mentholsmaak. De gedachten maalden door zijn hoofd. Hij was maar één keer gestopt, in een oud wegrestaurant aan de grens. Hij had een hamburger gegeten en een glas cola achterover geslagen. Onderweg naar buiten had hij een krant meegegrepen waarop met grote letters de kop ZOEKACTIE NAAR LILLY RUDECK GESTAAKT te lezen stond.

Het klokje op het dashboard stond op 15.43 uur toen hij de oprit van Hotel Opera opdraaide. Het hotel lag aan een groot verkeersknooppunt aan de rand van het centrum van Oslo. Niemand moest hem komen vertellen dat Oslo een mooie stad was. Het was een verschrikkelijk onoverzichtelijke stad. Aan de andere kant van de weg, aan het water, rees een groot, nieuw gebouw op, wit en glad. Vlak en merkwaardig, dacht hij en hij reed de parkeergarage onder het hotel in en parkeerde de oude Volvo. Hij nam de lift naar de receptie en schreef zich in onder de naam Tomas Hoen.

De receptionist, een gladgekamde man van een jaar of dertig, schreef hem in alsof er niets was gebeurd en er niets stond te gebeuren.

Hij nam de lift naar boven en opende de deur van kamer 601. Hij gooide de autosleutels op de glimmend gepoetste tafel en zette zijn tas weg. Hij had alleen een kleine tas meegenomen, geen andere bagage. Hij pakte een druif van de schaal en zette de tv uit waar op het scherm *Welkom, Thomas Hoen* te lezen stond. Zijn naam was verkeerd gespeld. Hij schreef hem zonder h.

Hij waste zijn handen en opende de minibar. Hij pakte een biertje en plofte neer in de geel met blauw gestreepte leunstoel. Hij spuugde de kauwgom in zijn hand en plakte het onder het tafelblad. Hij maakte het flesje open en nam een paar grote slokken.

Een week geleden was hij uit de gevangenis ontslagen. Hij was helemaal gek van de media geworden. *Slachtoffer baarde kind van verkrachter*, hadden ze geschreven. Dat kind, dat was hij.

Er was ook een reportage op tv geweest, een emotioneel verslag over baby Tomas, die in het huis aan de Södergatan 12 werd gebaard door een achttien jaar oud verkracht, Noors meisje, die dankzij zijn 'vader' een nieuwe identiteit had gekregen, omdat híj de zorg op zich had genomen voor een ongeneeslijk zieke psychiatrische patiënt. Het Noorse meisje was onder de naam van de patiënt teruggegaan naar Noorwegen en had sindsdien een stil en teruggetrokken leven geleid in Oslo. De man die haar had verkracht werd in 1974 veroordeeld voor moord. Hij had dertien jaar gevangenisstraf gekregen. Toen hij ontdekte dat het slachtoffer van de verkrachting nog springlevend was, had zijn haat de overhand genomen en had hij haar voor de tweede keer gedood, zoals het in de media werd omschreven, door haar van een balkon naar beneden te gooien.

De politie had het lijk van de psychiatrische patiënt Britt Else Buberg gevonden onder het terras dat 'vader' in de zomer van 1973 had gemaakt. Onder het terras, waar Tomas iedere zomer had gezeten met een glas rode limonade, gegrilde worstjes en zijn 'moeder' in zomerse kleren aan de andere kant van de tafel. Als een vals platform. De patiënt was in het fundament gestort en vader had tegen de media verteld dat ze een natuurlijke dood was gestorven op de bank in de woonkamer. De eerste woede was weggeëbd. De gedachten hadden als koud ijzer door zijn hoofd gemalen sinds de eerste berichten over de zaak in de pers verschenen. Het was allemaal absurd, chaotisch en pijnlijk.

Zijn biologische vader had een nieuw meisje verkracht en vermoord. Haar foto had de hele voorpagina van *Expressen* in beslag genomen. Ze was mooi, had halflang bruin haar, heette Lilly Aniela Rudeck en kwam uit Polen.

En eergisteren had Lennart Hjertnes hem opgebeld en gevraagd of hij hem wilde ontmoeten. Tomas was met stomheid geslagen. Lennart Hjertnes had vanuit een benzinestation gebeld. Toen hij aan de telefoon zijn stem hoorde, had hij onmiddellijk aan de Glock gedacht die hij had gekregen omdat hij zijn kameraad niet had aangegeven toen hij zelf gevangen werd genomen. Ja, hij wilde zijn verkrachtervader graag ontmoeten, zei hij. Heel graag. Hij had luid gelachen toen hij de verbinding had verbroken, hij had een auto gestolen en het pistool gehaald. Nu voelde hij de *flow*.

In sommige mensen sluimerde het kwaad, had in de krant gestaan. Zij waren zich enorm bewust van hun eigen gedrag. Hij had zichzelf herkend. Genen, had hij gedacht. Echte, gewelddadige, kwaadaardige genen.

Twee maanden geleden had hij Hanne Elisabeth Wismer in Stovner bezocht. En Astrid. Zij had hem gebeld. En toen hij verlof had, was hij naar haar toe gegaan. Hij had het hele verhaal te horen gekregen. Toen hij zondagavond terugkwam in Zweden, was hij rechtstreeks naar Oluf gegaan en had hem in elkaar geslagen. Hij had hem in zijn gezicht geraakt, hem met een honkbalknuppel die in de auto lag geslagen, zodat zijn arm brak. Die ijskoude christelijke griezel die zijn vader niet was. Na de dood van moeder Karin was zijn leven een lange herfst geweest. Zijn mobiel ging. Hij nam hem op. 'Ja,' zei hij.

Buiten in het park begonnen de bladeren aan de bomen geel te kleuren. De randen krulden droog op. De rechercheurs hadden een middagvergadering in Cato Isaksens kantoor. De gelatenheid kreeg steeds meer de overhand. Lilly Rudeck en Lennart Hjertnes waren nog geen van beiden gevonden.

'Hij is er vandoor,' zei Marian Dahle. 'Hij zit vast met een drankje in Argentinië te gluren naar meisjes in gebloemde zomerjurken.'

'We moeten ons hoe dan ook aan de formele procedure houden,' zei Cato Isaksen. 'Vroeg of laat krijgen we hem te pakken. We hebben nu DNA, dat hadden we in 1972 niet. De zaadresten uit die tijd zijn nu onderzocht en geanalyseerd. Hjertnes is zonder twijfel bij beide misdrijven betrokken. Ik hoop echt dat we hem weer voor het gerecht kunnen brengen, maar dat is van verschillende dingen afhankelijk. Het is een enorm omvangrijke zaak. We moeten Lilly Rudeck vinden. Haar lichaam moet ergens zijn.'

'We gaan op volle kracht door en we zullen Hjertnes vinden. Zoals het er nu uitziet, is er maar één klein detail dat de zaak verstoort,' zei Marian.

'De bh,' zei Randi Johansen.

'Juist,' zei Cato Isaksen. 'Die lichtblauwe bh die in de containerbarak achter het benzinestation lag. Tijdens het onderzoek is hij vergeleken met de jurk en het slipje. Hij was van Lilly Rudeck.'

Marian Dahle stond op en ging op de rand van de tafel zitten. 'Een gerechtelijke dwaling is gauw gemaakt en dat met die bh is vreemd. Verschillende getuigen bevestigen dat Morris Soma als een wolf om Lilly Rudeck heen draaide. Dat hij bij nacht en ontij over de camping zwierf.'

'Hij is ook van de aardbodem verdwenen,' zei Randi Johansen en ze hoestte. 'Ewald Hjertnes had de sleutel van het appartement van de huismeester. Lennart Hjertnes heeft zich dus op die manier toegang tot William Pettersens woning verschaft en de moedersleutel gepakt. Dat kunnen we bewijzen.'

Ellen Grue, die tot nu toe had gezwegen, streek over haar buik die de laatste tijd hard groeide. Ze droeg de pruimkleurige jurk. 'De voetafdrukken in Buberg alias Wismers gang zijn afkomstig van Lennart Hjertnes' schoenen,' constateerde ze. 'Het vloerkleed zat beneden in de wasmachine, anders hadden we dit bewijs niet gehad. De afdrukken van de Nikes zijn duidelijk.'

Randi Johansen pakte een lippenstift en haalde die snel over haar lippen.

Ingeborg Myklebust opende de deur en kwam het kantoor binnen. 'Er is een aangifte uit Zweden gekomen, met betrekking tot een aantal documenten van een of andere openbare instantie in Kristinehamn,' zei ze en ze keek afwisselend naar Cato Isaksen en Marian Dahle. 'Er staat in dat jullie niet geheel volgens de voorschriften hebben geprobeerd die papieren in handen te krijgen. En dat ze daarna waren verdwenen.'

Er liep een verbinding van het ene universum naar het andere. Een fantastisch sterk verhaal, met een initiatiefnemer die snel zou sterven.

Tomas Carlsson reed in de oude Volvo over de heuvelkam. De auto stuurde niet goed en er zat te weinig lucht in de banden. De snelheidsmeter was kapot en de hoofdsteun zat los. Maar het was de enige auto die hij tot zijn beschikking had. De verkrachter wilde zijn zoon op een verlaten camping ontmoeten. Tomas had in de kranten over de camping gelezen. Het was de camping waar zijn tienermoeder vijfendertig jaar geleden had gewerkt en waar begin augustus het Poolse meisje was verdwenen. 'Haha.' Tomas lachte luid en stopte twee valiumtabletten in zijn mond die hij doorslikte met een slok water uit een flesje dat hij had gekocht. 'Biologie, waar ik werd verwekt zal heel snel iets vreselijks gebeuren. Op deze aardbol, in de hei. Op precies dezelfde plek.'

Hij dacht aan zijn grootmoeder van vaders kant. Op een dag, toen Lennart veertien jaar was, had ze huis en haard verlaten. Goed van haar, dacht Tomas, dan was ze dat duivelsjong tenminste kwijt. Het hele verhaal had in zijn hoofd liggen gisten sinds de politie het lijk had gevonden onder het terras van het huis waar hij was opgegroeid. Astrid Wismer was Olufs zus. De zus over wie hij niet wilde spreken. Thuis werd verteld dat ze moeilijk en onhandelbaar was, en dat ze niet aardig was tegen Karin. Dat ze het contact hadden moeten verbreken. Dat ze niet godvruchtig was.

Tomas voerde de snelheid op. De koude lucht stroomde door de kieren langs het portier naar binnen. Hij leunde met zijn hoofd tegen de losse hoofdsteun en vroeg zich af waarom Lennart Hjertnes hem eigenlijk wilde ontmoeten. Wilde hij zijn eigen mislukte verdorvenheid met eigen ogen zien? Of was het iets anders? Zouden ze net als in een slechte wildwestfilm tegenover elkaar staan en kijken wie het snelst kon afdrukken?

*

Randi Johansen trok een geruite zakdoek uit haar zak en snoot krachtig haar neus. 'Ga je vandaag naar die hondencursus?'

'Ja, in Fredrikstad,' antwoordde Marian en ze stond op. 'Het is een bijzondere trainer. Hij richt zich helemaal op de mogelijkheden die goed afgerichtte honden hebben om zich verder te ontwikkelen. Birka heeft wat stimulans nodig. Ze werkt tenslotte ook fulltime op de afdeling Moordzaken.'

De anderen lachten, behalve Cato Isaksen. 'Ik vind het tijd worden dat ze zich omschoolt. En die hondensofa in jouw kantoor...'

'Ze gaat geen omscholingscursus volgen, Cato, hooguit een vervolgopleiding.' Marian keek even op de klok. 'Ik moet gaan,' zei ze.

'Ja, het wordt al vroeg donker,' zei Randi. 'Het lijkt net alsof er in september haast geen licht meer over is,' voegde ze eraan toe.

'Ik moet vanavond nog achttien stapels documenten doornemen,' zei Cato Isaksen. 'Ik ben waarschijnlijk tot diep in de nacht hier.'

*

Marian Dahle opende de achterklep en Birka sprong in de auto. Zelf stapte ze achter het stuur, draaide de contactsleutel om en startte de auto. De hond draaide achterin wat heen en weer. 'Ga liggen,' riep Marian geërgerd. 'Wat is er?'

Ze reed de parkeergarage uit, sloeg op de rotonde bij de Opera linksaf en reed verder over de Mosseveien. Er lag een dunne laag vocht over het donkere asfalt. Het kon glad worden. In een licht hellende bocht schakelde ze en gaf ze gas. Birka snoof.

'Voel je je niet lekker?' Ze keek in de spiegel. 'Ga nu maar rustig liggen,' zei ze.

Lennart Hjertnes stond in het donker te wachten. Hij had zich verborgen, achter een bosje van eiken en esdoorns bij de picknickplaats. Hij zag de auto aankomen. Het grind knerpte toen hij langsreed. Hij keek de twee branden-de achterlichten na. De plek waar hij stond was moeilijk begaanbaar en over-woekerd, met stenen en grote pollen verdord gras. Hij liep het pad op. De hoge dennenbomen rezen aan beide kanten zwart op. Een laaghangende wolk hing voor de maan. Boven de boomtoppen leken de sterren net vinger-afdrukken. De oude Volvo reed naar de kant van het pad en parkeerde. Op de bestuurdersstoel zag hij de contouren van een hoofd. Diffuus, alsof er een stralenkrans omheen zweefde. Toen werd de motor uitgezet en werd het donker.

Het portier werd geopend en Tomas Carlsson stapte uit.

*

Tomas Carlsson registreerde een beweging in het donker. Over het smalle grindpad zag hij de contouren van een man langzaam op zich af komen. Zijn ogen waren nog niet aan het donker gewend. Zijn blikveld was aanzienlijk beperkt. Hoe dichterbij de man kwam, hoe meer hij dacht dat hij leek op een insect, een beetje een kromme rug en de zwarte vleugels samengevouwen. *Straks ben je dood.*

*

Lennart Hjertnes staarde naar Tomas Carlsson. Hij had een versleten spijker-broek en een leren jack aan. Hij voelde heel even iets van vreugde, gedoopt in koude angst. 'Jemig,' zei hij. 'Je... lijkt precies op... mij... toen ik zo oud was. Precies. Alleen de moedervlek ontbreekt. Ik begrijp dat Ewald schrok toen hij jou in de lift zag.'

'Zag hij mij in de lift? Wie zag mij in welke lift?'

'Zo is het begonnen,' zei Lennart Hjertnes. 'Mijn broer zag je in Stovner in de lift.'

Het grind knerpte toen Tomas zijn voet naar voren zette. 'Wat wil je eigen-lijk van mij?' In de verte blafte een hond.

Hij knikte naar de open plek. 'De camping is dicht. Laten we naar de receptie gaan. Ik heb een sleutel.'

'Wat wil je van mij?' herhaalde Tomas Carlsson.

'Niets, ik wil helemaal niets,' zei Lennart Hjertnes. 'Kom.'

Ze liepen naast elkaar. De duisternis sloeg in hun gezicht, de zeelucht was helder en scherp, uit het bos klonken zachte geluiden.

*

Tomas voelde hoe de valium als een dempend kleed over zijn gevoel lag. 'Ze belde me die avond, om een uur of half negen. Mijn moeder. Mijn echte moeder, die ik pas geleden, tijdens mijn verlof, had bezocht. Ze belde me in de gevangenis en was bang. Je had gefloten, vertelde ze. Ze had je herkend, je maakte haar bang.' Tomas hief zijn hand op en voelde het pistool in de diepe binnenzak van zijn jack. *Straks ben je dood.*

Lennart Hjertnes draaide zich om en liep in de richting van de verlaten camping. Tomas volgde hem langzaam. Ze stapten over de ketting voor de ingang.

*

In de verte was het geluid te horen van de golven die op het strand sloegen. Tomas wachtte tot de verkrachter naar binnen was gegaan. Hij keek om zich heen en liep de twee treetjes naar de veranda op. Hij sloot de deur.

'Ik zal het licht aandoen,' zei Lennart Hjertnes. 'De gordijnen zijn dicht.'

Tomas Carlsson keek om zich heen toen het lichtpeertje aan het plafond een kil, zwak licht over de ruimte en de spaarzame inventaris wierp. Hij zag een kleine toonbank, en helemaal achter een slaapalkoof. Er stonden een klein, bruin tafeltje en twee campingstoelen. Op de tafel stond een wit figuurtje. Het was een vrouwenfiguurtje dat bij haar taille aan elkaar was gelijmd. De wanden roken naar koud, verrot houtwerk.

Tomas Carlsson keek naar Lennart Hjertnes. 'Waar ben je sinds augustus geweest? Hier?'

'Ik heb in de kamer bij de doucheruimtes gewoond.' Hij knikte met zijn hoofd. 'Niemand komt op het idee om te zoeken op een plek waar ze al eerder hebben gezocht.'

'En eten?'

'Bij het benzinestation. De eigenaar heeft een strafblad, hij onderbetaalt mensen die geen werkvergunning hebben. Hij weet dat als hij gaat praten, ik dat ook doe. Laten we gaan zitten.' In zijn ene hand hield hij iets heel stevig vast.

Toen ze langs het attractiepark Tusenfryd reed, ging haar mobiel. Marian Dahle deed haar oortje in en zei: 'Hallo.' Ze wierp een blik op het gesloten park en zag de contouren van het reuzenrad tegen de donkergrijze hemel. Het was Julie Thyvik.

'Weet je nog wie ik ben?' begon ze. 'Ik heb toen... de politietekening en...'

'Natuurlijk weet ik nog wie je bent, Julie,' zei Marian. Ze keek in de achteruitkijkspiegel. 'Gaat het goed met je?'

'Ja, ik heb je telefoonnummer gekregen toen ik met Shira op het politiebureau ben geweest.'

'Ja?' Marian voelde hoe haar spieren aanspanden. 'Toen je met Asle en Tony hebt gesproken...'

'Ik weet niet of het belangrijk is,' praatte de heldere meisjesstem verder. 'Maar ik heb net een stuk met de hond gewandeld, en toen kwamen we langs Rødvassa. En...'

'Ja?'

'Het is vast heel erg dom, maar er brandde licht in de receptie. Niet zo fel, maar de gordijnen waren dicht. En omdat jullie hem nog niet gevonden hebben en hij nog steeds wordt gezocht... ik bedoel de broer van Ewald Hjertnes.'

*

Cato Isaksen zag zijn gezicht in het donkere raam. Hij was bezig een antwoord te schrijven op het opsporingsverzoek met betrekking tot de documenten van die openbare instantie in Kristinehamn. Hij schreef dat het onderzoek nog niet was afgerond, maar dat de papieren zouden worden teruggestuurd zo gauw dat het geval was en dat de documenten op een rechtmatige manier waren meegenomen.

Er kwam een sms'je binnen. Het bericht kwam van Marian. *Waar ben je? Ben je nog op kantoor? M.*

Hij toetste een antwoord in: *Ik zei toch dat ik door zou werken.*

Na een halve minuut kwam er weer een bericht. Het piepgeluid echode in zijn oor. *Ik ben onderweg naar Fredrikstad, naar de hondencursus met Birka.*

Kreeg verontrustend telefoontje van Julie Thyvik. Misschien is het niets, maar er brandt licht in de receptie op Rødvassa. M.

Cato Isaksen las het vlug, stond op, pakte zijn jasje dat over de rug van zijn stoel hing en verliet snel het kantoor terwijl hij het antwoord intoetste. *Ik ben al onderweg. Wacht bij het benzinestation.*

In de gang kwam hij Irmelin Quist tegen. Ze glimlachte. 'Ik werk over. Ik moet al die dossiers die Marian Dahle... ik begrijp dat je geen tijd hebt.'

Cato Isaksen knikte verstrooid, hij probeerde te glimlachen en liep snel door naar de lift.

'Denk eraan dat je voor de vorst de dahlia's naar binnen haalt,' riep ze hem na.

'Mijn hele jeugd lang was hij een ijsklomp. Voor hem bestonden alleen God en de Kerk. Hij wilde me vormen, me storten in zijn kou. Oluf was een duivel. Ik heb hem helemaal lens geslagen toen ik het te horen kreeg. Omdat hij iedereen een rad voor ogen had gedraaid.'

Tomas Carlsson keek naar het porseleinen figuurtje voor hij zijn hoofd optilde en naar Lennart Hjertnes loerde, die nog steeds iets stevig in zijn hand hield.

'Astrid Wismer heeft me gebeld, ze vertelde me dat ze mijn grootmoeder was. Ze belde begin juli. Ik kreeg verlof... ben erheen gegaan... 14 juli... toen heb ik haar ontmoet. Mijn moeder. We zouden opnieuw beginnen. Ze zei dat ik Alexander had moeten heten.'

'Ik begon haar in de gaten te houden,' zei Lennart Hjertnes. 'Nadat je daar was geweest. Ik zag ze op het bankje zitten. Ik herkende Astrid Wismer van de krantenfoto's. Dat grijze haar is trouwens genetisch. Ik werd grijs toen ik negenentwintig was.'

Tomas Carlsson voelde hoe de valium zijn zenuwen in bedwang hield. Het lag als balsem over zijn ziel. *Straks ben je dood.* Hij praatte door. Hij staarde langs de verkrachter, naar de houten wand. 'Oluf was in Oslo, op een artsencongres, het weekend dat jij... Hij zou bij zijn zus en zwager eten, maar die waren dat natuurlijk vergeten. Oluf kreeg geen hap te eten. Ze praatten de hele nacht, Rolf en hij. Ze dronken whisky. Astrid zat te huilen in de keuken.

Hanne lag in de slaapkamer. Om vier uur 's ochtends kwam Oluf op het plan met die patiënt. Hij werd euforisch, vertelde Astrid. Hij vertelde dat hij een patiënt had... Karin was verpleegster. En de patiënt zou hoe dan ook sterven. Ze stopten Hannes jurk en slipje in een draagtas. Het slipje zat vol... Oluf nam haar mee in de auto. Ze bood geen tegenstand. En daarna was alles te laat. Oluf nam bloed van haar af, besprenkelde de jurk ermee en liet hem hier bij de picknickplaats achter. Hij creëerde een plaats delict.' Lennart Hjertnes had een vreemd licht in zijn ogen.

'En daarna schreef Rolf een anonieme brief naar de politie,' zei Tomas Carlsson. 'En toen bleek dat ze zwanger was.'

*

Marian Dahle draaide van de hoofdweg af, langs het benzinestation reed ze het donkere grindpad op. Er was geen straatlantaarn te zien, alles was donker. Ze wilde alleen maar even kijken, daarna zou ze terugrijden naar het benzinestation en wachten. Ze kwam bij het bord met 'Rødvassa'. Ze zag het staan toen de koplampen er even op schenen. Ze remde en parkeerde achter een witte Volvo. Ze keek door het zijraampje, maar zag niemand. Birka sliep achter in de auto. 'Wacht jij maar even hier. Mooi blijven liggen, hè? Ik ga alleen even kijken.' Ze opende het portier en stapte uit. De gure kou sloeg haar tegemoet. Ze stak haar handen in haar zakken. Ze zag het vage lichtschijnsel door de ramen van het gebouwtje naast de inrit. Was Ewald Hjertnes op dit tijdstip hier? Hij had toch een Lada? Misschien had hij hem ingeruild voor een oude Volvo. Ze bleef staan en haalde haar handen uit haar zakken.

*

'Jij hebt alles kapot gemaakt,' zei Tomas Carlsson. *Straks ben je dood.* 'Alles,' herhaalde hij. 'Je bent knettergek. Maar je lijkt geen moordenaar.'

'We lijken op elkaar, wij tweeën.' Lennart Hjertnes speelde met wat hij in zijn hand hield. 'Ik dacht dat wij...'

Tomas Carlsson stond zo snel op dat hij met zijn heup tegen de tafel stootte. 'Dus daarom... daarom wil je me ontmoeten. Je denkt dat we iets gemeenschappelijk hebben. Dat we op elkaar lijken. Dat je eindelijk iemand hebt gevonden die net zo slecht is als jij?' Tomas Carlsson staarde hem aan. 'En het Poolse meisje?'

Lennart Hjertnes zweeg.

Marian stapte over de ketting die over het pad hing. Ze keek naar het zwakke lichtschijnsel in het receptiegebouwtje. Ze trok haar jas beter om zich heen en stak haar handen weer in haar zakken. Ze liep in de richting van het strand, over het smalle pad.

Hoewel het een heldere sterrenhemel was, dreef een dunne septembernevel in plukken boven het gele gras. Alles was donker en stil. In de verte hoorde ze de golven. In de andere bruine houten gebouwtjes was nergens licht te zien. Het was vast Ewald Hjertnes. Of misschien William Pettersen? Wat een onzin om Cato Isaksen te waarschuwen! Ze liep snel. Het water spoelde driest over het strand. Het schuim van de golven lichtte als wit kant in het donker op. De verlaten caravans waren deels met zeilen ingepakt en voor de ramen zaten kunststof platen. Ze stonden er aftands en treurig bij.

*

'Dit eindeloze verhaal verdient een waardig slot,' zei Tomas Carlsson. *Straks ben je dood.* 'Ze belde me 23 juli, vlak voordat je kwam. Ze was zo bang dat ze op het balkon zat. Ik ben niet zoals jij. Ik maak geen vrouwen kapot. Ik steel geld en wapens. En auto's,' voegde hij eraan toe. 'Weet je waarom ik geen vrouwen kapot maak?'

Lennart Hjertnes keek hem aan.

'Omdat ik een moeder had. Karin. Mijn moeder, Karin, was mooi en lief. Ze...'

'Ik had ook een moeder,' zei Lennart Hjertnes.

'Nee, dat had je niet. Ik heb in de krant over haar gelezen. Ze...'

'Dat is niet waar!' Lennart Hjertnes sloeg zo hard met zijn hand op het tafelblad dat het kleine figuurtje op de grond viel en brak.

Tomas Carlsson voelde het gewicht van de Glock in zijn binnenzak. 'Ze was een hoer.'

'Ze was geen hoer.' Lennart Hjertnes sloeg nog een keer met zijn vuist op tafel. De stilte daarna was oorverdovend. Hij boog zijn hoofd, hief het weer op. 'Ik wilde je dit geven.'

Hij opende zijn hand en legde een klein zilveren hartje voor Tomas Carlsson op tafel. 'Het was van Agnes, je grootmoeder.'

Tomas Carlsson pakte het op en keek er naar. 'Astrid Wismer is mijn groot-moeder. Ze noemde me haar wraakengel... ze was...'

'Ze was een duivel,' riep Lennart Hjertnes. 'Dertien jaar kreeg ik. Tien jaar zat ik in de gevangenis.'

'Ze was geen duivel.'

'Ze is dood,' zei Lennart Hjertnes. 'Ze kreeg een kussen op haar gezicht.'

*

Marian Dahles mobiel ging. Het was Cato Isaksen. 'Ik ben onderweg,' zei hij. 'Wacht op me bij het benzinestation. Hou je gedeisd.'

'Ik ben er al. Aan het strand. Er brandt licht in de receptie en er staat een Volvo. Met Zweedse nummerborden. Wat zou dat kunnen betekenen?' Ze bukte zich en pakte een schelp op die op het zand lag en draaide haar rug naar de zee toe.

'Verdomme Marian! Ik zei toch dat je moest wachten. Ik zei dat je geen domme dingen moest doen.'

'Natuurlijk doe ik dat niet,' zei ze en ze voelde de ijzige wind in haar gezicht. 'Maar misschien is het alleen Ewald Hjertnes maar.'

'Nee, Marian, ik heb hem gebeld. Hij is thuis in Stovner.'

Marian draaide zich weer naar de zee toe. 'O,' zei ze en ze wandelde weer langzaam over het pad naar boven. Ewald Hjertnes was thuis. Ze dacht aan William Pettersen. De mol in de kelder. Waar was hij? 'Ik zet mijn telefoon uit. Voor het geval ik word gebeld als...'

'Wacht tot ik kom!' zei Cato Isaksen vastberaden.

Marian keek naar de kleine bruine campinghutten die aan de linkerkant tegen de bosrand stonden. Hoger op de helling zag ze het washok en het gebouwtje naast de inrit. 'Kom zo snel je kunt,' zei ze en ze sloot het gesprek af. Ze zette haar mobiel uit en stopte hem in haar zak.

Ze voelde plotseling een ijzingwekkende angst. De duisternis rees als een muur om haar op. Het geluid van de golven vermengde zich met haar hart-slag. Ze keek doodsbang om zich heen. Misschien was het de duisternis. Het was in elk geval het jaargetijde.

*

Ze bleef staan, trok haar jas dichter om zich heen. Luisterde. Haar ogen waren nu gewend aan het donker. De sterren leken als vingerafdrukken over het hemelgewelf gestrooid.

Ze kon het best direct uitzoeken wie er in de receptie was. Misschien was er een heel eenvoudige verklaring, dan kon ze Cato bellen en zeggen dat hij terug kon gaan.

Ze liep zachtjes verder. Bleef weer staan en luisterde. Ze liep de laatste twintig meter naar de veranda voor het gebouwtje. Ze strekte haar hals. Ze kon niets zien en stapte voorzichtig de veranda op. Er zat een kier in de gordijnen. Ze hoorde stemmen. Ze waren met z'n tweeën.

Ze trok zich voorzichtig langs de wand op en wilde juist door de kier gluren toen de deur met een knal openvloog. Marian kroop achter de deur in elkaar. Twee mannen kwamen naar buiten.

'Ik hoorde iemand,' zei een stem in het Zweeds. 'Maar misschien ook niet,' voegde hij eraan toe. 'We gaan weer naar binnen.'

Marian voelde dat de angst zich als gif door haar lichaam verspreidde. Ze zat doodstil, met haar rug tegen de houten buitenwand. Achter de deur. Ze voelde de bijtende zeelucht in haar gezicht. Ze wachtte.

'Als je iets hoorde, dan hoorde je ook iets,' zei de oudste. 'Er is iemand. Ik weet dat er iemand is. En dat hoort niet zo te zijn...'

Marian hief haar gezicht op. De deur zwaaide langzaam dicht. Iemand trok eraan. Straks zouden ze haar zien. Ze snakte naar adem. Ze keek hen aan. Twee gelijke mannen. Die ene man moest Lennart Hjertnes zijn. De andere was... Zweeds.

Marian keek naar de beide mannen en had het gevoel alsof ze tegenover alle mannen van de hele wereld stond. Plotseling trok de jongste een pistool uit zijn binnenzak. Marian Dahle boog naar voren en rolde snel om.

De jongste man stond als verlamd.

'Politie,' schreeuwde Lennart Hjertnes. 'Ze is van de politie. Ik ken haar. Schiet! Schiet dan!'

Lennart Hjertnes greep het pistool. Marian kwam half overeind, liep ineengedoken een paar stappen maar zette haar voet naast de rand en viel van de veranda. Ze sloeg met haar hoofd tegen een steen op het moment dat boven haar een schot werd afgevuurd. Er klonk nog een schot. Het schalde door de duisternis. De plotselinge stroom bloed in haar gezicht verblindde haar. Ze wachtte tot de echo van het schot zou verdwijnen. In de verte hoorde ze Birka in de auto blaffen.

Ze hoorde de Zweedse man iets roepen en kwam weer overeind. Als een hardloper op de atletiekbaan zette ze haar handen op de grond en ze sprintte weg. Ze rende naar de auto. Iemand schoot over haar hoofd en trof het autoraam waar het glas explodeerde. In de auto ging Birka als een bezetene tekeer.

Haar gezichtsveld werd behoorlijk beperkt door het bloed. Ze hoorde Lennart Hjertnes' stem: 'Klotewijf!' Er knalde nog een schot door de duisternis en het geblaf verstomde. Het werd stil. Lennart Hjertnes riep. 'Daar is ze.'

*

Ze rende in de richting van de weg, sprong over de ketting en snelde over het grindpad. Ze kwamen achter haar aan. Ze hoorde ze. Ze struikelde en viel, ving zich op haar handen op en voelde de steentjes in haar huid dringen. Ze kwam weer overeind. Rende verder.

Een stuk verderop wierp ze zich in de greppel en liep daarna over het pad de heuvel af. Er was een opening, beneden bij het water. Plotseling struikelde ze bijna over een houten tafel met vastgetimmerde banken.

Haar hartslag bonkte in haar oren. Kwamen ze haar achterna? Waren ze er nog?

Ze liet zich op haar buik vallen. Met haar neus boven de bosgrond zag ze op de open plek in het bos voetsporen op een dik kleed van herfstbladeren en naalden, zo duidelijk alsof ze in de aarde stonden. Ineens wist ze dat ze vlak bij het veld met varens was. Ze kroop verder op handen en voeten. 'Tomas,' hoorde ze iemand roepen. Ze voelde een koude rilling door haar lichaam gaan. Lennart Hjertnes en Tomas Carlsson, vader en zoon. Gevaarlijke verbintenissen. Levensgevaarlijke verbintenissen.

Het werd stil. Ze bleef liggen luisteren, rolde op haar rug, bewoog zich niet. Ademde. Sloot haar ogen. Toen hoorde ze voetstappen. Ze kwamen naar haar toe, langzaam. Ze bleven staan. Een stem zei in het Zweeds: 'Ik weet dat je hier bent... ik weet het.' Een plotselinge lichtflits zwaaide boven haar hoofd door de glimmende bladmassa. Een zaklantaarn. Glimmende dauwdruppels lichtten op in de groene duisternis. Ze kon elk nerfje in de bladeren onderscheiden en zag de donkere sporen aan de onderkant. Het is afgelopen, dacht ze. Zo zou het dus eindigen. Ze tilde langzaam haar hoofd op en maakte haar gezicht vrij van het blad. Ze voelde de angstaanjagende leegte. De straal van de zaklantaarn draaide van haar weg. Ze viel weer achterover. Voelde de aarde tegen haar achterhoofd. Toen hoorde ze een ander geluid, gefluit. En nog een geluid, het geknerp van autobanden over het grind op het pad.

Cato Isaksen reed langzaam over het smalle pad. Het was stikdonker. De lichtkegels van de koplampen creëerden twee tunnels in het donker. Ze zwaaiden over het gele gras in de greppels. De zomer was voorbij. Het gras was verlept.

Hij reed langzaam, wist niet wat hem te wachten stond. Marian nam de telefoon niet op. Misschien moest hij stoppen, de auto parkeren en verder lopen? Hij staarde in het donker. Misschien moest hij de koplampen uitdoen? Of om assistentie vragen? Maar misschien was er niets aan de hand.

De gedachten schoten door zijn hoofd. Lennart Hjertnes was een gevaarlijke man. Was hij hier?

Ineens zag hij een lichtflits en hij draaide zijn hoofd naar links. Hij was bij de picknickplaats. Hij herinnerde zich de houten tafel met de banken. Hij remde af, keek uit het zijraampje, deed het licht uit, maar alles was donker. Hij stopte, deed het raampje naar beneden en luisterde. Het gedempte geruis van het bos mengde zich met het geluid van het water dat op de stenen sloeg. Verder was het stil, doodstil. Alleen ver weg het geluid van de hoofdweg. 'Marian!' riep hij. 'Marian!'

Geen antwoord. Hij deed het raampje weer dicht en drukte zijn gezicht tegen het donkere vlak. Hij hoorde zijn eigen ademhaling. Het lichtschijnsel was waarschijnlijk het maanlicht dat weerkaatste in het beslag van een houten boot. Hij herinnerde zich dat er hier een aantal boten lag aangemeerd.

De motor draaide stationair. Hij draaide zich om en staarde door de voorruit, hij trapte de koppeling in, zette de auto in de eerste versnelling en reed langzaam verder.

In het donker zag ze een rand. Het was een steen. Hij lag vlakbij. Ze draaide zich stil om en pakte hem. Het gefluit van het kinderliedje begon opnieuw. De auto was doorgereden. Een eindje verderop hoorde ze het water klotsen.

Toen hoorde ze de jongste man in het Zweeds. 'Kom tevoorschijn,' zei hij. 'Ik weet dat je er bent.'

Marian voelde hoe haar hart schokkerig tegen haar ribbenkast sloeg. Het angstzweet stroomde langs haar rug. Ze kwam voorzichtig omhoog, liet de steen uit haar hand rollen. Hij was te klein. Hij was veel te klein.

Trillend ging ze staan. De bladeren zwiepten tegen haar wangen toen ze overeind kwam. Tomas Carlsson had het pistool is zijn ene hand en de zaklantaarn in de andere. Hij wees op haar met de zaklamp. Achter hem stond Lennart Hjertnes. 'Goed zo, Tomas,' zei hij. 'Goed zo.'

Ze bleef even zwaaiend op haar benen staan, voor ze stevig op haar voeten stond. Tomas Carlsson kwam langzaam op haar af. Zijn ademhaling ging moeizaam. Hij liet de zaklantaarn zakken en hief het pistool op.

Lennart Hjertnes bleef op dezelfde plek staan. Tomas Carlsson gooide de zaklantaarn weg. Hij rolde verder. Het licht werd zwakker en zwakker en doofde toen bijna uit. Hij wees op haar met het pistool. Ze zag dat zijn hand trilde. Hij stopte de andere hand in zijn zak. Hij pakte iets. Hij hield zijn hand voor haar op en opende hem. 'Neem dit,' zei hij.

Ze zette trillend een paar stappen in zijn richting. Automatisch stak ze haar hand uit. Hij liet het kleine sieraad in haar hand vallen. 'Straks ben je dood,' zei hij.

Marian sloot haar ogen, aan de binnenkant van haar oogleden dansten rode stippen. Ze wachtte op de knal, op de pijn. Op de stilte.

Tomas Carlsson staarde in het donker. Trillend. 'Ben je daar, Lennart Hjertnes. Ben je daar?'

'Ja,' klonk het antwoord uit de duisternis.

Tomas Carlsson draaide zijn arm naar links, naar de plek waar de stem vandaan kwam. Hij hield hem een paar seconden zo gericht. Toen draaide hij het pistool naar zichzelf. 'Tomas, straks ben je dood,' zei hij hardop tegen zichzelf. 'Je bent dood!' riep hij en hij drukte af. Hij viel. De echo leek eeuwig te weerkaatsen.

*

Marian viel op haar knieën naast hem neer. Ze raakte zijn hals aan. Bloed, overal bloed. Het schoot door haar heen dat hij zich van het leven had beroofd op dezelfde plek als waar hij was verwekt. Tomas Carlsson was dood. Op de picknickplaats bij de varens. Bij de wilde aardbeien. Het geluid van het schot dreunde na in haar oren. Het water kolkte op de stenen langs de oever. Een rukwind kwam over zee.

Lennart Hjertnes trok zich stil terug. Hij verdween in het bos. Marian draaide zich om naar het geluid. Het bos werd steeds zwarter. Een tak brak, een jack werd dicht geritst. Ze had bloed aan haar handen. Ze tilde ze op, hield ze voor zich. Haar hart klopte in haar keel. Wolken trokken naar de sterren aan de hemel en schoven ervoor. De zaklantaarn lag met de lichtstraal naar de grond. Hij wees naar de zwarte aarde.

Het doffe geluid van iemand die in het donker op haar af kwam. Het geluid drong steeds dieper tot haar door. Maatvaste stappen. Door het bos. Rennende voeten, een man. Een rennende man. Naar haar toe. Recht op haar af. Hij trok haar overeind. Pakte haar onder haar armen, van achteren. Trok haar met een ruk overeind. Hield haar vast, sloeg zijn armen om haar heen. Zijn boze stem in haar oor. 'Je had wel dood kunnen zijn. Ik zei toch... verdomme!'

Marian stond trillend tegen hem aan. Ze draaide langzaam haar hoofd om. Ze staarde naar Cato Isaksen. Ze voelde de warmte van achteren doordringen. Ze ademde, ademde. Ze keek naar Tomas Carlsson die dood op de grond lag met het pistool in zijn hand. Dood, met het pistool in zijn hand.

Politieagenten van het lokale korps arriveerden. Ineens waren ze er, het leek wel een plek waar een groot ongeluk was gebeurd. Ze liepen met strakke gezichten in het rond. Starende ogen. Rennende voeten, lampen en zacht gepraat. Ze zaten op hun hurken bij de dode. Ze haalden materieel uit de auto's op het smalle grindpad. Er kwamen nieuwe auto's aan, nieuwe mensen.

Marian zat op de rand van de bank aan de houten tafel met een plaid om haar schouders. Cato Isaksen zat naast haar.

Lennart Hjertnes stond op het pad, bij een van de politieauto's, met zijn handen op zijn rug.

'Je ziet er afschuwelijk uit.' Hij praatte snel en zacht. 'Ik zei toch...'

'Ja, ja...'

'Onder de modder, doorweekt en overal schaafwonden. Allemaal bloed op je gezicht,' ging hij door.

'Ik... helemaal in orde,' stotterde ze klappertandend. 'Aarde... modder... water... bloed...'

Hij trok aan de plaid, probeerde haar beter in te pakken.

'Nee,' zei ze en ze stond op. 'Tomas Carlsson, hij...'

'We gaan naar de auto, Marian.' Cato Isaksen duwde haar onvermurwbaar in de richting van het smalle pad. Hij hield haar arm stevig vast, alsof ze een kind was dat iets stouts had gedaan.

Op het pad duwde hij haar naar de auto, opende het portier en zette haar op de passagiersstoel. 'Je moet naar een dokter,' zei hij vastbesloten. Vervolgens liep hij het pad over en het bos in.

Even later was hij terug. 'Ik moest plassen,' zei hij en hij stapte achter het stuur. 'Die verrekte koffie!'

'Cato,' zei ze zacht en ze keerde haar bloedige gezicht naar hem toe. 'Mijn hond, Birka... in de auto. Het raam is kapot. Er is een kogel doorheen gegaan.'

Hij keek haar aan, slikte. 'Door het raam?' herhaalde hij. Ze zag zijn uitdrukking toen een lichtstraal over zijn gezicht zwaaide. Zijn ogen stonden bezorgd. Zijn mondhoeken naar beneden getrokken, een diepe rimpel aan weerszijden.

'Ja...'

Een paar tellen zat hij voor zich uit te kijken. Verroerde zich niet. 'Marian, misschien...'

'Toe,' zei ze. 'Er is geen misschien.'

Hij keek nog even voor zich uit, maar opende toen het portier en stapte uit. Hij boog zich weer naar binnen en zei met vaste stem: 'Ik loop er snel heen. Blijf hier zitten.'

Ze keek hem na toen hij over het pad uit het zicht verdween. Ze keek naar zijn rug in het oude bruine, leren jack en naar de rennende voeten, de schoenzolen die naar achteren wezen voor hij ze neerzette op het grind, tot hij werd opgeslokt door de duisternis.

Het wolkendek trok weg van de sterrenhemel. Plotseling flonkerden er honderden ogen boven de op speerpunten lijkende toppen van de dennenbomen. Overal krioelde het van politiemensen en zaklantaarns.

De flitslichten van de fotocamera's op de plaats delict spleten de duisternis in tweeën. Steeds opnieuw.

Ze wachtte, spelend met het zilveren hartje dat ze in haar hand had. Ze probeerde het om te doen, om haar hals. Buiten de auto stonden politieagenten zacht te praten. Ze liepen op en neer, praatten in mobiele telefoons. Politieauto's werden verplaatst. Als de koplampen over de weg draaiden zag ze de contouren van de dennenbomen en het grijze grind op het pad. Een ambulance kwam langzaam dichterbij. Stopte, reed weer een stukje achteruit. Daarna weer naar voren. Na een paar minuten die aanvoelden als uren kwam Cato Isaksen terug. Hij opende het portier, stapte in, legde zijn handen op het stuur en keek voor zich uit.

'Birka?' vroeg ze en ze voelde de tranen uit haar ogen stromen. 'Birka?'

Cato Isaksen pakte zijn handen van het stuur. 'Het portier zat op slot, Marian. Birka leeft. Ze is bang, jankt. Maar ze leeft. We rijden erheen. Heb jij de autosleutel?' Hij startte de auto.

'In mijn zak,' steunde ze.

*

De civiele politieauto reed langzaam over de donkere grindweg. Een politie-man in uniform wenkte hen verder. Marian draaide zich om en keek naar de achterbank. Ze staarde naar de hond. De opluchting liep als een lichte streep door haar borst. De pijn in haar voorhoofd was ondraaglijk. 'Mooi gaan liggen, Birka,' zei ze moe. 'Alles is in orde. Lief meisje.'

Ze draaide zich naar Cato Isaksen en zei zacht: 'Birka is ongedeerd. Stel je voor, ze mankeert niets.'

'Ja, Birka is ongedeerd.' Hij schudde zijn hoofd. 'Maar jij bent niet zo braaf, Marian,' zei hij donker. 'Je weet dat je niet...'

'Nee,' zei ze, 'ik ben niet braaf.'

Hij stopte en keek naar rechts voor hij de hoofdweg opdraaide. Langs het dag en nacht geopende benzinestation.

'Hij had verdomme een wapen. Hij had je dood kunnen schieten. Wist je dat hij een wapen had? Tomas Carlsson en Lennart Hjertnes...'

'Ik wist het niet.' Ze slikte. 'Maar ik probeer me zonder wapen te redden, Cato.' Ze ging recht overeind zitten. Haalde diep adem. 'Fijn dat je mijn tas hebt meegenomen,' zei ze en ze hoorde zelf dat haar stem weer duidelijk klonk. 'Ik ga vanavond nog naar de cel van Hjertnes toe. Ik heb me deze ellende niet allemaal op de hals gehaald om er niets voor terug te krijgen.'

Cato Isaksen kneep zijn handen om het stuur. 'Geen sprake van. En dat weet je ook.'

'Ik ga erheen.' De zenuwen vielen plotseling van haar af en woede nam bezit van haar. 'Mijn moeder heeft me met een mes bedreigd. Dat wist je niet. Ik liep bij een psycholoog, hij zei: "Stel je een kast vol wapens voor: pistolen, vlammenwerpers, bommen, granaten, messen en zwaarden." Hij vroeg wat ik zou kiezen om me te verdedigen. Weet je wat ik heb geantwoord?'

'Toe nu, Marian, rustig aan.' Cato Isaksen haalde nerveus een hand door zijn haar. 'We praten later. We gaan eerst naar de dokter en daarna een debriefing. Leun nu maar even naar achteren en haal rustig adem.'

'Een vlammenwerper,' zei ze. 'Het heeft me altijd geweldig geleken om dingen weg te branden. Maar het antwoord was fout.'

'Kun je niet gewoon je mond houden, Marian.' Hij sloeg met zijn vuist op het stuur.

'Martin Egge noemde me de koningin van het duister.' Ze lachte zacht en voelde met haar vingers aan de wond op haar slaap.

Hij zuchtte diep en zei zacht: 'Marian, misschien moet je hulp zoeken?'

'Hulp, wat voor hulp?'

'Het is toch duidelijk dat je dagelijks lijdt?'

'Ik ben bijna neergeschoten. Beheers je, jíj bent degene die dagelijks lijdt, ik niet.' Het bloed op haar hand was gestold.

Cato Isaksen remde af voor een auto die richting aangaf naar rechts.

'Therapie is net zoiets als marineren in je eigen ellende, als baden in negatieve geldingsdrang.'

'Marian...'

'Ik zei alleen maar dat therapie niet bepaald een *high five* is. Rij nu maar! Die auto is al lang afgeslagen.'

Cato Isaksen pakte zijn hand van het stuur en legde hem weer op haar arm. 'Rustig maar. Hoe ken je Egge eigenlijk?'

Marian schudde zijn hand weg en pakte een sigaret uit haar tas. Ze stak hem aan en inhaleerde diep. 'Hij zei dat ik bij de politie moest gaan omdat ik precies wist hoe het voelde om mislukt te zijn.'

'Rook niet in de auto.'

'Ik rook niet. Stel je voor dat je moeder je wil vermoorden.' Ze blies de rook naar buiten door een kier in het raam. 'Je bent doodsbang. Niet voor het mes, maar voor je moeder. Het liefst zou je het kussen weggooien en haar er een eind aan laten maken. Stel je voor dat een zestienjarige haar moeder zo hard in haar buik schopt dat ze omvalt. Ze loopt naar de telefoon en belt de politie. Dan gaat ze schrijlings op haar moeder zitten wachten. En de politie komt. Martin Egge komt. Dit gebeurde natuurlijk lang voordat hij chef van de landelijke recherche werd.'

Cato Isaksen passeerde de auto die voor hem reed en voegde in achter een vrachtwagen met oplegger. De rode achterlichten leken wel vuurtorens.

Marian Dahle ging verder: 'De politieman ziet de zestienjarige en neemt haar mee in zijn auto. Hij brengt haar naar zijn vrouw en vraagt of zij op het zestienjarige meisje wil letten, voor hij terugrijdt naar Stovner om te zorgen dat de gekke moeder wordt opgenomen.'

Ze nam nog een trek van haar sigaret. 'Het is de schuld van de zestienjarige dat haar vader instort, dat alles kapot gaat. Het is al veel vaker gebeurd, maar dat kan ze zich niet herinneren.'

'Of je houdt je mond, of ik rij naar de kant van de weg en stop.'

'Het is onprofessioneel van de politieman om de zestienjarige mee naar huis te nemen. Hij krijgt een reprimande omdat hij zich niet aan de regels heeft gehouden. Maar het is niet altijd zinvol om je aan de regels te houden, Cato, soms moet je gewoon de stap nemen,' zei ze en ze speelde met het zilveren hartje dat ze om haar hals had.

'Rustig, Marian,' riep hij en sloeg weer op het stuur.

'Het goede antwoord was niet vlammenwerper,' schreeuwde ze. 'Het was gevoel van eigenwaarde.'

Officier van justitie Marie Sagen trok de dunne, moderne mantel met bont-kraag beter om zich heen en haalde haar legitimatie door de kaartlezer. Ze liep snel de wachtruimte door. De hakken van haar zwarte laarzen tikten op de vloer. Ze knikte even tegen een paar agenten en haalde een hand door haar blonde haar. Ze hield haar aktetas tegen haar buik, drukte op het knop-je van de lift en ging naar de vierde verdieping.

Cato Isaksen ontving haar. 'Roger praat nu met Hjertnes,' zei hij.

'En Marian Dahle?'

'We zijn bij de dokter geweest. Het gaat goed. We hebben een korte debrie-fing gehouden. We praten later verder.'

'Waar is ze nu?' Marie Sagen zette haar tas op de vloer en trok haar bont-mantel uit.

'Ze is bij Roger,' zei hij. 'Ze stond erop. Tomas Carlsson had haar kunnen vermoorden. Hij wilde haar vermoorden. Maar hij heeft zichzelf doodge-schoten. Er wordt natuurlijk een onderzoek gestart.'

'Perfect,' zei Marie Sagen, 'als uitkomt dat Marian Dahle iemand verhoort die heeft geprobeerd haar neer te schieten, wordt ze op staande voet ontsla-gen. Hjertnes' advocaat is toch ook aanwezig?' Ze gooide haar bontmantel over de rugleuning van een stoel.

'Marian stoof zijn cel binnen,' zei Cato Isaksen. 'Haal haar er maar weer uit, als je durft. Formeel is ze daar niet.'

Marie Sagen pakte haar koffertje, legde het op tafel en opende het. 'Er is juist een rapport verschenen waarin staat dat politievrouwen onder de duim gehouden moeten worden. De politie is conservatief. Ik heb het ook gemerkt. Ik krijg kritiek omdat ik op hoge hakken loop en mijn nagels lak. Je hebt geen antwoord gegeven op mijn vraag. Is zijn advocaat aanwezig?'

'Die is er nog niet,' zei Cato Isaksen. 'Ik heb dat rapport ook gelezen. De politie is een organisatie die is opgezet door mannen, voor mannen. Marian houdt de statistieken in evenwicht. Ik heb echt geprobeerd haar onder de duim te houden, maar ze springt elke keer weer op als een duveltje uit een doosje.'

VG. Dinsdag 2 oktober 2007.

LENNART HJERTNES KAN NIET TWEE KEER WORDEN VEROORDEELD. *Hij werd in 1974 veroordeeld voor de moord op Hanne Elisabeth Wismer en heeft daarna een straf uitgezeten voor een moord die hij niet heeft begaan.*

De vijfenvijftig jaar oude Lennart Hjertnes, vroeger Hoen, zit nu vast en het Openbaar Ministerie heeft toestemming gekregen voor acht weken voorlopige hechtenis met een volledig contactverbod. Maar hij kan in elk geval niet twee keer voor dezelfde daad worden veroordeeld. Dat heeft officier van justitie Marie Sagen gisteren tijdens een bespreking op het ministerie van Justitie vastgesteld. Bij de bespreking waren ook de minister van Justitie Knut Lilledrange, de chef van de landelijke recherche Martin Egge, afdelingschef Ingeborg Myklebust van de afdeling Moordzaken bij het politiedistrict Oslo en de leider van het onderzoek, hoofdinspecteur Cato Isaksen aanwezig. 'Hjertnes kan hoe dan ook niet twee keer worden veroordeeld voor de moord op dezelfde persoon. Hij heeft in de jaren zeventig een straf van dertien jaar uitgezeten voor de moord op Hanne Elisabeth Wismer (17). Hij werd in oktober 1984 vrijgelaten. In het appartement van de vermoorde Hanne Elisabeth Wismer (52) in Stovner zijn voetafdrukken gevonden van Lennart Hjertnes' gymschoenen. De vrouw hield zich schuil onder de naam Britt Else Buberg. De politie heeft dezelfde voetafdrukken gevonden in het bosgebied bij de camping Rødvassa, waar in augustus de jurk werd gevonden van de vermiste Lilly Rudeck. De broer van de verdachte, Ewald Hjertnes, bevestigt dat zijn broer in het bezit is van een paar witte Nike gymschoenen (maat 44) van hetzelfde type als de schoenen die door de politie zijn geïdentificeerd. Het staat daarom buiten kijf dat Lennart Hjertnes de moordenaar is in de zaak waarbij op 23 juli jl. een vrouw van een balkon in Stovner werd geduwd. De man is bovendien na een fotoconfrontatie herkend door de buschauffeur die die avond vanaf Stovner is vertrokken. Het Openbaar Ministerie werkt nu aan een veroordeling voor moord op de vermiste Lilly Rudeck. Maar zal de rechtbank voor de tweede keer een uitspraak willen doen die alleen gebaseerd is op aanwijzingen?

Randi Johansen gooide de krant aan de kant. 'Ik begrijp niet waarom hij Wismer heeft vermoord toen hij ontdekte dat ze nog in leven was? Hij had een enorme schadevergoeding kunnen eisen.' Ze trok haar jack beter om zich heen. 'Hij werd tenslotte onschuldig veroordeeld. Hij had miljoenen kunnen beuren. Hij had een soort held kunnen worden. Als ik de media goed inschat, zou het daarop zijn uitgedraaid,' zei ze.

'Misschien weegt geld niet op tegen een leven dat is vernietigd,' zei Marian Dahle. 'Hij had haar immers wel verkracht, dus onschuldig was hij niet. Hij werd waarschijnlijk gedreven door haat,' ging ze verder. 'Haat is een brand die zich niet laat doven. Hij moet de gevangenis in.'

Cato Isaksen kwam binnen. 'Marie Sagen is van mening dat de aanwijzingen zwaarwegend genoeg zijn. De schoenen zijn gevonden, met aarde eraan van de plaats waar de jurk is gevonden. Lilly Rudecks jurk en slipje, met zaadresten erop. De boot die op het water dreef.'

'Natuurlijk moet hij niet vrij komen!' Randi Johansen stond op. 'Maar durft de rechtbank hem echt nog een keer te veroordelen op grond van aanwijzingen? Ze kunnen zich niet nog een gerechtelijke dwaling permitteren!'

Het was ijskoud in het hoekkantoor. Het was 15 november. De tijd ging veel te snel. Nieuwe zaken hadden zich aangediend. Twee nieuwe moorden. Twee mannen. Een was met een mes doodgestoken in het Sofienbergpark en een was in een discotheek vermoord. Het team maakte overuren. De grote ramen trokken de kou binnen. De duisternis kleefde aan de ruiten vast. Het was tien over acht.

Marian Dahle rilde, ze vouwde de krant op die ze had gelezen en gooide hem op het glanzende tafelblad. Ze stond op en keek Cato Isaksen aan terwijl ze de mouwen van haar knalrode gebreide trui naar beneden trok. 'Wat is het hier koud, zeg! Blij dat ik hier niet hoef te werken.'

Cato Isaksen keek op van de papieren. De elektrische wandkachels maakten knappende geluiden. Hij verborg een gaap achter zijn hand. 'We hebben hem, Marian, eindelijk. Lennart Hjertnes wordt veroordeeld voor de moord op Lilly Rudeck. Als hij vrij was gekomen, zou ik ook zeker het gevoel hebben gehad dat hij een lange neus naar ons maakte.'

'Helemaal mee eens,' zei ze en ze bukte zich om Birka over de kop te aaien. In een flits zag ze ineens Tomas Carlsson voor zich, toen hij dood op de grond lag.

Irmelin Quist stak plotseling haar hoofd om de deur. Ze zag Marian en glimlachte mat. Ze richtte haar blik op Cato Isaksen. 'Je hebt er toch wel aan gedacht om de dahlia's op te graven, hé?'

'Natuurlijk,' loog Cato Isaksen glimlachend. 'Ze staan keurig in de kelder.'

'Heb je de bloemen en het blad eraf geknipt?'

'Ja hoor,' zei Cato Isaksen. Hij had enorme honger. 'Ik moest je de groeten doen van Bente,' zei hij snel.

'Doe haar de groeten terug,' zei ze en ze ging weer verder.

Marian keek hem aan. 'Je liegt. Je hebt verdomme de bloemen van de archiefheks vermoord.'

Cato Isaksen zuchtte, hij stond op en pakte zijn jasje van de rugleuning van zijn bureaustoel. 'Ik hou het vandaag voor gezien,' zei hij. 'Ik neem de krant mee naar huis. Ik heb de zaak nog niet eens helemaal gelezen. Was je van plan om in mijn kantoor te blijven zitten?'

'Ik ga ook.' Birka kwam overeind en keek haar vol verwachting aan, enthousiast kwispelend. 'Het sneeuwt trouwens,' zei ze. 'Had je dat al gezien?'

'Nee, nog niet. Ik heb urenlang met mijn neus in de papieren gezeten en rapporten geschreven.'

Allebei ontvingen ze tegelijk een sms. 'Ik kijk wel even,' zei Marian en ze las het bericht. Ze glimlachte, toen boog ze achterover en lachte luid. 'O, fantastisch. Wat leuk!'

'Wat?'

'Ellen en Roger hebben een zoontje. Bijna een maand te vroeg. Maar het gaat goed. Roger zegt dat...'

'Dat is goed nieuws,' zei Cato Isaksen. Hij glimlachte. 'Nu zal Roger nog wat beleven. Moordenaars zijn peanuts vergeleken met schreeuwende kinderen. En ik kan het weten.'

'Ik ben blij dat ik alleen maar een hond heb. Roger zegt dat hij zich nog nooit zo beresterk heeft gevoeld.'

'Jij zou vast een fantastische moeder zijn, Marian,' zei Cato Isaksen en hij trok zijn jasje aan. 'Niet alle moeders zijn zoals...'

Marian Dahle gaapte hem aan. Het spreekwoord dat je je vijand onder de duim moet houden zonder te vechten, kwam plotseling weer in haar boven. Het waren haar woorden, maar het was zijn manier van doen.

Cato Isaksen zag in dat hij over de schreef was gegaan. Hij had in deze situatie niet over haar moeder moeten beginnen. 'Wat dieren betreft heb je in elk geval krankzinnige zorggenen...'

'Idioot,' zei ze. 'Je moet daar geen grapjes over maken. Het spijt me echt dat ik heb gezegd dat ik mijn moeder haat. Want dat doe ik niet. Maar ik geef ook helemaal niets om haar.'

'Zo praat je niet tegen je baas, Marian.'

'Maar het is waar. Je bent een idioot. Als we nu maar eens over die hoge drempel tussen ons kunnen stappen, zouden we goede vrienden kunnen worden, Cato. Ik geloof eigenlijk wel dat we vrienden zijn. Ik mag je, verdorie. Maar...'

Hij keek haar ernstig aan. Hij pakte de *Aftenposten*, vouwde hem dubbel en wees ermee naar haar.

'Dahliakiller,' zei ze. 'Cato, je bent een idioot.'

Ineens brak zijn gezicht open in een grote glimlach. 'Marian,' zei hij. 'Ik zal je één ding beloven. Ik zal je leren hoe je deuren open moet maken.'

Aftenposten. Donderdag 15 november.

Het Openbaar Ministerie wil Lennart Hjertnes aanklagen voor de moord op de negentienjarige Lilly Aniela Rudeck. Hoewel de veroordeling in de Hanne Elisabeth Wismer-zaak in 1974 berustte op een gerechtelijke dwaling, is het Openbaar Ministerie van mening dat dat juist de aanleiding is dat Hjertnes zich veilig voelde in de Rudeck-zaak. Dat hij ondertussen de moord heeft gepleegd waarvoor hij in 1974 al is veroordeeld, wordt gezien als bewijs voor het berekenende gedrag van de man. De aanwijzingen zijn deze keer zo sterk dat er nauwelijks of geen twijfel is dat de vermoedelijke dader de strafbare daden waarvoor hij wordt aangeklaagd, ook daadwerkelijk heeft begaan. In tegenstelling tot 1974 heeft men nu biologisch materiaal en DNA-bewijzen dat de verkrachting heeft plaatsgevonden. In 1972 was het alleen mogelijk een PCR-analyse uit te voeren. Daarmee konden geen bewijzen worden geleverd.

De gymschoenen die Hjertnes droeg toen hij werd gearresteerd, zijn identiek aan de schoenen waarvan de afdrukken zijn gevonden in de aarde op de plek waar Lilly Rudecks jurk werd gevonden.

Het Openbaar Ministerie is klaar voor de noodzakelijke procedures in het rechtssysteem. De officier van justitie is van mening dat het meer dan waarschijnlijk is dat Lilly Aniela Rudeck werd verkracht, vermoord en vanuit een boot in het water is gedumpt. Lennart Hjertnes heeft precies gekopieerd waar hij in 1974 voor werd veroordeeld.

Als er geen nieuwe bewijzen opduiken, zal de zaak na verloop van tijd voorkomen. De openbaar aanklager en het Openbaar Ministerie zijn klaar om grondig te werk te gaan. 'Ik heb Lilly Rudeck niet vermoord,' zegt Lennart Hjertnes tegen Aftenposten. Ondanks het omvangrijke bewijsmateriaal houdt Lennart Hjertnes hardnekkig vol dat hij onschuldig is.

16 november

Hand in hand kwamen ze de Zuiderkerk uit en liepen ze langs de gracht in de richting van de Nieuwmarkt. Het was koud en het water stond hoog. Ze keek naar het water waar drijfhout, blikjes en doorweekte broodkorsten voorbijdreven. Het water was troebel door de enorme hoeveelheden chemisch afval, afkomstig van de industrie. Uit een afvoerpijp van een van de met rijp bedekte woonboten stroomde de geur van versgezette koffie.

Ze droeg een glanzende, grijsblauwe zijden jurk onder de lichte jas en in haar hand had ze een boeket lelies. Ze hield het met haar koude hand stevig vast. Hij liep zacht neuriënd naast haar, gekleed in een iets te krap pak. Aan zijn voeten had hij zwarte lakschoenen.

'Stel je voor dat je de hele winter in zo'n boot kunt wonen,' zei ze. 'Stel je voor: we zijn getrouwd!'

Ze heette nu Lilly Aniela Soma. Het was een mooie naam. En Morris had beloofd dat hij het kind in haar buik beschouwde als zijn eigen. Maar het zou niet zijn huidskleur hebben. Het kind zou net zo blank zijn als zij.

'Zing eens iets,' zei ze. Ze liepen langs een zaak met glaswerk; in de etalage hingen doorzichtige sterren. Een klein vrachtwagentje stortte vieze ijsblokken in de gracht.

Hij lachte en keek naar de koude zonnestralen die als lange vingers over het asfalt vielen.

'Waarom niet, Morris? Je kunt zo mooi zingen.' Ze kneep even in zijn hand. 'Stel je voor dat we in een woonboot gaan wonen.'

'Jai niet koud hebben?' vroeg hij en hij keek naar haar haren met aan de punten dunne draadjes van rijp.

'Ik heb het niet koud,' zei ze. 'We gaan nooit meer terug.'

'Nai,' zei hij. 'Wai niet houden van sneeuw. Winter niet voor ons.'

Lilly dacht aan het strand, het zand en de schelpen. Ze dacht aan de muizenkeutels en het zeepwater en de vieze dweilen. En de meeuwen die naar beneden doken. Ze dacht aan Morris die naar de picknickplaats was gelopen en haar jurk en slipje onder de varens had gelegd, op de plek bij de wilde aardbeien waar het was gebeurd, terwijl zij zich in de containerbarak ver-stopte. Ze had kleren van hem geleend en was met de bus naar haar broer op de bouwplaats gegaan. Morris was later gekomen. Toen waren ze naar Nederland gereisd. Het leven ging verder. De minuten, de uren, de dagen. De jaarlijkse cyclus bestond uit voorjaar, zomer, najaar en winter. Nu was het winter.

'Misschien is de winter onze tijd, Soma. Misschien is dat wel zo,' zei Lilly en ze gooide haar bruidsboeket met de witte bloemen op het water. De bloe-men bleven even liggen, maar werden toen in de vorstnevel meegenomen met de stroming van een van de boten.

Uitgeverij Querido stelt alles in het werk om op milieuvriendelijke en duurzame wijze met natuurlijke bronnen om te gaan. Bij de productie van dit boek is gebruikgemaakt van papier dat het keurmerk van de Forest Stewardship Council (FSC) mag dragen. Bij dit papier is het zeker dat de productie niet tot bosvernietiging heeft geleid.